DE L'ESPRIT DE CONQUÊTE ET DE L'USURPATION

dans leurs rapports
avec la civilisation européenne

BENJAMIN CONSTANT

DE L'ESPRIT DE CONQUÊTE ET DE L'USURPATION

dans leurs rapports
avec la civilisation européenne

*Introduction, notes, bibliographie
et chronologie*
par Éphraïm HARPAZ

Publié avec le concours
du Centre national des Lettres

**GF
FLAMMARION**

*On trouvera en fin de volume
une bibliographie et une chronologie.*

INTRODUCTION

Le 8 mai 1811, Benjamin Constant fait ses adieux à Mme de Staël, à Lausanne, et part avec sa femme, Charlotte de Hardenberg, pour l'Allemagne. Ce fut là, certes, une séparation douloureuse, après une longue vie commune et une collaboration étroite, établie d'une manière suivie depuis leur arrivée à Paris, le 25 mai 1795, marquée surtout par les aléas d'une époque des plus mouvementées et des dispositions de cœurs comme de corps souvent aux antipodes. Ce fut là aussi pour Benjamin Constant une libération, le sentiment d'échapper enfin à un gouffre dans lequel il se croyait irrémédiablement enfoncé.

Tout ne semble pas cependant négatif dans le bilan d'une tranche de vie aussi lourde. Dans un sens, l'amitié passionnée de Mme de Charrière [1] ou de Mme Julie Talma [2] a été certainement favorable à la maturation affective et intellectuelle de Benjamin Constant. Le cas de Germaine de Staël est unique dans cette perspective : d'une position sociale éminente, fille de Necker, épouse de l'ambassadeur de Suède, auteur célèbre, femme considérée par son ami comme la plus spirituelle de son siècle. Qu'en plein désarroi, à la suite de sa mésaventure matrimoniale [3], des soucis causés par les procès dans lesquels a été impliqué son père [4], et après plusieurs années passées dans une petite cour d'Allemagne, Benjamin Constant ait été ébloui par la jeunesse prestigieuse de Germaine et

qu'il soit tombé éperdument amoureux d'elle, n'a rien
d'étonnant. L'éclosion comme l'explosion d'une passion ne sont pas nécessairement réduites au mécanisme simpliste que Guillemin a bien voulu leur
découvrir[5]. C'est une passion qui a été fouettée
d'ailleurs par le refus persévérant opposé aux sollicitations pressantes de l'amoureux en transes par la
châtelaine de Coppet, fortement éprise encore alors du
beau Ribbing. Isoler un seul élément déterminant
dans l'amour de Benjamin pour Germaine serait aussi
niais que de réduire à une seule les raisons de leur
séparation[6].

Les *Journaux intimes*[7] de Constant, d'une qualité
exceptionnelle, sont un texte émouvant et angoissant
pour la connaissance d'une intériorité poussée à bout
de ses ressorts par la confrontation avec l'autre et le
retour sur soi-même. Ils reflètent aussi ses mouvements de révolte incessants, ses sursauts fébriles pour
secouer et finalement briser une tutelle devenue
irrespirable. C'est un désir de libération qui se traduit
dès l'année 1797, au mois d'août 1798, par l'amitié
tendre qu'il lie avec Julie Talma[8], l'épisode amoureux
avec Anna Lindsay[9], non sans flambées ultérieures[10],
puis, enfin, les retrouvailles à Paris, le 29 décembre
1804, avec Charlotte de Hardenberg, après une séparation de près de douze ans, le mariage clandestin avec
elle, à Brévans, le 5 juin 1808, nouvelle communiquée
par Charlotte à Germaine lors d'une rencontre tragi-
comique célèbre à Sécheron, en mai 1809[11]. Entre ce
mariage clandestin, celui civil et officiel à Paris, en
décembre 1809, et la vie en commun, Charlotte a
connu l'enfer. Faudrait-il attribuer la conduite de
Benjamin à la faiblesse de son caractère, à une
indécision endémique qui se fie davantage au travail
du temps qu'aux ressources de sa propre énergie? A
une sorte de pitié et un reste d'amour pour la
compagne de naguère ou à un fond d'affection pour
Albertine de Staël dont on peut mesurer la profondeur
en suivant les *Journaux?* Dirait-on que la campagne
d'intimidation, de désespoir et de menaces de Ger-

maine avait plus de prise sur Benjamin que sur ses autres amants ? A moins qu'il ne s'agisse tout simplement du règlement de ses dettes que Germaine de Staël a fait traîner en longueur [12] ? Certes, cette liberté à laquelle il avait aspiré depuis si longtemps et qu'il a emportée de longue lutte pour mener dorénavant sa vie auprès de celle qu'il a choisie précisément pour des qualités foncièrement opposées à celles de Germaine, aurait aussi son poids et son prix, provoquant des retours nostalgiques sur un passé définitivement révolu, des évocations crispantes d'une vie où mourir semblait vivre pleinement.

C'est à l'âge de quarante-quatre ans [13] que Benjamin Constant part pour l'Allemagne, moment de la vie où les carrières, alors comme aujourd'hui, sont censées avoir été faites, sinon où elles commencent déjà à se défaire. En se livrant au jeu de la rétrospection, pratique courante chez lui, il ne saurait être très content de ce qu'il avait réalisé comme ambition : des articles [14] et des brochures [15], dès son arrivée à Paris, un rôle important joué dans le cercle constitutionnel du club de Salm (1797), président de l'administration municipale de Luzarches (novembre 1797), puis, membre du Tribunat, le 5 janvier 1800, corps dont il a été éliminé, le 17 janvier 1802 [16]. A partir de là, c'est un demi-exil, toujours à l'ombre de Mme de Staël, entre ses travaux, des courses pour elle, des efforts pour lui échapper par le mariage ou par une secte piétiste, et la publication, en 1809, d'une pièce adaptée de Schiller [17]. Au seuil de son nouveau départ pour l'Allemagne, le bilan ne semble pas être très encourageant.

Toutefois, il faudrait se garder de juger l'acquis de Benjamin Constant, en 1811, sur le nombre de pages qu'il avait publiées et les postes-clés qu'il avait occupés. C'est un acquis de premier ordre, fondé sur une formation fantasque par des précepteurs de fortune, des stages aux universités d'Erlangen, en

1782, et d'Edimbourg, en 1783-1785; par de longs
séjours chez les Suard, en 1785 et 1786, une fugue en
Angleterre, en 1787, et des séjours continuels en
Suisse, à Paris, à Bruxelles, en Hollande, à
Brunswick. Si cette errance est peu favorable à une
maturation affective en mal de fixité et de stabilité —
une mère décédée après la naissance de Benjamin, un
père incapable de communiquer avec son fils [18] —, elle
sera féconde le jour où la connaissance des autres et la
conscience de soi iront de pair. La vie qu'il mène à
Paris auprès de Mme de Staël, sous le Directoire, lui
permet de vivre les événements traumatisants de son
siècle, dans un poste d'observation privilégié. Une
chose est de vibrer à l'unisson de ce qui se passe à
Paris, s'indigner contre la Terreur ou l'approuver
même, lorsque jeune, l'on est enterré dans une petite
cour d'Allemagne [19], autre chose est d'y participer de
près, même en jouant un rôle peu considérable. Le
républicanisme idéalisé de Benjamin Constant fait vite
place, après avoir d'abord pris position, dans un
mouvement d'enthousiasme livresque, contre les thermidoriens [20], à un républicanisme réaliste, où le mot
d'ordre lui semble être la préservation des conquêtes
de 89 contre les réactions de droite et de gauche,
surtout contre l'imminence d'un retour en arrière,
d'un rétablissement de la monarchie. C'est un modé-
rantisme républicain qui se range du côté des pouvoirs, mais qui tend de plus en plus à sauvegarder les
libertés individuelles, à veiller sur les limites dans
lesquelles le gouvernement devait être contenu, à
prêcher la légalité [21]. Qu'en octobre 1828 et en 1830,
dans les *Mémoires*, dictés au jeune Jean-Jacques Coulmann, et dans les *Souvenirs historiques*, on trouve une
sorte de regret de ses compromissions en faveur des
pouvoirs thermidoriens et directoriaux ne change pas
la perspective historique où les tendances républicaines et les courants monarchistes se contrebalan-
çaient de près [22]. Il suffit de reconsidérer l'accession au
pouvoir de Bonaparte pour admettre que la vaste
aspiration des Français à l'ordre s'accommodait par-

faitement bien d'un retour à la monarchie [23]. Sous le Directoire, il semblait à Benjamin Constant devoir défendre le pouvoir malgré le peu de faveur que l'opinion publique lui accordait. Dès le coup d'Etat du 18 brumaire, il a pressenti le danger que représentait pour la république le jeune conquérant prestigieux. Même en concédant l'éventualité que la lettre qu'il a adressée à Sieyès, au moment du 18 brumaire, n'était pas complètement désintéressée, il n'en reste pas moins vrai qu'il avait le sentiment prémonitoire que la république allait fatalement sombrer dans les remous accompagnant l'entrée en scène politique de Bonaparte [24]. C'est alors, en sa qualité de membre fraîchement installé au Tribunat, qu'il donne avec éclat sa mesure d'opposant, combattant, avec courage, les mesures arbitraires d'une république, usurpée au profit d'une monarchie en marche, contre une presse et une opinion hostiles, entièrement acquises au pouvoir, et contre le retournement de position de plusieurs « anciens », républicains ou monarchistes [25].

A réévaluer le bilan apparent de Benjamin Constant, au moment de son élimination du Tribunat, avec une vingtaine d'autres opposants, on constate que des lignes de force de ses positions connues en politique sont déjà dessinées. Il se peut que ce moment de maturité corresponde à sa libération affective, le cheminement secret de l'ordre intime à l'ordre idéologique étant inscrit après tout dans les projections d'un moi qui cherche à s'affirmer [26].

Ce qui devrait nous étonner, précisément lorsque Benjamin Constant s'apprête à partir pour l'Allemagne, en mai 1811, c'est le poids de ses propres manuscrits qu'il traîne avec lui. On sait à quel point, avant sa réinstallation définitive à Paris, au mois d'octobre 1816, il était encombré de paquets à faire, défaire ou à refaire. Les mille dossiers, plans, ébauches et projets portant sur la religion, figurent au premier plan de ses manuscrits. C'est un sujet qui l'avait intéressé dès 1785, sur lequel il a travaillé d'une manière intermittente durant plus de quarante ans et qui a connu des réflexions, des hésitations et des doutes sur ses propres approches. La *religion* de Benjamin Constant a commencé très tôt dans la lancée des Philosophes. Il l'a continuée dans une démarche de positivisme agnostique et reprise dans une attitude organiciste selon la philosophie de progrès, gardant ses distances à l'endroit des religions positives et de l'athéisme du xviiie siècle. Mais elle finit par subir le contrecoup de son vécu intime et politique, de ses retours sur l'expérience de la Révolution et du concordat de Napoléon, de sa fréquentation des frères Schlegel, de ses lectures de Herder et des érudits allemands, ainsi que de sa crise mystique, en 1807-1808. Le séjour de Benjamin Constant en Allemagne, en 1811-1813, nous vaudra la copie qui lui servira pour la rédaction définitive de l'ouvrage. Mais on ne saurait échapper à l'impression, en consultant son œuvre d'inspiration religieuse, qu'au centre de ses préoccupations reste le problème politique, l'opposition de l'individu aux pouvoirs sociaux. C'est une question qui l'amène à peser celle de la morale à séparer des religions positives et celle des gouvernants à écarter des croyants. Il examine ces questions selon une méthode historique et un examen philosophique, mais est écartelé pendant de nombreuses années entre ces deux approches, épanoui dans sa démarche de polémiste moralisateur, gêné et heureux à la fois par la distance de l'historien qui accumule les faits, les combine et les change, en opposant polythéisme au théisme, les religions sacerdotales aux non sacerdotales. Ce n'est qu'après 1820 qu'il commencera la publication de l'œuvre de sa vie, face au renouveau religieux, marqué au coin d'une réaction politique extrême[27].

Les bagages de Benjamin Constant contiennent d'autres manuscrits. Vers la fin de 1798, il a commencé la traduction de l'*Inquiry concerning Political Justice* de William Godwin, publiciste, romancier et dramaturge très connu à l'époque[28]. La décision de traduire cet ouvrage en le condensant et l'adaptant aux lecteurs français, en le faisant accompagner aussi de remarques et d'un long commentaire, peut s'expliquer par les idées qu'auteur et traducteur partageaient : foi dans la perfectibilité de l'humanité, dans l'accord du régime républicain avec ce progrès et la nécessité d'un tel changement, les monarchies et les classes nobiliaires étant considérées comme entièrement révolues. La communauté d'idées ne laisse pas cependant d'être marquée par des divergences notables. Aux yeux de Godwin et de Thomas Paine le gouvernement est un mal que l'évolution progressive de l'humanité finira par supprimer. Godwin ne considère pas la propriété comme élément inhérent à la nature humaine, l'accomplissement de la justice ici-bas devrait provoquer son abolition.

Malgré des retours pessimistes sur le progrès et la crainte de le voir rogné sinon anéanti par la décadence, Benjamin Constant est convaincu que la masse du progrès l'emporterait sur tout mouvement de régression, que le travail du temps combiné avec celui des hommes de génie finirait par accorder institutions et idées. Il considère le gouvernement non comme un mal nécessaire, mais comme un bien, jamais assez actif dans sa sphère limitée, toujours souhaitable pour la vie en société. S'il définit la propriété comme une convention sociale, il l'estime indispensable à la coexistence des humains et à leur promotion sociale.

La traduction de Godwin révèle ainsi, outre le souci des avantages pécuniaires, le projet d'affronter un texte tout fait, le critiquer, et formuler par un double niveau de lecture un système de pensée différent de celui de l'auteur. C'est un procédé que Benjamin Constant affectionne : non des vues utopiques, ni des systèmes enfermés dans le secret des cabinets, mais une théorie appliquée, des solutions que l'actualité sollicite[29]. Sans doute pense-t-il en 1798-1799 devoir défendre la république surtout contre ses adversaires de droite et plaider sa cause comme promesse déjà existante, susceptible d'améliorations et de garanties contre ses propres lacunes et ses propres violences. Une note de sa brochure, *Des suites de la contre-révolution de 1660 en Angleterre*, publiée en juillet 1799, où sont signalés les désastres conséquents à la réaction de 1660, annonce la traduction : « On trouvera dans le commentaire joint à la traduction de l'ouvrage de Godwin, qui va paraître incessamment, un examen approfondi de tous les principes d'une constitution républicaine. J'ai tâché d'y établir le système qui me paraît seul propre à consolider la liberté, et à l'entourer des moyens d'application qui lui manquent parmi nous. » Enfin, des lettres à sa famille et une note, publiée en 1799, dans le *Journal général de la littérature*, nous apprennent que la traduction et le commentaire devaient comprendre deux volumes [30].

Ni la traduction ni le commentaire n'ont été publiés du vivant de Benjamin Constant. Le commentaire n'a pas été conservé comme tel dans les manuscrits de Paris ou de Lausanne. Seul un article, composé probablement sous le Consulat ou l'Empire, figure dans les manuscrits dits de 1810 : *De Godwin, de ses principes, et de son ouvrage sur la justice politique* [31]. Cet article a été utilisé par Benjamin Constant en 1817, dans le *Mercure de France* renouvelé [32] et plus tard encore dans ses *Mélanges* (1829) [33]. Pourquoi la traduction et le commentaire tant de fois promis aux intimes et annoncés publiquement n'ont-ils pas été imprimés ? On ne peut qu'émettre là-dessus des conjectures. Lorsque l'ouvrage est publiable, l'éditeur n'est plus probablement en mesure de le faire. Les conditions politiques vont d'ailleurs complètement changer en septembre 1799, une dictature sanctionnée par l'opinion va s'installer qui aura la main haute sur les écrits [34].

Qu'est devenu le Commentaire ? On l'ignore, mais l'on peut supposer avec M. Hofmann que Benjamin Constant s'en est servi pour un autre ouvrage. Il est rare qu'il n'ait pas utilisé ses manuscrits, à des dates

différentes de sa carrière, trait qui caractérise la
manière de Chateaubriand aussi.

En étudiant de près la correspondance connue de
Benjamin Constant ainsi que des lettres inédites,
M. Hofmann a pu démontrer qu'un ouvrage *sur la
possibilité d'une constitution républicaine dans un grand
pays* a été composé entre 1800 et 1803 [35]. Nous ne
savons pas comment le commentaire qui accompagne
la traduction de l'ouvrage de Godwin a servi à la
rédaction du nouvel écrit, mais travaillant sur des
fiches, Benjamin Constant a pu mener rapidement sa
besogne, sauf que, habitude courante chez lui, son
œuvre s'agrandit en cours de route et s'enrichit, au
point qu'il annonce à sa cousine Rosalie, le 19 octobre
1800, deux grands volumes pour l'été 1801 [36].

Pourquoi Benjamin Constant a-t-il rédigé cet
ouvrage et pour quelles raisons ne l'a-t-il pas fait
publier ? Sans doute tient-il à cette époque à se faire
connaître comme publiciste d'envergure dans un
domaine qu'il aime et où il excelle. En sa qualité
récente de tribun, il en fait d'ailleurs l'application. Les
relations amicales qu'il entretient avec Julie Talma, la
passion qu'il éprouve pour Anna Lindsay et les bons
liens qu'il maintient encore avec Germaine de Staël
témoignent d'un grand élan euphorique, d'une énergie qui s'affirme dans une vocation enfin atteinte.
C'est au Tribunat qu'on trouve déjà plus qu'ébauché
le grand opposant de la deuxième Restauration. Mais
Benjamin Constant a compté et supputé ses chances
sans Bonaparte : son élimination du Tribunat le lui a
prouvé. Le temps du consulat à vie et bientôt de
l'empire était peu propice à l'impression d'un ouvrage
plaidant la cause de la république comme le meilleur
des régimes en accord avec l'évolution de la société et
les droits naturels de ses membres [37].

Le titre de ce traité n'a rien de nouveau. Très
courant est, au XVIIIᵉ siècle, le thème d'une république
viable, aux dimensions territoriales réduites — telles
les républiques de Venise et de Genève —, ainsi que
celui d'une monarchie aux frontières étendues. Dans

la pensée de Benjamin Constant, son texte devait servir de manuel unique de droit constitutionnel, aménageant le mécanisme constitutionnel du gouvernement républicain et des libertés, définissant le jeu des pouvoirs politiques et les limitant de manière à ce qu'ils opèrent efficacement comme pouvoir et comme garantie pour les droits individuels [38]. Seulement, ce texte ne nous est pas parvenu sous sa première forme. Les manuscrits dits de 1810 le contiennent sous forme de *Fragments*, bien que ces fragments forment un ouvrage entier [39].

Sans doute, les idées de la constitution républicaine correspondent dans l'ensemble à la vision des Idéologues, sauf que Benjamin Constant a une perception et une théorie plus aiguës des droits individuels et qu'il prend ses distances à l'endroit d'une pensée qui maintient au législateur, selon la philosophie politique du XVIIIe siècle, son éminence mythique [40].

Le 26 octobre 1803, Benjamin Constant accompagne Mme de Staël, exilée de Paris sur les ordres du maître, dans son voyage en Allemagne. Il rentre à Lausanne, le 7 avril 1804, mais repart le 11, pour annoncer à Mme de Staël, restée à Berlin, la mort de son père. Il passe avec elle l'été et l'automne, à Coppet et à Genève, séjourne durant les mois de janvier-juin 1805 à Paris et dans sa propriété des Herbages, et rejoint Mme de Staël, de retour d'Italie, en Suisse.

On ne saurait exagérer l'importance du passage en Allemagne pour l'ouvrage de Benjamin Constant sur la religion. Mais c'est un impact qui n'est pas sans éclairer ses problèmes personnels. Ayant fait preuve de dévouement et de sacrifice même à l'endroit de Mme de Staël, il est de plus en plus réduit à des retours sur soi-même, au projet mille fois formé et autant de fois remis, de rompre ses liens avec elle. C'est une tâche qui se révèle au-dessus de ses forces, mais qui aiguise cependant son sens de l'intériorité et son aspiration au large, bien que perce, ici et là, le goût du néant et l'idée de suicide. A son désarroi profond s'ajoute la mort de ses amis, en 1805, Blacons et Julie Talma. Au début de 1806, il se trouve à bout de souffle.

Soit euphorie, soit dépression, ce sont deux moments dans l'existence de Benjamin Constant qui fouettent son énergie ou la font ressusciter, qui le voient redoubler d'activité ou se réfugier dans l'écriture. En visite chez son père, à Dole, il note dans ses tablettes, le 4 février 1806 : « Commencé le petit ouvrage que je veux publier bientôt, extrait de mon grand traité politique. Je suis très content de mon plan. » Cet extrait va devenir un ouvrage manuscrit : *Principes de politique applicables à tous les gouvernements*. Mais il est arrivé à cet « extrait » ce qui était de règle chez lui, de prendre les proportions d'une œuvre tout à fait indépendante, et d'un « petit ouvrage » que Benjamin Constant s'était promis d'achever en un mois, il s'est transformé en un livre étoffé et volumineux. Le 3 mars 1806, il note déjà 327 pages d'impression, et le 15 avril, 469. Les plans fermes qu'il élabore ne tiennent pas devant la manie de modifications, ni les chapitres qui s'accumulent devant le désir d'augmentation ou de réduction. Le 3 août, il note avec satisfaction la fin de la rédaction, mais énonce aussi le désir de tout réviser. Le 4 octobre, par un retour en arrière qui lui est coutumier, il confie à son journal : « Il y a aujourd'hui 8 mois que je travaille à mon ouvrage actuel. Je croyais en le commençant l'avoir achevé en un mois. Il est vrai qu'il s'est beaucoup agrandi. » Mais le 30 octobre, ressaisi de passion pour Charlotte de Hardenberg, il opère une diversion heureuse pour les lettres, et se met à écrire *Adolphe*, autre réponse à une autre crise. Toujours est-il que les *Principes* lui ont permis de surmonter une agonie morale et procuré des instants de satisfaction et de fierté même lors des lectures qu'il en a faites à des audiences amicales.

Les *Principes* posent nombre de questions. Pourquoi en commence-t-il la rédaction précisément au

début de février 1806 ? Serait-ce pour répondre aux
affirmations de Molé en faveur du nouveau César,
dans ses *Essais de morale,* parus au mois de décembre
1805 [41] ? Peut-être, mais en ne considérant les *Essais*
que comme *occasion* ou *prétexte* qui ont permis à
Benjamin Constant d'abandonner ses travaux sur la
religion et se tourner vers une arène où les résultats
sont tangibles et rentables, où une réputation à brève
échéance est à récolter. On ne saurait trop le répéter :
le besoin lancinant d'être quelque chose dans le
monde est un des traits saillants du caractère de
Benjamin Constant. Ecrire et se faire publier constitue
pour lui une solution à des problèmes d'ordre intime.
Cela ressort clairement de sa notation du 4 février
1806 où il dit vouloir « publier bientôt » son
« extrait ». Il le redit encore le 15 octobre : « Lu le
soir un livre de mon ouvrage. Il est très bon. Aura-t-il
le succès que vraiment je crois qu'il mérite ? » C'est un
projet qui expliquerait la lettre qu'il adresse à l'éditeur
Buisson, le 20 juillet 1806, et la réponse de celui-ci,
le 29 [42].

Une autre question plus complexe est celle de savoir
ce que Benjamin Constant a extrait de sa *constitution
républicaine* pour en faire les *Principes de politique.* A
suivre attentivement les *Journaux intimes,* on constate
qu'il pensait initialement se contenter d'un « extrait »
facilement adaptable au plan du nouvel ouvrage qu'il
avait projeté. En consultant les *Additions* aux *Principes
de politique* manuscrits et les lettres à Fauriel qui
portent sur la *constitution républicaine,* on peut tout à
fait admettre la thèse selon laquelle Benjamin
Constant aurait enlevé de l'ouvrage de 1803, la
première partie consacrée aux droits individuels, pour
en faire un corpus autonome en 1806 [43].

Le plan et les dimensions de l'ouvrage ont changé
en cours de route. Mais cela n'est pas tout. Le nouvel
ouvrage pose un problème plus difficile à résoudre.
Pour quelles raisons la constitution républicaine de
1803 devient-elle en 1806 un modèle applicable à tous
les gouvernements ? En d'autres termes, pourquoi le

modèle unique des années 1800-1803 se métamorphose-t-il en exemple ouvert, pluraliste, en 1806 ?
Serait-ce pour en faciliter la publication, en égard
pour un régime impérial peu indulgent aux « déviations » intellectuelles ? La lecture des écrits de Benjamin Constant, malgré ses écarts de conduite qu'on
sait, n'autorise guère une telle interprétation. Faudrait-il croire que, vers 1806, son détachement de la
forme des régimes ait été déjà prononcé d'une manière
patente ? L'expérience qu'il a eue des régimes directorial, consulaire et impérial, ainsi que sa connaissance
approfondie des hommes, auraient-elles été déterminantes en 1806 et moins sûres en 1803 ? Sans doute,
son vécu intime, sa faculté exceptionnelle d'introspection, la crise aiguë des années 1805-1806 ne sont pas
sans éclairer une pensée qui se retranche de plus en
plus dans les replis de son intériorité et dans son
aspiration à la liberté d'être. C'est un sentiment qui est
corroboré par ses travaux sur la religion. Il est vrai que
les écrivains capables de changer de registre facilement ne sont pas nombreux, mais c'est précisément le
cas de Benjamin Constant. Toutefois, un changement
de domaine n'implique pas pour autant une mutation
de direction. La meilleure preuve, c'est que des
chapitres de ses manuscrits sur la religion, datés de
1803-1804, se retrouvent partiellement dans les *Principes* de 1806 [44]. L'oppression exercée par le sacerdoce
et l'arbitraire déployé par le pouvoir politique ont un
air de parenté bien accusé et éclairent la même
préoccupation, vue seulement d'angles d'observation
différents. En effet, à travers la longue élaboration de
son « coin de religion », Benjamin Constant est arrivé
à distinguer les religions sacerdotales des non sacerdotales, et, finalement, à identifier en quelque sorte la foi
authentique avec le sentiment religieux, celui-ci avec
l'aspiration à la liberté. C'est en Allemagne, lors de
son passage en 1804, qu'il est frappé par la pureté de la
religion protestante (*Journaux*, 4 février et 5 mai). Un
entretien avec l'incrédule Wieland, le fait songer à la
différence importante entre le sentiment et les reli

gions positives (18 février). Un couvent de capucins lui suggère un parallèle d'intériorité entre les moines et les stoïciens (10 mai). D'autres exemples y abondent, à la même époque. Le 18 août, il note : « Refondu le septième livre. Il y a bien un peu de vague dans le premier chapitre sur le sentiment religieux. Mais ce vague est inévitable. Il est même en quelque sorte dans mes opinions ; et n'y fût-il pas, je ne suis pas fâché qu'il soit dans mon style, relativement à la partie sentimentale et mélancolique de la religion. Il faudra absolument un premier chapitre dans le premier livre, avant d'entrer dans celui des Grecs ; et dans ce chapitre, il faudra approfondir la source des opinions religieuses. » Le 14 novembre, il est en mesure de lire à Minette (Germaine de Staël) « le morceau d'introduction qui a rapport au sentiment religieux ». Le 19 février 1805, il se décide à reporter dans l'introduction le livre sur les passions religieuses et, le 6 mars, à insérer le chapitre sur le sentiment religieux dans le livre sur les passions religieuses. Le 7 mars, il travaille encore sur son dernier chapitre. Le 16 janvier 1806, les *Journaux* nous apprennent qu'il a collationné l'introduction.

Ainsi donc, la philosophie du sentiment religieux [45], élaborée lentement, est susceptible d'éclairer le détachement graduel de Benjamin Constant des formes fixes de régime, en faveur d'un mécanisme politique qui fonctionne comme système de garanties pour les libertés individuelles. Si Benjamin Constant va laisser encore ouverte l'option entre la monarchie et la république dans son *Esprit de conquête*, d'une manière implicite, il n'en reste pas moins convaincu que l'avenir post-napoléonien sera réservé aux monarchies constitutionnelles. Mieux encore, par retours successifs sur la Révolution et l'Empire, réfléchissant sur l'expérience des deux Restaurations, pesant le rôle capital dévolu désormais à la presse, en bien et en mal, il sera amené, la veille de sa mort, à se prononcer résolument en faveur des monarchies constitutionnelles.

Toujours est-il qu'en 1811, des œuvres manuscrites dont il convient de souligner la grande importance, sont emportées par Benjamin Constant lors de son départ pour l'Allemagne.

Un tel relevé ne saurait passer sous silence *Adolphe* dont la première rédaction remonte à 1806 ni *Cécile* dont une première ébauche daterait peut-être de 1808 et une rédaction ultérieure de 1811-1812 : une première publication a été faite en 1951, révélation qui a provoqué une véritable sensation dans le monde des lettres. *Le Cahier rouge* dont la rédaction remonterait aux années 1811-1812, publié pour la première fois en 1907, complète la série des écrits que la critique considère comme romans autobiographiques. Enfin, comme travail de « copie », non sans intérêt pour son approche historique, Benjamin Constant a fourni un grand nombre d'articles à la *Biographie* Michaud qui ont été publiés en 1811 et 1813[46].

A réévaluer le bilan de Benjamin Constant, à l'âge de 44 ans, on est frappé par le volume et la qualité de ses textes manuscrits, masse des plus impressionnantes lorsqu'on songe au temps perdu pour le « service » de Mme de Staël et aux années d'épreuves entre elle et Charlotte[47].

Entre la bibliothèque de Göttingue et Cassel, ses manuscrits et Charlotte, ce qui frappe à la lecture des *Journaux* pour les années 1811-1813, c'est le travail acharné de Benjamin Constant pour mener à bon terme la rédaction de son ouvrage sur la religion. Bien sûr, l'ennui est là, sombre, sans espoir, dans une famille et un pays auxquels il a du mal à se faire, auprès d'une épouse qui se révèle peser d'un autre poids, une autre servitude que ceux qu'il a connus sous le sceptre de Germaine. De plus en plus il éprouve la sensation d'avoir échappé à un joug pour tomber sous un autre, non sans rendre de temps en temps justice à Charlotte, en condamnant sa propre intériorité inquiète, profondément insatisfaite, cause

de tous les imbroglios et maux dans lesquels il a
entraîné autrui et soi-même, et non sans retours
angoissés sur la vie de naguère, avec Germaine et
Albertine, dont la plénitude donnait un sens réel à
l'être[48]. C'est un pays où l'absence de conversation lui
pèse[49], sauf à Göttingue où la présence de Charles de
Villers le sauve de cette désolation, et où ne se profile à
l'horizon aucune issue pour son besoin profond d'action. Il suit cependant avec une passion à peine
contenue les événements comme en témoignent ses
journaux et ses lettres. Il reste aux écoutes, maugréant
sa vie studieuse et ennuyeuse, rongeant son frein
matrimonial. Cependant, le sol tremble en Europe
depuis la retraite de Russie, et, malgré la grisaille
quotidienne, il se trouve au cœur de cette Allemagne
où le réveil national bat son plein, où les défections des
« alliés » se multiplient et où va avoir lieu, les 17, 18 et
19 octobre 1813 la bataille de Leipzig. Ce n'est que le
25 octobre que Benjamin Constant apprend que les
coalisés ont infligé une défaite sévère aux armées de
Napoléon : « Quel bouleversement ! Némésis ! » Et le
lendemain : « La chute est confirmée. » Dorénavant,
les événements se précipitent en Europe, pour Benjamin Constant aussi. De Stockholm, où Mme de Staël
est parvenue au bout d'une traversée périlleuse du
continent en guerre, après son évasion courageuse de
Coppet, le 23 mai 1812, il reçoit des missives qui font
appel à son énergie : « Ce que je ne conçois pas, c'est
comment votre goût pour les lettres [l'action politi-
que] ne s'est pas manifesté plus tôt et comment il ne se
manifeste pas à présent. Je ne parle pas en aucune
manière de moi, mais de vous. Comment les Doxat
[l'Angleterre] ne vous tentent-ils pas ; enfin que faites-
vous de votre rare génie[50] ? » Profondément boule-
versé par les événements, se sentant revivre, Benjamin
Constant abandonne ses fiches sur la religion, arrête la
composition de son poème anti-napoléonien, *Le Siège
de Soissons*, se décide à se séparer pour un certain
temps de Charlotte et part à la recherche de Bernadotte qui le convie à dîner, à Hanovre, le 6 novembre.

Non sans hésitations, il se range enfin du côté du
« Béarnais ». Le 10 novembre : « Dîné [chez Berna-
dotte] comme hier. Mon parti est pris. Je me prononce. Il faut concourir au grand œuvre : c'est un
devoir. » Il compose pour lui des tracts, des proclamations, des projets, coopère avec Schlegel — auteur
anonyme du *Système continental* — à un travail de
propagande contre Napoléon[51]. De ses entretiens avec
Bernadotte, ponctués par des doutes et la crainte de se
voir distancé par d'autres, il en arrive à travailler
vaguement : « je vais à tâtons[52] », indécision accen-
tuée les jours suivants par la reprise de son *Siège de
Soissons*. Puis, le 22 : « Repris un ouvrage politique.
Tâtonnements. Misère. » Le 23 : « Projet d'ouvrage. » Le 24 : « Plan d'ouvrage politique meilleur
que les autres. Je m'y tiens. » Ce ne sera certes pas le
dernier plan, mais il travaille vite, d'arrache-pied,
comme l'attestent les notations des derniers jours de
novembre, décembre et de janvier 1814. Ainsi, le
27 décembre 1813, annonce-t-il à son ami : « Mon
cher Villers, j'ai fait ou je fais une petite brochure, que
je veux faire imprimer, avec ou sans nom, je n'en sais
rien encore. Je voudrais trouver un libraire qui 1° eût
des relations avec des libraires d'autres villes pour
qu'elle se répandît, avec la Suisse si faire se peut,
parce que de là ma brochure percerait en France.
2° qui me donnât de l'argent pour avoir ma brochure,
parce que c'est toujours bon et qu'il serait plus
intéressé à ce qu'elle se vendît. 3° qui, s'il ne me
donnait pas d'argent, l'imprimât à ses frais, ou à frais
et bénéfices communs. Pouvez-vous me trouver cela à
Göttingue ? pouvez-vous me l'indiquer ailleurs ? Pensez à cette petite affaire avec votre amitié constante et
répondez-moi. Ma brochure est intitulée : De l'esprit
de conquête et du despotisme à cette époque de la
civilisation européenne. *Despotisme* est-il scabreux ?
mettons arbitraire[53]. »
    C'est le 13 décembre 1813 que Benjamin Constant
remet le début de sa brochure à l'imprimeur, s'achar-
nant à le gagner de vitesse, craignant d'être devancé

par les événements, maudissant la lenteur de celui-ci, la sienne propre, hésitant entre l'impression de la première partie seule ou des deux à la fois, entre un écrit anonyme et un pamphlet pleinement signé. Il finit par arrêter le titre définitif, mettant *usurpation* à la place de despotisme ou d'arbitraire et se décide pour la publication de la *conquête* et de l'*usurpation* conjointes. Il signe son texte, Benjamin de Constant-Rebecque, y ajoutant, addition significative, ses qualités : « membre du Tribunat, éliminé en 1802, correspondant de la société royale de Göttingue ».

Sur le conseil de Schlegel, il se lie avec les éditeurs Hahnn, à Hanovre. Le 30 janvier 1814, il termine la correction des épreuves de sa brochure. « La bombe est lancée. L.v.d.D.s.f. [La volonté de Dieu soit faite]. » Le 2 février, il en envoie des exemplaires au-delà du Rhin, à Humboldt et à Gentz. D'ores et déjà il s'affaire pour en assurer la traduction en anglais et en allemand. L'*Esprit de conquête* va suivre désormais sa fortune.

Il n'y a pas de doute que cet écrit devait servir dans la pensée de Constant au renversement du « tyran » et, en même temps, contribuer à l'établissement d'un régime constitutionnel en France sous l'égide de Bernadotte. Il est vrai que Napoléon, malgré son génie et la campagne de France, était irrévocablement condamné depuis la retraite de Russie et la bataille de Leipzig. Mais, d'autre part, malgré la conjoncture et l'appui probable du tsar Alexandre, la candidature de Bernadotte au trône vacant de France allait se révéler chimérique. Et Benjamin Constant et Mme de Staël et Bernadotte lui-même se faisaient des illusions à cet égard [54]. Cependant, tant que cette illusion dure, Constant redouble d'activité pour le prince et pour son propre compte, notant avec une satisfaction naïve, le 7 février 1814, la décoration de l'ordre de l'Etoile polaire qu'il reçoit de Bernadotte sur sa propre demande. Dès janvier, il intéresse Mme de Staël à la publication à Londres de son ouvrage par Murray, l'éditeur de *De l'Allemagne*.

Benjamin Constant arrive à Liège où Bernadotte a établi son quartier général, au mois d'avril 1814. Là il doit se rendre à l'évidence, tout en s'y accrochant encore ; le projet Bernadotte ne saurait aboutir. Le 11 mars, il note : « Il faut sauter sur une autre branche. » Comme toujours, pour échapper à ses moments dépressifs, il reprend son poème. Le 4 avril, il enregistre dans ses tablettes : « Paris est donc pris. Il [Bernadotte] revient sans y avoir été. Quelle chute ! » Le 5 : « Louis XVIII proclamé. » Le 6 : « La liberté n'est pas perdue. » Le 8, à Bruxelles, parlant d'Auguste, le fils aîné de Mme de Staël : « Lettre qu'il m'a lue de sa mère. Quelle incorrigible intrigaillerie ! Cela m'a soulevé le cœur et a brisé dans ma pensée le dernier des liens ; et elle forme sa fille dans le même sens [...]. Peu de succès de mon livre en Angleterre [paru au mois de mars]. Le bouleversement du monde l'étouffe. Voyons Paris, et préparons-y mon arrivée. »

Benjamin Constant arrive à Paris le 15 avril. « Vu Hochet. Il y a de la ressource pour la liberté. Il n'y en a plus pour notre homme [Bernadotte]. Mon ouvrage [la *Conquête*] fera un bon effet, j'espère. » C'est ainsi que Benjamin Constant travaille plus que jamais pour rétablir rapidement sa réputation dans cette France en déroute. Il est profondément dégoûté de temps en temps par la qualité d'étranger qu'on ne se fait pas faute de lui reprocher, hanté par l'indifférence des uns que son imagination interprète comme de la malveillance, se remontant par un travail acharné, le succès de ses publications et le bon accueil que d'autres lui réservent de plus en plus. Supprimant le cinquième chapitre de l'*Usurpation* comme peu convenant ainsi que des phrases blessantes, adoucissant son texte, le changeant ici et là pour ménager la noblesse et les soldats d'Empire, corrigeant les fautes et les coquilles des deux éditions précédentes, il ajoute à la dernière minute une nouvelle préface et fait paraître la troisième édition de son écrit, le 22 avril 1814. Il en note le succès avec fierté.

L'édition parisienne est vite épuisée alors que Murray n'a pu vendre de la seconde que 147 exemplaires[54]. L'éditeur Nicolle lui demande une nouvelle édition le 11 mai, mais il est déjà pris par la rédaction de ses *Réflexions sur les constitutions* qui paraîtront le 24 mai, par la composition hâtive des brochures sur la liberté de la presse, précisément parce que le nouveau régime entend y mettre des entraves[55], et par la préparation des discours à cet effet pour le député Durbach[56]. Il trouve même du temps pour écrire quelques articles dans la presse[57].

Il se peut que Benjamin Constant ait décidé de surajouter deux chapitres à la quatrième édition de son *Esprit de conquête* révisé, à la suite des critiques formulées contre son ouvrage, notamment des deux comptes rendus, élogieux en somme, publiés dans le *Journal des débats* les 9 et 24 mai et signés L.[58], où lui sont reprochés sa tendance à l'abstraction et son tableau de l'usurpation, fondé sur Napoléon comme seul modèle[59]. Par ailleurs, un certain F. G. Coëssin, met en doute, dans son écrit, *De l'esprit de conquête et de l'usurpation dans le système mercantile*, l'identification de Constant entre le progrès économique et l'esprit de paix, prévoyant la confiscation violente du commerce au profit de l'Angleterre seule et la ruine inévitable du continent[60].

Il a échappé cependant aux spécialistes avertis que le souci majeur de Benjamin Constant est de souligner la nécessité d'accorder les institutions aux idées générales de l'époque, que soit monarchie limitée à l'exemple de l'Angleterre, soit monarchie élue à l'instar de la Suède — donc reprise du thème, Guillaume III-Bernadotte —, elles constituent le seul moyen valable pour garantir les libertés individuelles, et que l'usurpation style Napoléon ou le despotisme style Louis XIV, fondés tous les deux sur l'arbitraire, sont aussi anachroniques l'un que l'autre. Il ne pouvait mieux faire, face aux velléités absolutistes des Bourbons restaurés et au courant de réaction des anciens émigrés, que mettre en garde le nouveau régime contre le mythe du pouvoir monarchique de jadis[61].

Travaillant non sans peine sur ces deux chapitres, entre d'autres occupations, projets et publications, toujours angoissé par l'impossibilité à laquelle il se heurte d'obtenir un poste en vue, travail qu'il interrompt ici et là pour reprendre son poème ou pour faire dans des salons la lecture d'*Adolphe*, il les termine enfin, en procédant selon son habitude à une nouvelle refonte, le 18 juin. Ce n'est que le 25 juin qu'il note : « Ma seconde édition [parisienne] paraît l'autre semaine. »

Vite rédigés, les éléments des deux parties de l'*Esprit de conquête* n'en ont pas moins été, mûrement et longuement pensés. Ce que nous savons des manuscrits de Benjamin Constant ne permet pas le moindre doute quant à ses affirmations dans la préface : « L'ouvrage actuel fait partie d'un traité de politique, terminé depuis longtemps. L'état de la France et celui de l'Europe semblaient le condamner à ne jamais paraître. » Et plus loin : « L'auteur de cet ouvrage a cru néanmoins que les circonstances n'étaient pas favorables à l'examen d'une foule de questions abstraites. Il a extrait seulement ce qui lui a paru d'un intérêt immédiat. »

Ainsi, un livre des *Principes* manuscrits et un chapitre des *Fragments* lui fournissent l'essentiel de l'*Esprit de conquête*. On retrouve le parallèle entre la monarchie et l'usurpation dans les *Fragments*. Les chapitres de la seconde partie du pamphlet de 1814 sont eux aussi inspirés des développements que les *Principes* consacrent à l'arbitraire, à la liberté d'expression et de confession, aux garanties destinées à protéger les droits individuels, à la définition de la chose publique face aux citoyens modernes. L'anachronisme du système de conquête et du régime dictatorial, que Benjamin Constant ne se lasse pas de flétrir, tire le plus clair de sa dialectique puissante d'un livre des *Principes*. En coupant, supprimant, ajoutant et raccordant, il est aisé à Benjamin Constant d'adapter les textes de 1803 et 1806 aux circonstances mouvantes de 1813. Ces circonstances non seulement n'ont pas changé depuis ces dates, mais elles se sont aggravées[62].

Benjamin Constant a pensé par là apporter son concours au renversement de Napoléon. D'où sa précipitation à brûler les étapes et à s'affirmer. Que des critiques aient pesé le pour et le contre du « service » qu'il a voué à Bernadotte, n'amoindrit guère ni la qualité de cet ouvrage ni le mérite de ses efforts pour remplacer Napoléon par un autre conquérant de la trempe de Bernadotte, susceptible d'inaugurer en France un régime libéral ou, tout au moins, ouvert et modéré. La restauration des Bourbons se révélera, dès 1814, comme la pire des bêtises accomplies par les têtes couronnées d'Europe.

L'écrit de Benjamin Constant se ressent de sa tension fébrile pour arriver à temps à « l'hallali ». Ce n'est plus le moment de reprendre sans cesse le plan et des chapitres, de retrancher, changer et transplanter le texte indéfiniment. Cela explique les imperfections de la forme, les chevauchements d'une partie sur l'autre, les empiétements de la *conquête* et de l'*usurpation*, les répétitions comme les longueurs. Au contraire, le désir de Benjamin Constant de maintenir à son écrit le caractère et l'allure d'une machine de guerre, d'une « bombe », dirigée en premier lieu, aux dépens de tout ce qui lui semblait marginal, contre le conquérant du monde et l'empire d'iniquité, érigé à travers le continent en sang et en ruine, lui a fait adopter d'un bout à l'autre du texte un ton emphatique, rhétorique, pathétique à l'excès. D'où des vérités qui prennent souvent la forme d'aphorismes, d'une projection prophétique qui passe très vite sur les preuves à fournir, sentences brèves, saccadées, vibrant de passion, qui manquent parfois de développements, aux joints mal articulés. Ce sont des vérités qui ont ici et là la forme de morceaux choisis, et qui laissent l'impression d'une mosaïque admirable, mais qui auraient gagné à être plus simples, à couler de source. D'où la condamnation sans appel de Napoléon et l'exaltation presque sans réserve des Alliés. Le premier est placé sur l'arrière-plan d'une révolution démagogique et tyrannique qui trouve sa caution et son expression idéologiques dans une identification factice ou ignare avec les républiques anciennes. Les puissances coalisées, au contraire, bénéficient dans ce texte enflammé de l'incarnation de la liberté par l'Angleterre, d'une longue tradition de régimes tolérants et d'une vaste aspiration à la justice. Non que Benjamin Constant ne soit pas conscient des contre-vérités qu'un tel procédé hâtif et sommaire implique ou des manquements d'une démarche qui, à force de vouloir abattre Napoléon au plus vite, embellit et fausse forcément une réalité où les pouvoirs autocratiques en vigueur n'avaient rien à envier à l'empereur de la Révolution. Il explique ses raisons à ses correspondants, disant la nécessité où se trouve l'Europe de réunir tous ses efforts contre Napoléon, faisant d'autre part entière confiance à l'avenir qui dotera les générations suivantes de régimes libertaires[63]. « Je me suis borné, écrit-il à Böttiger, à la date du 30 mars 1814, jusqu'à présent à vouloir, à tout prix, la fin de cette puissance [Napoléon], convaincu par une longue expérience que c'était beaucoup quand les hommes s'entendent sur une idée, et qu'ils ne peuvent jamais s'entendre sur deux. Quand ce premier but, essentiel pour l'Europe, sera atteint, il faudra s'occuper de questions plus particulières à la France [...] Je me bornerai donc à vous dire que je serais de votre opinion, pour l'individu [Louis XVIII probablement] que vous indiquez, parce que tout individu m'est égal, s'il y a constitution libre et représentation nationale. Mais ces deux choses sont incompatibles, à ce qu'on assure, et à ce que j'ai toutes les raisons possibles de craindre, avec le susdit individu[64]. »

Benjamin Constant énonce deux thèses essentielles dans son texte, à savoir que les guerres de conquête sont le fait de l'antiquité gréco-romaine ; que la modernité est caractérisée par une propriété dont la circulation à travers les frontières crée partout un besoin profond de paix. Les occupations des modernes, axées sur l'utilité, amènent un déplacement d'intérêt fondamental : ce n'est plus la chose publique qui constitue leur pôle d'attraction, mais leurs activités et jouissances personnelles. La réflexion prépositiviste de Benjamin Constant dissocie ainsi l'homme moderne d'une identification avec le pouvoir. La dépendance est dès lors inversée. Le gouvernement qui est limité à ses attributs nécessaires, la préservation de l'ordre intérieur et la défense des frontières, relève désormais des citoyens. L'individu, replié sur ses besoins et son activité, ses droits de sécurité personnelle, de liberté d'expression, de confession et de circulation, ne s'associe à la chose publique que par procuration ou représentation. Le monde des anciens, fondé sur les conquêtes et l'esclavage, se distingue, lui, par un exercice de pouvoir où tous concourent à tout et par une mainmise totale de tous sur les moindres activités d'un chacun, sauf à confirmer en note la règle par l'exception reconnue à Athènes[65].

Un pamphlet n'est certainement pas un livre d'histoire érudite. Dans un tel écrit, visant un but précis, Benjamin Constant peut insister sur l'opposition saisissante entre la modernité, enserrée dans un monde de productions et d'échanges, et l'antiquité, figée dans un univers statique de conquêtes et d'esclavage. Cette idée se trouve à l'époque un peu partout. Ainsi rencontre-t-on chez Montesquieu et son ami Melon l'équation entre le commerce et la tendance à la paix. C'est encore l'optique de James Steuart ou de John Millar. Les physiocrates énoncent une philosophie différente, mais ils tendent aux mêmes résultats. Des notes variées font entendre Jean-Baptiste Say et Ganilh, mais ils insistent sur la primauté de l'économique. Ce n'est que chez Adam Smith qu'on constate une vue désenchantée quant à l'éventualité d'une harmonie préétablie entre l'ordre économique et un ordre politique pacifiste[66].

La nouvelle confrontation entre la modernité et l'antiquité procède en partie par réaction contre la pensée du XVIIIᵉ siècle qui a recherché les modèles paradisiaques de l'humanité dans les cités gréco-romaines, l'antiquité égyptienne et dans la Chine lointaine[67]. Elle trouve un appui considérable dans l'école écossaise dont la désaffection à l'endroit de l'esclavage du monde antique est des plus prononcées[68]. C'est une attitude partagée par Volney qui, fort de l'expérience révolutionnaire où intérêts et passions du moment s'accordaient à merveille avec une idéologie à l'antique, a accentué les différences entre les modernes et les anciens, et insisté sur la nécessité de penser les rouages politiques selon les besoins modernes. Chez Volney comme chez Constant, le vécu révolutionnaire a certainement déterminé la méfiance à l'endroit du mythe de l'Antiquité et provoqué la réflexion sur la modernité[69].

Cependant, tout pamphlet qu'il fut au moment de son lancement, tout en présentant des points nombreux de similitude avec la pensée des contemporains, l'*Esprit de conquête* n'en était pas moins, dès son apparition, une œuvre originale, appelée à une destinée exceptionnelle. Jamais auparavant on n'a creusé avec une telle force et mis dans un tel relief la problématique ancienne et moderne pour dénoncer l'absurdité des guerres impérialistes. Personne, avant Benjamin Constant, n'a opposé avec tant de vigueur la société productive des modernes au monde esclavagiste des anciens. L'individu acquiert dans ce manifeste des dimensions qu'il ne possède guère ailleurs, dans des écrits antérieurs ou contemporains.

La dictature qui cherche à réintroduire en pleine civilisation européenne les modes de pensée et d'action guerrière des anciens, paraît dans une telle optique, anachronique, et fragile, le système politique échafaudé par l'usurpateur pour étendre et maintenir ses conquêtes. Le dictateur ne saurait subsister grâce à un tel système, mais ne saurait vivre sans lui. C'est la porte ouverte à un ordre de mensonges, de délations et d'espionnage, l'encouragement de l'esprit d'imitation, la constitution d'un corps armé agissant par automatisme, la suppression obligée des libertés individuelles.

A la réflexion, ce que Benjamin Constant a dit contre Napoléon dépasse de loin la contingence de son temps. L'*Esprit de conquête* est devenu de la sorte un classique contre l'arbitraire de tous les âges, aussi applicable aux totalitarismes de droite que de gauche. Le regard posé dans ce texte sur les dessous de la politique reste étonnamment jeune, d'une acuité pénétrante, tout à fait proche parent de celui d'*Adolphe*.

Fustel de Coulanges s'en était rendu compte, lui qui avait repris dans sa *Cité antique*[70] la vision pénétrante de Benjamin Constant, sans le citer d'ailleurs. Et comme il est fréquent dans le monde des savants, Gustave Glotz a reproché à l'historien le peu de conformité de cette vision avec les réalités grecques. Croce à son tour a insisté sur la continuité de l'héritage occidental, blâmant Benjamin Constant et Sismondi pour la rupture de continuité qu'ils auraient provoquée par leur distinction artificielle entre la liberté des anciens et celle des modernes[71].

Il est vrai qu'on cite toujours des « faits » à l'appui des thèses qui se trouvent en opposition, mais ces *faits* constituent déjà un choix. Il est rare qu'ils manquent à l'appel lorsqu'ils sont dûment sollicités. Leur interprétation sous la plume de Croce comme sous celle de Benjamin Constant est d'aussi bonne guerre pour l'un que pour l'autre.

Certes, Croce a eu parfaitement raison de souligner le poids du vécu révolutionnaire dans la vision du monde de Benjamin Constant. Mais le vécu particulier d'autres historiens n'est pas moins décisif pour le leur. On conçoit que dans une Italie récemment appelée à l'existence étatique unifiée, Croce ait insisté sur la continuité. Cela est d'autant plus vrai pour Benjamin Constant qu'il a eu toujours du mal à se faire au simple rôle de déchiffreur de parchemins. Il ne se sentait dans son élément que dans une approche de moraliste et philosophe, se mettant au niveau des événements pour s'en pénétrer, en faire sa pâture intérieure et les revivre pour ainsi dire. En se faisant co-présent aux événements, il abolit la distance « objectivante » entre lui et le passé, mais il confère par là au temps une résonance intérieure et au champ historique intériorisé de la sorte une épaisseur et une signification autrement percutantes. Les références qu'il indique ne sont là que pour étayer une vision cohérente, totalisante, où le moderne qu'il est vibre à l'unisson de l'univers antique qu'il connaissait d'une manière admirablement intime.

Le sentiment religieux qui, en religion, opère une sorte de dichotomie entre le fond et la forme, correspond au sentiment de liberté, voire fusionne avec lui. C'est une force motrice, un élan vital qui, à travers les régimes comme les temps successifs, tend à se réaliser pleinement et qui constitue un penchant permanent chez les humains, faculté qui permet d'envisager avec optimisme l'évolution à venir.

Les vérités proclamées avec feu dans le manifeste de 1814 ont été reprises et exposées avec calme, une suite et une cohésion parfaites dans la conférence que Benjamin Constant a prononcée à l'Athénée royal, au début de février 1819 [72]. L'Athénée royal avait été l'un des grands centres pour la diffusion de la parole libérale. Benjamin Constant y était un conférencier très recherché. Mais la critique n'a pas assez tenu compte de la date de cette conférence qui a coïncidé avec la campagne électorale pour la désignation des députés dans quatre départements : le Rhône, la Sarthe, la Loire-Inférieure et le Finistère. Constant lui-même a été candidat dans la Sarthe où il allait enfin être élu, après ses échecs électoraux en 1817 et 1818 [73].

La conférence sur les anciens et les modernes, malgré son caractère de vulgarisation savante, ne laisse pas d'être marquée par le souci d'actualité, le désir de mettre en avant les classes commerçantes et industrielles face au ministère Decazes, tiraillé entre ses demi-mesures libérales et ses retours vers une droite prisonnière de son passé. On y décèle également la protestation ferme contre des mesures de bannissement et de censure aggravées par la deuxième Restauration [74]. Benjamin Constant n'y insiste que peu, vers la fin de ses paroles, sur les jouissances personnelles comme moyen dans un itinéraire d'élévation, comme réalisation provisoire, en attendant la promotion morale des âmes. C'est qu'il entend toujours viser au plus pressé, se réservant la possibilité de reprendre en d'autres occasions des questions à peine entamées.

Toujours est-il qu'il revient dans sa conférence, d'une manière plus ordonnée, sur sa distinction entre la liberté des anciens et celle des modernes, définissant la première par l'exercice en commun du pouvoir politique et social, et la seconde par la jouissance des droits individuels et les occupations d'ordre personnel. Dans un cas, dépendance étroite du citoyen de la puissance exercée par tous, dans l'autre, participation extrêmement limitée au pouvoir, mais concours qui crée une source vitale pour le perfectionnement moral. D'où déplacement de l'intérêt vers les préoccupations et les travaux personnels, mais dépendance de plus en plus marquée de la chose publique de la richesse commerciale, industrielle et bancaire. Les différences accusées par l'histoire d'Athènes par rapport à celle de Sparte ou de Rome et ses points de rencontre avec la liberté des modernes ne suffisent pas pour conclure à une histoire continue de la liberté en Occident. Ce qui rapproche Athènes des autres villes grecques l'éloigne dans la même proportion des modernes. Les libertés individuelles sont le fait des temps nouveaux.

Il n'est pas surprenant que Rousseau et Mably soient étroitement liés, dans la *Conquête* et la conférence à l'Athénée, à la critique acerbe formulée par Benjamin Constant contre le mythe des républiques anciennes, bien qu'il affiche une grande admiration pour le premier et se garde d'être compté parmi ses détracteurs. Déjà, dans sa traduction de Godwin, il avait établi ses distances à l'endroit d'une théorie qui concevait l'éventualité d'un contrat social à l'aube des sociétés, n'admettant le pacte social qu'à un stade extrêmement évolué de la société[75]. Ce qui lui est commun avec les deux philosophes, c'est la négation du pouvoir de droit divin, mais contrairement à leurs positions, il définit la liberté des modernes par la ruine du mythe des anciens. Il éprouve de l'antipathie pour l'ataraxie mablienne, cette sagesse qui résout le mal social par la quasi-suppression des passions, et non moins d'aversion pour l'admiration vouée par Mably à Sparte et à l'Egypte. C'est précisément à l'époque révolutionnaire qu'il a pu constater la toute-puissance de la cité et c'est alors qu'il a été témoin d'une mystique de l'Antiquité appuyée sur les noms prestigieux de Rousseau et Mably. C'est toujours par souci de l'individu qu'il n'est guère disposé à accorder au législateur mythique du XVIIIe siècle le pouvoir dévolu jadis à la cité antique et aux rois. Aucun pouvoir n'est habilité à empiéter sur les droits individuels qui sont inhérents à la nature humaine.

A y regarder de près, la question revient au problème fondamental de souveraineté. La volonté générale de Rousseau forme pour Benjamin Constant un autre mythe qu'il ne cesse pas de combattre. La guerre qu'il déclare à la philosophie de Rousseau et Mably provient moins d'une lecture erronée de leurs œuvres comme semblent le croire d'éminents spécialistes du XVIIIe siècle[76], que d'une double lecture, celle des textes et celle qu'accompagne un regard sur l'interprétation immédiate et moins proche de ces œuvres[77]. On peut admettre la souveraineté comme équivalente à la volonté générale, mais celle-ci ne se traduit à l'ère moderne, au niveau législatif, que par une sorte de procuration ou délégation de pouvoirs et, au niveau exécutif, par sa répartition entre les mille ressorts de la machine politique. C'est justement la Révolution qui témoigne d'un pouvoir des plus arbitraires au nom de cette volonté générale. Et c'est encore le 18 brumaire qui atteste la fusion entre l'autorité de source populaire et celle de droit divin. Ainsi comprise, la souveraineté est aussi illusoire que la liberté des anciens. Des droits en théorie et des abstractions en matière de constitutions n'ont rien à voir avec la réalité. A étudier de près la question, on doit se rendre à l'évidence qu'il n'y a de souverain que l'individu dont les prérogatives ne sont limitées que par celles des autres. Limiter les libertés individuelles dont celle de confession, comme le réclame Rousseau à l'endroit de l'athée, est contraire à la nature perfectible de l'homme. La souveraineté de l'individu, limitée par celle des autres, trouve encore sa sanction dans un sens diffus de la justice, de loin préférable à l'intérêt bien entendu des Philosophes et au critère universel de l'utilité, proclamé par Jérémie Bentham.

Il serait oiseux de s'attarder sur les similitudes qu'on trouve entre la pensée de Constant et celle de Godwin ou Thomas Paine, Mme de Staël et Sismondi, Humboldt, Pauw et Walckenaer, les économistes anglais et français, les Idéologues et les spiritualistes allemands, pour ne citer que les contemporains. Les ressemblances ne s'expliquent pas nécessairement par un jeu d'influences manifestes. Le mirage d'influences a trop marqué jadis et naguère les recherches de la critique, concluant aisément de la rencontre à la filiation, d'un courant d'idées à l'emprunt flagrant, d'un air de parenté à la progéniture[78]. Ce qui semble tout à fait particulier à Benjamin Constant, c'est un système libéral cohérent qu'il a conçu et introduit en France, doctrine fondée sur les dimensions insolites conférées à l'individu et les garanties pour les assurer[79].

Cela dit, il conviendrait cependant d'élucider une question précise, posée récemment par un texte manuscrit de Mme de Staël. Il s'agit de *Des circonstances actuelles qui peuvent terminer la révolution* [...] C'est un ouvrage rédigé fort probablement en 1798-1799, d'abord mal et partiellement publié[80], puis parfaitement édité depuis peu[81]. En étudiant une série de feuilles conservées au fonds Benjamin Constant à la Bibliothèque de Lausanne, M. Etienne Hofmann a pu établir leur provenance de *Des circonstances*. Ces textes, reproduits par le copiste des *Principes* manuscrits, portent des corrections autographes de la main de Benjamin Constant. Ce sont des morceaux détachés de l'ouvrage de Mme de Staël, recopiés exactement ou avec modifications. Certains de ces passages ou de leurs idées ont trouvé place dans les *Principes* manuscrits et l'*Esprit de conquête*[82]. Mlle Omacini a, par ailleurs, étudié les corrections pratiquées par Benjamin Constant sur une partie du texte des *Circonstances*[83].

Benjamin Constant a-t-il plagié Mme de Staël sans sourciller, pratique assez répandue à l'époque ? A-t-il repris certains passages traduisant des idées qui leur étaient communes ? A-t-il estimé pouvoir et devoir reprendre *son bien* dès que Mme de Staël s'est décidée à ne pas publier son texte inopportun ? Dans les échanges et la collaboration intellectuels des deux protagonistes, le rôle de Benjamin Constant ne s'est certainement pas limité à celui de correcteur. Leur association a commencé très tôt. Elle remonte aux débuts de leurs relations et a servi de prélude et caution à leurs liens affectifs. Dès que Benjamin Constant s'est installé dans la quiétude du mariage, il n'a pas cessé de regretter cette association. Les cris de cœur de Germaine répondent aux évocations nostalgiques de Benjamin. Même en 1814, après leur séparation définitive, Benjamin Constant apprécie fort peu le silence indifférent de Mme de Staël à la lecture de son poème, *Le Siège de Soissons*[84].

Le texte des *Circonstances* forme le premier grand ouvrage politique de Mme de Staël, en attendant celui des *Considérations sur la Révolution*. On trouve, par exemple, dans les *Circonstances* comme dans *De la littérature* (1800), des passages sur l'Antiquité, notamment l'antiquité grecque, qui révèlent un sentiment intime de l'histoire et des lettres grecques que Benjamin Constant était un des rares connaisseurs à posséder à l'époque. S'il y a eu communauté d'idées politiques, elle pourrait se démontrer à partir des textes que Benjamin Constant avait publiés à l'époque thermidorienne et directoriale. Toutefois, il n'est pas possible, à moins de nouveaux documents, de distinguer ce qui en politique appartient, au moment de la rédaction des *Circonstances,* à Mme de Staël de ce qui relève uniquement de Benjamin Constant. Les feuilles manuscrites de Lausanne semblent confirmer une vérité connue, la coopération étroite des deux amis, en attendant l'élargissement de ce qu'on est convenu d'appeler le groupe de Coppet et la présence auprès de Mme de Staël d'autres collaborateurs, notamment Schlegel. On peut se demander si l'insistance acharnée de Mme de Staël pour garder sous son toit le rebelle Benjamin provenait uniquement de son amour pour lui, ou s'il n'y entrait pas pour beaucoup son désir de défendre par tous les moyens le « service » qu'il lui avait voué par promesse écrite. Toujours est-il que ce qui frappe dans les lettres de Mme de Staël en 1814, c'est que son admiration pour l'*esprit de conquête* ne va pas jusqu'à saisir la portée immense de cet écrit de circonstance, fait étonnant de la part d'une intelligence aussi pénétrante.

On ne peut non plus, toujours faute de documents, étayer d'autres conjectures pour d'autres collaborations éventuelles de Benjamin Constant. Il se peut qu'il ait commencé à remplir ses fiches sur la question de perfectibilité aux approches de 1800, date de la publication de *De la littérature.* Ces fiches ont fini par être intitulées *Fragments d'un essai sur la perfectibilité de l'espèce humaine*[85], mais seulement après avoir servi à la composition de son essai, *De la perfectibilité de l'espèce humaine*[86], sorti précisément de ces fiches antérieures, à une date ultérieure, selon un procédé habituel à Benjamin Constant. On peut croire qu'il n'a rédigé définitivement son essai qu'après avoir lié connaissance avec la philosophie de Herder.

De l'Allemagne s'inspire peut-être davantage des

conseils de Schlegel, comme le pense Heine, autre
grand médiateur entre la France et l'Allemagne [87].
Mais malgré des relations bien détériorées au moment
de la composition de l'ouvrage, Benjamin Constant a
dû modérer l'évocation embellie d'une Allemagne
idéalisée. Soit fidélité à la mémoire de son amie, soit
désir de complaire à Albertine, il a continué son rôle,
rendu compte dans la *Minerve* des *Considérations*,
posthume, *sur la Révolution*, pour adoucir la critique
acerbe des commentateurs libéraux de l'ouvrage [88], et
remanié toute une série d'études sur elle, dans ses
Mélanges, pour lui rendre un dernier hommage [89].

La réputation de Benjamin Constant au moment où
il prononce sa conférence sur les anciens et modernes,
en février 1819, est bien établie en France. Depuis son
retour à Paris, en avril 1814, devant les nombreux
échecs qu'il subit, dans ses essais de trouver un poste
convenable, et que son ambition digère mal, il se
ressaisit vite et redouble d'activité, palliatif qui lui est
ordinaire. Cela vaut à ses lecteurs non seulement les
troisième et quatrième éditions de la *Conquête*, mais
aussi les *Réflexions sur les constitutions* qu'il rédige
rapidement en retravaillant sur ses manuscrits [90].

C'est au fond une mise en garde contre les velléités
de restaurer en France un pouvoir fort, projet manifesté par la tentative de restreindre une liberté essentielle, celle de l'expression. Constant réagit immédiatement, en publiant coup sur coup, deux brochures à
cet effet, écrits qui ont beaucoup de retentissement [91].

Mais le 31 août 1814, désœuvré, disponible —
Charlotte est restée en Allemagne —, à l'âge fatidique
de 48 ans, il tombe éperdument amoureux de Juliette
Récamier qu'il avait connue dans le milieu de Mme de
Staël bien des années auparavant. Retenons de cette
passion folle, en outre des lettres écrites à la belle
inaccessible et des *mémoires* rédigés pour elle [92], sa
brochure sur la responsabilité des ministres [93], ses
articles frénétiques contre Napoléon [94], revenu de l'île

d'Elbe, ses efforts, avec d'autres libéraux, à conclure un accord[95] avec les Bourbons, toujours en retard de concessions et de compréhension, pour s'opposer à la montée fulgurante de l'empereur sur Paris. Benjamin Constant se sauve de Paris le 23 mars 1815, à la recherche probablement de Barante son ami, en Vendée, mais revient à la capitale le 27, et le 20 avril, Napoléon signe sa nomination au Conseil d'Etat. La critique a longuement épilogué sur cette palinodie célèbre[96]. Sans l'excuser le moins du monde, il conviendrait cependant de faire remarquer que sa passion pour Juliette et son besoin profond d'affirmation y ont été pour beaucoup, mais que son habit de conseiller ne l'a pas fait dévier de ses principes, que ses articles dans la presse[97], son Acte additionnel (24 avril) et ses *Principes de politiques* (29 mai) qu'il a rédigés à un rythme endiablé, répondaient au souci de proclamer hautement son credo.

Ce n'est qu'après sa crise passionnelle et le retour à Paris de son exil volontaire à Londres, vers la fin de septembre 1816, qu'on peut dire que la vie tout entière de Benjamin Constant est désormais consacrée à sa carrière politique. Il s'engage bien vite dans la mêlée[98], lance le *Mercure* renouvelé (1817), le remplace par la *Minerve* (1818), lorsque la censure met fin à l'existence du premier périodique, fonde avec des amis, en 1819, le quotidien *La Renommée* qui fusionne avec *Le Courrier*, après l'assassinat du duc de Berry (13 février 1820) et l'implantation des mesures de rigueur[99]. Après ses échecs électoraux en 1817 et 1818 et ses efforts pour s'imposer à l'opinion par l'impression de son *Cours de politique constitutionnelle*[100], il réussit à se faire élire par la Sarthe, le 25 mars 1819. Sauf une longue interruption de novembre 1822 à février 1824, due aux manèges du pouvoir pour l'éliminer de la scène politique[101], il se partage entre la Chambre[102], sa collaboration prodigieuse au *Courrier français*, au *Constitutionnel* et au *Temps*[103], ses conférences à l'Athénée[104], ses rééditions d'*Adolphe*[105] et son commentaire sur Filangieri[106], son action en faveur des Grecs [107], la publication de son ouvrage sur la religion et des articles de la même inspiration [108], ses *Mélanges* et la réimpression des *Mémoires sur les Cent Jours* [109], précédés d'une nouvelle introduction importante, enfin des études de grande qualité dans les revues avancées de l'époque [110]. C'est une activité et un désir d'être étonnants sur le plan politique et intellectuel à la fois [111], vu ses graves soucis de santé.

En étudiant de près ses traités et ses articles, on constate des modifications dans sa doctrine politique, à côté des positions inchangées. Il ne varie guère dans son opinion que le pouvoir n'est pas un mal nécessaire, mais, au contraire, toujours indispensable et désirable dans une société évoluée, et jamais trop efficace dans sa sphère bien limitée [112], sauf à serrer la subordination de l'exécutif aux droits individuels et à rejeter catégoriquement toute autorité qui se réclame d'une divinité de source religieuse ou du mythe de la volonté générale. Il n'y a chez Benjamin Constant aucun regret nostalgique d'un pouvoir fort ni comme chez Tocqueville de la résignation devant l'évolution de la civilisation moderne vers des régimes libertaires mais, au contraire, anticipation et espoir d'un tel avènement.

Il n'en est pas de même quant au choix d'une république pour constituer les rouages politiques en accord avec les idées modernes. L'optique républicaine qui caractérise les *Fragments* de 1803 a cédé la place vers 1806 à une attitude plus nuancée. Les *Principes* manuscrits s'offrent aux monarchies et aux républiques, à condition qu'elles soient les unes comme les autres constitutionnelles, avec le sentiment que l'Europe, après la chute inévitable de Napoléon, sera appelée à opérer dans un cadre monarchique. C'est une préoccupation dont témoigne l'*Esprit de conquête*. Cependant, l'expérience des deux Restaurations, le retour sur celle du Directoire et de l'Empire, la course effrénée des passions comme la « conversion » des hommes politiques aux « vérités » dictées par les circonstances, surtout la constitution d'une couche d'intelligentsia affamée, vendant sa plume au plus offrant, à un moment où l'opinion de l'Occident est déjà partiellement déterminée par la presse, amènent Benjamin Constant à reconsidérer sa position et à opter résolument pour la monarchie constitutionnelle. A peser les éventualités de régime, la monarchie offre, en regard de l'arbitraire et de l'instabilité, la force assagie de durée et la modération d'une institution limitée dans ses attributions et ses fonctions. Dans l'opposition entre le besoin d'ordre et le désordre qu'implique une aspiration illimitée à la liberté, la royauté constitutionnelle préfigure le rôle des présidents de l'Etat républicain, sauf que les craintes [113] énoncées par Benjamin Constant n'ont rien perdu de leur acuité et que l'Occident est trop souvent victime d'une anarchie qui tue jusqu'à ses idéaux et ses instincts de survivance.

En attendant l'application de sa théorie, Benjamin Constant doit faire face à la Chambre et dans la presse à une réaction coriace, ayant pleins pouvoirs, depuis l'assassinat du duc de Berry, aggravée par le cabinet Villèle (1821-1827), et devenue d'un danger extrême par l'accession au pouvoir de Polignac (1829-1830). Pour répondre aux sollicitations du présent, c'est de la politique appliquée que fait Benjamin Constant, distillant sa philosophie quotidiennement, à petites doses, défendant les positions libérales, droit par droit, cherchant à empêcher la confiscation de la charte au profit de la droite et son interprétation dans un sens absolutiste. A l'ordre du jour se posent les questions de sécurité personnelle, de libertés d'expression et de confession, en regard d'une presse jugulée ou servile et d'une Eglise dominatrice et persécutrice, ayant pour elle l'éducation, l'Université, les séminaires, l'appui de l'appareil étatique, la loi du sacrilège comme le sacre de Charles X, et jusqu'à la philosophie absolutiste de Lamennais. Sur le plan des pouvoirs publics, c'est la confiscation des élections par le double vote, la pression de la machine préfectorale, les circulaires ministérielles, les tripotages, les moyens de

tout ordre et désordre pour écraser l'opposition libérale et la désarmer à la Chambre.

Le détail de la défense des libertés relève des
discours que Benjamin Constant a prononcés à la
Chambre et des centaines d'articles qu'il a fait publier
dans la presse. Mais il convient de souligner, en
étudiant sa doctrine politique, les efforts qu'il a
déployés pour dissocier la royauté du pouvoir ministé-
riel, la maintenir hors jeu, dans une sphère de
neutralité distante et sur un piédestal d'honneur et de
grandeur consacrés, traduisant ainsi sa conviction que
c'est la seule modalité viable pour concilier l'existence
monarchique avec l'évolution et les exigences des
temps modernes. C'est un thème auquel il a donné
d'amples développements tout au long de la Restauration mais surtout dès l'accession au pouvoir de
Polignac, interprétant la prérogative royale, le fameux
article 14 de la charte, à partir de ce pacte, et non,
comme ses adversaires, à partir de l'Ancien Régime,
limitant la prérogative par les dispositions de la charte
qui la précèdent et celles qui la suivent, enseignent à la
France que tout ce qui n'est pas spécifié par la charte
est licite pour les citoyens et que tout ce qui n'y est pas
expressément nommé est interdit au pouvoir [114].

En écartant la royauté d'un engagement direct dans
la mêlée politique, Benjamin Constant peut échafau-
der un système où les contre-forces vétustes des
physiocrates et les contrepoids statiques de Montesquieu sont délaissés au profit d'un pouvoir dynami-
que, marqué par la responsabilité des ministres et des
agents exécutifs à tous les niveaux. Benjamin Constant
est toujours revenu, à la Chambre comme dans la
presse, sur les abus du pouvoir, les illégalités et les
crimes commis par Villèle, Corbière et Peyronnet.
Chiffres en main, il a dénoncé l'augmentation budgé-
taire de l'appareil répressif, les dilapidations, les
pensions et les dotations de la pairie et de l'Eglise, la
pratique périmée des monopoles. Lors de ses incursions dans la politique étrangère, il a sévèrement
critiqué l'absence de la France en Europe, mais son

engagement malheureux en Espagne, l'attitude
contraire à ses intérêts à l'endroit de Naples, la Grèce,
le Portugal et l'Amérique du Sud, le saut périlleux
dans l'aventure algéroise. En citant ainsi ministres et
auxiliaires à la barre de la Chambre et devant l'opinion
publique, il a affermi l'évidence que le pouvoir
dépend de la majorité des deux Chambres, qu'il est
justifiable devant elles du budget aussi bien que de la
politique et qu'il est passible de condamnations par la
Chambre haute, transformée en cour de justice[115].

Nul doute que Benjamin Constant n'ait réservé le
premier rôle dans le jeu politique aux deux Chambres.
Nul doute aussi que dans son système bi-camériste la
primauté ne revienne à la Chambre des députés qui
incarne les forces vives d'une civilisation en évolution.
Mais le même souci d'ordre et de durée qui caractérise
son choix définitif d'une monarchie constitutionnelle,
le conduit dès la première Restauration, à exiger la
création d'une Chambre héréditaire, susceptible
d'équilibrer députés et royauté avides de pouvoir. Les
Réflexions sur les constitutions (1814), l'Acte additionnel (1815), les *Principes de politique* (1815) et les
articles dans le *Courrier français* (1820-1830) ou *Le
Temps* (1829-1830) énoncent et pèsent les dispositions
qui règlent l'existence d'une Chambre haute. Il est
vrai que sous les deux Restaurations il y a eu
renversement de rôles, que le patriciat rural et les
piliers de droite ont envahi la Chambre élective grâce à
la confiscation du droit électoral. Toutefois, en son-
geant à l'œuvre du temps, Benjamin Constant est
convaincu qu'il appartiendrait aux députés de contrô-
ler l'exécutif et défendre les droits des citoyens[116].

La critique n'a pas manqué de reprocher à Benjamin Constant l'étroitesse de son système qui limite le
droit électoral au « pays légal ». Elle procède ainsi par
confusion courante entre les droits de l'individu
privilégié et la vaste aspiration de la masse au bien-
être, assimilant avec aisance esprit d'égalité et celui de
liberté, faisant par ailleurs trop bon marché des
conditions historiques qui ont régi la France au début

du XIXe siècle. Tout en considérant la propriété comme convention sociale, il est vrai que Benjamin Constant lui attachait un caractère presque sacro-saint, moins que ses contemporains, mais plus que nous. Cependant, il lui est arrivé de défendre les « prolétaires » à l'encontre de Manuel et ses amis les libéraux, contre les lois sur les grains et le maximum imposé aux salaires. Toujours est-il que Benjamin Constant et ses contemporains avaient présent à l'esprit le concours des foules aux mouvements de terreur et aux coups de force. Si la propriété a partie liée avec les droits politiques, c'est qu'elle comporte une certaine somme de connaissances et de clair-voyance. Le « pays légal » n'est pas fermé, il est susceptible de s'ouvrir aux classes pauvres par la promotion sociale liée au progrès de l'industrie. C'est là une conviction ferme de Benjamin Constant. Mais les votes massifs et univoques des déshérités avaient de quoi frapper de frayeur les propriétaires [117].

Benjamin Constant ne maintient la séparation mythique des pouvoirs, qu'à l'endroit de l'ordre judiciaire, mais non sans le critiquer pour sa compli-cité dans les procès intentés aux libéraux, sauf sous le règne de Polignac où la Justice a pris position d'une manière détournée contre l'éventualité d'un gouverne-ment à coups d'ordonnances. La France censitaire a pris alors nettement position contre Charles X et ses ministres [118].

En somme, c'est le régime parlementaire, mais en plus ouvert, que l'Occident pratique encore, avec les nuances et les modifications que Benjamin Constant a introduites au long de sa carrière d'opposant. Ce faisant, il s'est efforcé à détacher le roi et ses ministres de l'extrême droite comme il s'était évertué à dissocier la royauté de l'exécutif. Dès la première Restauration, davantage après l'entracte des Cent Jours, il montre la droite comme étrangère à la France et aux temps modernes, opposée aux vrais intérêts de la monarchie et du pays, multipliant ses imprévoyances et ses crimes. Benjamin Constant n'arrête pas de dresser et de refaire le procès de la droite, dans son *Mercure* et sa *Minerve*, surtout dans ses *Lettres* éblouissantes *sur les Cent Jours*, ainsi que dans grand nombre de ses discours et articles. C'est à l'occasion de cette polémique qu'il retrace l'histoire des rois de France, des guerres de religion, de l'arbitraire de Louis XIV, de la Révolution et de ses suites, de la première Restauration comme des Cent Jours. La rencontre est des plus significatives chez lui entre le souci du moment et l'optique historique. C'est un rapprochement en vertu duquel les annales reculées de l'Angleterre notamment, mais de l'Allemagne, de l'Autriche, de l'Italie, de l'Espagne, du Portugal et des pays du Nord concourent toutes à éclairer les orientations majeures de l'Europe, l'avenir comme étroitement lié aux progrès de l'industrie, la rupture inévitable des forces du présent avec le passé [119].

Forte sur le plan de la doctrine, la polémique de Benjamin Constant n'est pas moins puissante par la science du détail, une connaissance intime de l'histoire et de la politique, de la philosophie et des lettres. Il lui est aisé de confondre ses adversaires dans des pages tracées à la hâte comme dans des discours improvisés par éclairs. C'est par cette polémique violente que Benjamin Constant a réduit ses adversaires à sa merci, les poussant de retranchement en retranchement jusqu'à l'impasse où le coup de grâce s'assène facilement. C'est par ces débats qu'il a prouvé les grandes qualités de son écriture, d'une ironie, d'un sens de l'à-propos et d'un jeu spéculatif aux tours et détours inimitables. Peut-être s'est-il précisément surpassé sous le ministère Martignac et davantage sous celui de Polignac. Charles X et ses ministres bénéficient de moins en moins, dans ses articles, de la distinction apparente, de convenance, d'avec l'extrême droite. Les ménagements et une prudence excessive ne sont plus de mise en 1830. L'ambiance n'est plus celle du temps de Villèle. La parole et les avertissements sont pour la résistance légale [120].

Benjamin Constant a enseigné aux majorités de

droite non seulement les règles du jeu constitutionnel entre les différents pouvoirs, mais aussi les pratiques qui devaient être en vigueur à la Chambre : les devoirs incombant aux députés, la stricte observance de la charte, le respect des droits minoritaires, les débats tolérants, le maintien du droit de pétition, l'importance des commissions et des rapports. Ce sont des devoirs qu'il prêche souvent à ses amis pour les détourner d'un goût d'unité forcené. Un parti unifié et non uni, admettant des différences d'opinions et des nuances de positions, traduirait l'idée qu'il se fait du libéralisme. Il l'a prouvé dans sa polémique avec Pradt au sujet de Bolivar, avec d'autres chefs libéraux à propos de l'acte d'accusation dressé contre Villèle et ses complices, enfin dans sa profession de foi politique, consécutive à la démission de Chauvelin et d'Argenson. Ainsi, ce n'est pas seulement une haute idée des devoirs à accomplir à la Chambre qu'il énonce, mais une haute idée du libéralisme : ouvert, tolérant, nuancé et pluraliste [121].

Sur le plan contingent, le système politique de Benjamin Constant semble donner satisfaction à l'aspiration aux libertés modernes ainsi qu'à la poussée égalitaire du XIXe siècle, puissamment aidée par le progrès industriel. Ce besoin de libertés est inscrit dans la nature humaine au point de se demander si l'éthique et le politique ne s'identifient pas chez Benjamin Constant. Dans ses traités sur la religion et le polythéisme comme dans maints articles qui s'y réfèrent, l'essentiel lui semble être la lutte éternelle du sentiment religieux contre le sacerdoce et les institutions cultuelles, le sentiment figurant, dans une perspective indéfinie de progression, le permanent, et les formes changeantes, l'éphémère [122].

Il est aisé de détecter les projections du moment sur l'élaboration des théories de Benjamin Constant, procédé caractéristique de son discours. Son plaidoyer en faveur du sentiment religieux est une protestation à peine voilée contre la mainmise de l'Eglise sur les ressources de la vie intellectuelle en France et non moins véhémente contre les doctrines de Lamennais et ses adeptes. L'ambiance cléricale qui marque le règne de Charles X n'est pas étrangère à l'effort soutenu de Constant pour une religion d'intériorité, ouverte, tolérante et pluraliste, riche par ses valeurs spirituelles et non par l'éclat trompeur de sa force. Polythéisme décadent et incrédule en partie, toujours persécuteur, se retrouve à maints égards dans une France où la loi du sacrilège et le sacre de Charles X vont de pair. La corruption, la bigoterie et les persécutions qui se signalent à Athènes à l'heure où les comédies grossières d'Aristophane sont montées en scène et où Socrate paie de sa vie l'audace de professer publiquement sa philosophie, se reproduisent dans la dissipation et l'incrédulité qu'accompagne sous Charles X une religion bornée et dogmatique. Le christianisme n'a rien à voir avec une telle religion : il est libre examen et il est ouverture.

Ainsi, le sentiment religieux incarne, dans le système de pensée de Benjamin Constant, la fusion entre le désir de liberté et le besoin de croire. Mais y a-t-il d'abord identité, puis même progression dans l'évolution politique et morale de l'humanité ? Il est certain que pour Constant, une vie politique fécondée par son ouverture et la participation d'un grand nombre de citoyens à ses manifestations importantes, est une condition et une garantie pour le progrès moral. Cependant comment concilier ce progrès avec la récurrence de la décadence ? Benjamin Constant a été préoccupé de bonne heure par la corruption de toute forme élevée de croyance et de tout régime avancé en politique. Tout en persistant à croire aux vertus du progrès, il n'a pas laissé de poser des points d'interrogation sur sa thèse linéaire de perfectibilité indéfinie. Sans doute, la masse du progrès est appelée à l'emporter sur les abus du pouvoir et la dégradation de l'homme, mais la conquête de la matière ne va pas sans émousser les énergies d'origine. La passion de posséder risque de se transformer en finalité, la propriété bourgeoise, promue au statut de vertu, entraîne des

méfaits graves pour les destinées de la société. Pour
lever l'étendard de la révolte contre Napoléon et les
Turcs, il fallait croire et il fallait mourir, qualités rares
que seuls les Espagnols et les Grecs primitifs possé-
daient encore [123]. La productivité industrielle et l'arti-
culation ingénieuse des pouvoirs publics ne sont que
des moyens dans une vue finaliste, le perfectionnement des facultés intellectuelles et spirituelles, en bref
la promotion des âmes.

Benjamin Constant a précisé sa pensée à deux
occasions, lors d'une conférence à l'Athénée, au mois
de décembre 1825 [124], suivie d'une vive polémique
avec les saint-simoniens, et de son commentaire, en
février 1826, de l'ouvrage de Dunoyer [125] qu'il a
recueilli, avec certaines modifications, dans les
Mélanges [126]. Il s'en prend dans ces textes à la cyberné-
tique de l'époque, aux technocrates avant la lettre. Le
saint-simonisme producteur et organisateur, tel qu'il a
été défini par les adeptes de Saint-Simon, n'attache de
prix qu'à la structuration méticuleuse de la société
productive, et guère d'importance au jeu politique.
L'aspiration à la liberté ne lui semble justifiée qu'aux
époques critiques lorsqu'il s'agissait de renverser des
édifices croulants, d'emporter des obstacles qui entra-
vaient la marche de la société vers ses *époques orga-
niques*. L'avenir producteur des polytechniciens, ces
fils des dieux épris de l'idéal du maître, est conçu
selon une optique de géomètres, où tout, du sommet à
la base, est organisé en vue de la production, y
compris les valeurs intellectuelles, où tout tire son
ultime justification d'un *nouveau christianisme*, aussi
universel et aussi dominateur que la production
savamment structurée des saint-simoniens [127].

Pour Charles Dunoyer, l'industrie est paix et liberté
comme elle est vie intellectuelle. Utilitaire, elle s'ordonne selon le jeu libre de l'industrie, la liberté étant
inhérente à l'essence même de l'industrie. Ce qu'il
partage avec Benjamin Constant, c'est l'opposition à
une philosophie sociale qui considère les institutions
et les rouages limitatifs des pouvoirs politiques comme

jeux stériles, susceptibles de mener la société à l'anarchie et à la destruction.

Benjamin Constant n'a pas prévu la place qui sera tenue par l'utilité dans les destinées occidentales, ni les dimensions insolites conférées au principe producteur des saint-simoniens, ni l'extension prodigieuse du pouvoir pour répondre à la structuration rationnelle des sociétés industrielles, régies de proche en proche par un automatisme universel. Mais toujours est-il qu'il a été conscient des dangers qu'entraîne l'utilité comme principe déterminant des activités humaines. La propriété, signe éclatant des transformations des conditions de vie, source puissante pour la promotion sociale des pauvres, carrière ouverte aux instincts d'égalitarisme, présente cependant des envers inquiétants pour l'avenir de l'Occident. Car la propriété industrielle ne saurait être le but ultime de l'homme, mais ses jouissances personnelles. Celles-ci constituent les ressorts des êtres et déterminent leur finalité. Seulement, là-dessus, Benjamin Constant diffère des Idéologues et de Stendhal en particulier, qui, dans sa critique espiègle des industriels, postule une philosophie hédoniste, les plaisirs des « happy few [128] ». Benjamin Constant subordonne les jouissances, la liberté industrielle et le progrès matériel au perfectionnement moral, ou plutôt, c'est la promotion d'âme qui donne son vrai sens à la liberté.

Un autre texte de Benjamin Constant est susceptible de mieux éclairer la problématique du moi confronté aux autres, à l'autre et à soi-même. Ce sont les *Réflexions sur la tragédie* [129] publiées en 1829 et qui s'ajoutent aux textes dramaturgiques réunis dans les *Mélanges*. C'est dans ces *réflexions* que Constant affirme que la littérature dramatique ne saurait se renouveler qu'en se nourrissant de l'opposition de l'individu aux pouvoirs, qu'en se pénétrant des dimensions gigantesques du collectif comme *obstacle* [130]. L'obstacle comme notion-clé cadre à merveille avec la philosophie de Benjamin Constant. L'accent est mis de la sorte sur les intériorités, sur les facultés priviligiées de l'homme qu'une machine monstrueuse écrase de plus en plus. *Adolphe* avait déjà mis en lumière le héros aux prises avec son milieu et en relief l'aliénation tragique de l'homme. Si la promotion sociale est le fait de l'industrie, celle qui la détermine, la promotion spirituelle, relève d'une religiosité, du sentiment libertaire, du besoin intérieur qui nous pousse au-delà de nous-mêmes, vers des régions inconnues où l'abnégation et le sacrifice ont un sens et donnent du sens à la vie.

Tourné vers les autres, l'individu élitiste de Benjamin Constant aménage un ordre ouvert, pluraliste et tolérant, qui garantit ses libertés contingentes. Retourné sur soi-même, il cultive son désir de liberté et sa tension vers l'inconnu par des efforts suivis de dépassement.

Benjamin Constant condamne ainsi les systèmes absolutistes de l'arrière-garde réactionnaire comme les doctrines non moins totalitaires de l'avant-garde progressiste, ne trouvant sa rédemption que dans un itinéraire d'élévation. Ce n'est pas la vision accablante de Pascal, ni la maîtrise des passions spinosiste ou les catégories rationnelles de Kant. Somme toute, Constant s'en tient-il à une sorte d'existentialisme chrétien qu'on retrouve chez un Mounier et dont le sens et la plénitude sont conquis à chaque étape du parcours humain dans la confrontation avec les autres et les affrontements avec soi-même. C'est un existentialisme qui vaut davantage par l'effort fourni que par ce qui a été achevé, qui se reconnaît à la tension des ressorts de la volonté plus qu'aux accomplissements réalisés. En bref, une valorisation de l'homme par son corps à corps avec les obstacles, sur un chemin d'élévation.

Certes, Benjamin Constant n'a pas résolu les antinomies entre les instincts destructeurs de l'individualité libérée et les besoins d'ordre. L'identification de l'éthique et du politique laisse dans le vague leurs rapports de dépendance et de corrélation. Si la liberté acquiert sous sa plume des clartés réconfortantes au niveau contingent, elle est partielle et fortuite lorsqu'il l'accroche au sentiment religieux et à l'aspiration indéterminée vers le dépassement. Ses hésitations sur le déterminisme progressif ont connu de nos jours un poids autrement accablant devant une industrie devenue inhumaine, une technocratie transformée en automatisme, des systèmes producteurs immenses, changés en appareils de répression et de mort. Rarement les appétits effrénés de conquête et d'usurpation ont eu tant d'extension et connu une telle durée.

Cependant, c'est précisément à de tels moments que les éditions de l'*Esprit de conquête* se multiplient [131]. Et s'il est vrai que la philosophie de Benjamin Constant n'offre pas de réponses satisfaisantes au niveau de la pensée spéculative, au moins a-t-elle l'avantage de présenter un ensemble cohérent, valable dans ses développements et ses applications, au niveau qui seul compte pour l'homme et sa dignité, celui de l'existence.

Certains de ces aspects de la pensée de Benjamin Constant ont été perçus par les critiques de ses *Journaux* ainsi que de son œuvre littéraire et religieuse. La division en tranches opaques de ses écrits a rendu difficile les rapprochements entre la religion, l'histoire, la politique, la philosophie et la littérature. Il a fallu attendre la seconde moitié du XXe siècle pour voir éclore une approche totalisante de son œuvre [132]. Autant les ouvrages politiques de Benjamin Constant ont eu un grand retentissement de son vivant et touché une vaste audience — une preuve entre autres est fournie par l'affluence exceptionnelle à ses funérailles, le 12 décembre 1830 —, autant ses principes sont devenus des lieux communs, acclimatisant en France le régime parlementaire et la notion fondamentale des libertés individuelles. Mais du coup, ses ouvrages de teneur politique ont été vite oubliés. La fortune de ses écrits autobiographiques et romanesques est assez bien connue [133]. Celle de son ouvrage sur la religion est à peine entamée [134]. Celle de sa pensée politique en France et ailleurs en Europe comme dans les deux

Amériques est encore à faire [135]. La tentative de Pagès, à rééditer, en 1836, sous une forme abrégée, le *Cours de politique constitutionnelle* de son ami, est restée isolée. Il fallait attendre un certain adoucissement du régime de contrainte du second Empire pour voir Édouard Laboulaye s'engager dans une longue série d'articles [136] où il retrace la philosophie politique de Benjamin Constant et réhabilite sa mémoire, gravement compromise par la critique sévère de Sainte-Beuve ou de Guizot. Mais surtout, son concours a été essentiel pour la défense comme la propagation des idées politiques de Benjamin Constant. Il a réédité, en 1861 et 1872, avec des modifications dans le choix des textes, le *Cours de politique constitutionnelle*, précédé d'une longue introduction enthousiaste, où, disant l'essentiel des principes politiques de Benjamin Constant, il insiste sur les similitudes de conception entre Benjamin Constant et Tocqueville, l'héritage politique des Anglo-Saxons et leur longue tradition d'entreprises et d'associations de bien public d'ordre privé. Pour les contemporains et les successeurs d'Édouard Laboulaye le *Cours* a été une redécouverte et les dates de publication de cette œuvre de véritables points de repère dans l'histoire de la pensée politique en France. La route a désormais été ouverte pour un intérêt qui allait grandissant. Le libéralisme européen et américain compte Benjamin Constant parmi ses maîtres [137]. Les dernières décennies attestent un redoublement d'intérêt pour les domaines variés de son œuvre. Les colloques de 1967 et 1980 en portent un témoignage manifeste [138]. Celui de 1967 était encore quelque peu imprégné des images obsessives de Sainte-Beuve et révolté par les « révélations » fracassantes de Guillemin [139]. Celui de 1980, au contraire, pouvait enregistrer avec satisfaction ce qui avait été fait depuis 1967 [140]. Les travaux portant sur les aspects religieux et politiques de l'œuvre de Constant n'en sont pas les moindres [141]. Les essais de renouveler ou d'investir d'un ancien-nouveau contenu les idées libérales est peut-être symptomatique d'un monde où les raisons de croire et d'espérer en l'homme l'emportent sur une déraison sûre de ses conquêtes violentes et ses impudentes usurpations.

Éphraïm HARPAZ.
Jérusalem, mars 1982
Paris, avril 1985.

Notes

1. Sur Benjamin Constant et Mme de Charrière, on lira leur correspondance dans les *Œuvres complètes*, éd. par un groupe de savants, Amsterdam, G. A. Van Oorschot, 1979-1984, 10 vol. ; Philippe Godet, *Madame de Charrière et ses amis*, Genève, 1906, 2 vol. (accessible in Slatkine reprints) ; Gustave Rudler, *La Jeunesse de Benjamin Constant*, Paris, 1909 (Slatkine reprints) ; Roland Mortier, *Isabelle de Charrière, mentor de Benjamin Constant*, in *Actualité d'Isabelle de Charrière*, colloque organisé par l'Association neerlando-belge Werkgoep 18e Eeuw, 1975, pp. 101-137.

2. Sur Benjamin Constant et Julie Talma, cf. les *Lettres* de celle-ci à Benjamin Constant, publiées par la baronne Constant de Rebecque, Paris, 1933 ; Maurice Levaillant, *Les Amours de Benjamin Constant*, Paris, 1958.

3. C'est le 8 mai 1789 que Benjamin Constant a épousé Minna von Cramm, à Brunswick ; il s'est séparé d'elle en mai 1793 ; le divorce officiel a été prononcé le 18 novembre 1795. Sur ce mariage bizarre, cf. Gustave Rudler, *La Jeunesse de Benjamin Constant*.

4. Sur les procès de Juste de Constant, cf. *ibid.*

5. Cf., par exemple, Henri Guillemin, *Benjamin Constant muscadin*, Paris, 1958.

6. Sur Mme de Staël, cf. J. Christopher Herold, *Germaine Necker de Staël*, trad. de l'anglais par Michelle Maurois, Paris, 1962 ; Béatrice W. Jasinski, *L'Engagement de Benjamin Constant*, Paris, 1971 ; Simone Balayé, *Madame de Staël*, Paris, 1979.

7. Cf. les *Journaux*, in Benjamin Constant, *Œuvres*, publiées par Alfred Roulin, la Pléiade.

8. Cf. la *Lettre sur Julie*, rédigée par Benjamin Constant selon toutes probabilités en 1805-1806 et recueillie en 1829 dans ses *Mélanges de littérature et de politique*.

9. Cf. la *Correspondance* de Benjamin Constant et d'Anna Lindsay, publiée par la baronne Constant de Rebecque, Paris, 1933 ; Maurice Levaillant, *Les Amours de Benjamin Constant*.

10. Cf. les *Journaux intimes*.

11. Sur Charlotte de Hardenberg, cf. Dorette Berthoud, *La Seconde Madame Benjamin Constant*, Lausanne, 1945.

12. Cf. les *Lettres* de Mme de Staël à Benjamin Constant, publiées par la baronne Nolde et L. Léon, Paris, 1928 ; sur Charlotte, entre Benjamin et Germaine, cf. Benjamin Constant, *Cécile*, œuvre publiée par Alfred Roulin en 1951, et Dorette Berthoud, *La Seconde Madame Benjamin Constant*.

13. Benjamin Constant est né le 25 octobre 1767.

14. Cf. notre Benjamin Constant, *Recueil d'articles, 1795-1817*, Genève, 1978.

15. *De la force du gouvernement actuel de la France et de la nécessité de s'y rallier*, 1796 ; *Des réactions politiques*, 1797 ; *Des effets de la terreur*, étude jointe à la deuxième éd. de *Des réactions politiques*, 1797 ; *Des suites de la contre-révolution de 1660 en Angleterre*, 1799.

16. Sur Benjamin Constant sous le Directoire et le début du Consulat, cf. Béatrice W. Jasinski, *L'Engagement de Benjamin Constant* et, *Benjamin Constant tribun*, communication faite au colloque Benjamin Constant, Lausanne, 1980, Oxford, Voltaire Foundation, 1982, pp. 63-88 ; Etienne Hofmann, *Les « Principes de politique » de Benjamin Constant*, Genève, 1980, 2 vol., vol. I.

17. *Wallstein*, éd. critique par Jean-René Derré, Paris, 1966.

18. Cf. *Le Cahier rouge*, publié pour la première fois en 1907 et le début d'*Adolphe*, publié pour la première fois à Londres, en 1816.

19. Benjamin Constant a songé en 1790 à réfuter Burke. Sur le jeune Benjamin Constant et ses idées politiques, cf. les ouvrages de Gustave Rudler et Béatrice W. Jasinski.

20. Cf. notre Benjamin Constant, *Recueil d'articles, 1795-1817* ; O. Pozzo di Borgo, *Benjamin Constant, Ecrits et discours politiques*, Paris, 1964, 2 vol., vol. I ; les ouvrages de Béatrice W. Jasinski et Etienne Hofmann.

21. Cf. *ibid.*

22. Cf. J.-J. Coulmann, *Réminiscences*, Paris, 1862-1869, 3 vol., vol. I (Slatkine reprints) ; Benjamin Constant, *Souvenirs historiques*, in *Revue de Paris*, vol. XI et XVI (Slatkine reprints) ; Georges Lefebvre, *Les Thermidoriens*, Paris, 1946, et *Le Directoire*, Paris, 1946.

23. Cf. Georges Lefebvre, *Napoléon*, Paris, 1935.

24. Lettre de Constant, non datée, à Sieyès que Mme Suzanne d'Huart a lue à la Société des études staëliennes, le 24 mai 1975 ; Mme Béatrice W. Jasinski a reproduit la même lettre dans sa

communication, *Benjamin Constant tribun*, et M. Etienne Hofmann, dans son ouvrage, I, p. 185; les quelques lettres de Constant à Sieyès, conservées aux Archives nationales prouvent que le tribun lui est tout acquis et qu'il est bien connu de lui.

25. Pour le rôle de Benjamin Constant sous le Consulat, cf. les ouvrages de Pozzo di Borgo, Béatrice W. Jasinski et Etienne Hofmann.

26. Cf. l'Introduction de notre Benjamin Constant, *Recueil d'articles, 1795-1817*.

27. *De la religion* a paru en 1824, 1825, 1827 et les deux derniers tomes en 1831; le *Polythéisme romain* a paru par les soins de J. Matter, en 2 vol., en 1833; *Deux chapitres de l'esprit des religions*, éd. par Patrice Thompson, Genève, 1970; *Recueil d'articles, 1820-1824*, Genève, 1981, articles (80), (126) et (131). Sur Constant et sa philosophie religieuse, cf. Jean-René Derré, *Lamennais, ses amis et le mouvement des idées à l'époque romantique*, Paris, 1962; Pierre Deguise, *Benjamin Constant méconnu*, Genève, 1966; Paul Bénichou, *Le Temps des prophètes*, Paris, 1977; Patrice Thompson, *La Religion de Benjamin Constant*, Pise, 1978.

28. Cf. David Fleisher, *William Godwin, a Study in Liberalism*, Londres, 1951, réimprimé à Connecticut en 1973.

29. C'est un procédé que Benjamin Constant a repris en 1822-1824, sur un ouvrage de Filangieri.

30. « Il paraît sous peu une traduction de la Justice politique de Godwin, accompagnée d'un commentaire et des notes par B. Constant. Le traducteur a rectifié dans ses observations les idées exagérées ou bizarres qui déparent l'original anglais. Cet ouvrage en 2 vol. de 5 à 600 pages paraîtra chez Buisson », *cité* d'après Burton R. Pollin, Introduction à la *Justice politique*, trad. par Benjamin Constant, Laval, 1972, p. 31. Sur Benjamin Constant et Godwin, cf. *ibid.*, l'Introduction; l'ouvrage de Etienne Hofmann, vol. I, pp. 170-194.

31. Article manuscrit reproduit par Burton R. Pollin, *Appendice A*.

32. Article reproduit par nous, in Benjamin Constant, *Recueil d'articles, 1817-1820*, Genève, 1972, 2 vol.

33. Article reproduit par Burton R. Pollin, *Appendice C*.

34. Cf. Etienne Hofmann, vol. I, pp. 171-174.

35. Cf. *ibid.*, pp. 218-232.

36. Cf. *ibid.*, p. 219, *n*.97.

37. Sur le rôle de Benjamin Constant tribun, cf. Béatrice W. Jasinski, *Benjamin Constant tribun*, communication cit.; Etienne Hofmann, I, chap. III, I, 3.

38. Cf. les *Additions* aux *Principes de politique* manuscrits, Livre I, chap. I, in Patrice Thompson, *La Religion de Benjamin*

Constant, pp. 552-557; Etienne Hofmann, *Principes de politique*, II, pp. 511-517.

39. Cf. *infra*, la bibliographie.

40. Le meilleur ouvrage sur les Idéologues est celui de Marc Regaldo, *Un milieu intellectuel, la Décade philosophique, 1794-1807*, Lille, Atelier des reproductions des thèses, 1976, 5 vol., vol. I, 1re partie, chap. 4; 2e partie, chap. 1-4.

41. Cf. Etienne Hofmann, I, pp. 232-235.

42. Les *Journaux* ne spécifient pas le contenu de ces deux lettres.

43. Cf. Etienne Hofmann, I, pp. 218-241.

44. Cf. Patrice Thompson, *Deux chapitres inédits de l'esprit des religions, 1803-1804, Des rapports de la morale avec les croyances religieuses*, et *De l'intervention de l'autorité dans ce qui a rapport à la religion*.

45. Sur l'élaboration de philosophie du sentiment religieux, cf. Patrice Thompson, *La Religion de Benjamin Constant, op. cit.*

46. *Adolphe, Cécile* et *Le Cahier rouge* ont été réimprimés par Alfred Roulin, in Benjamin Constant, *Œuvres;* l'éd. d'*Adolphe* qui fait actuellement autorité est celle de Paul Delbouille, Paris, 1977; pour une bibliographie étendue sur l'œuvre littéraire de Constant, cf. Paul Delbouille, *Genèse, structure et destin d'Adolphe*, Paris, 1971.

Je pense que la grave maladie de Charlotte à Besançon, en décembre 1807, a provoqué chez Benjamin Constant le dégoût de ses *Journaux*, d'où l'interruption de ceux-ci, le 28 décembre 1807 (ainsi a-t-il fait à la suite de la mort de Julie Talma, en 1805); et, d'autre part, suscité chez lui le besoin de se réfugier dans l'écriture, d'où une première ébauche probable de *Cécile*, en 1808, reprise en 1811-1812; le *Cahier rouge* aurait été composé en pleine lutte avec son père, en 1811-1812, provoquant chez lui le besoin de faire un retour rétrospectif sur sa jeunesse et ses relations avec son père, retour qu'on constate dans *Adolphe* également.

Pour les articles imprimés dans la *Biographie* Michaud, cf. notre Benjamin Constant, *Recueil d'articles, 1795-1817.*

47. Cf. *infra*, la bibliographie.

48. Cf. Les *Journaux intimes* et Carlo Pellegrini, *Madame de Staël*, Florence, 1938, rééd., Bologne, 1974, *Appendice*, lettres de Benjamin Constant à Sismondi des 21 février 1813, 2 juillet et 13 août.

49. Cf. les lettres de Benjamin Constant à Charles de Villers, in M. Isler, *Briefe*, Hambourg, 1879.

50. Lettre du 17 avril 1813, in *Lettres* de Mme de Staël, publiées par la baronne de Nolde.

51. Cf. les lettres de Benjamin Constant à Charles de Villers, in Isler, *Briefe*, à partir de la lettre X; [Guillaume Schlegel], *Sur le système continental et sur ses rapports avec la Suède*, Hambourg

[Stockholm], 1813 ; la brochure a été attribuée dès son apparition à Mme de Staël ; il est fort probable qu'elle y ait collaboré. Cf. à ce sujet, Bengt Hasselrot, *Nouveaux Documents sur Benjamin Constant et Mme de Staël*, Copenhague, 1952, pp. 27-52 ; du même auteur, Benjamin Constant, *Lettres à Bernadotte*, Genève et Lille, 1952. Pour la collaboration avec Schlegel, préfaçant les *Dépêches et lettres interceptées*, cf. les lettres de Constant à Charles de Villers, in Isler, *Briefe*, lettre XV.

52. *Journaux intimes*, 15 novembre 1813.

53. Cf. également, Bengt Hasselrot, Benjamin Constant, *Lettres à Bernadotte*, Introduction.

54. Cf. *ibid.*, p. LI.

55. Le 7 juillet 1814, *De la liberté des brochures, des pamphlets et des journaux ;* le 18 août, *Observations sur le discours de S.E. le ministre de l'Intérieur* [Montesquiou] *en faveur du projet de loi sur la liberté de la presse.* Sur la liberté de la presse, cf. notre *Ecole libérale, le Mercure et la Minerve, 1817-1820*, Genève, 1968, chap. II.

56. Cf. les *Journaux intimes*, à la date des 30 juin et 4 juillet.

57. Cf. le *Recueil d'articles, 1795-1817*, articles (40) et (41) où sont défendues les libertés individuelles dont celle de l'expression.

58. Cf. Benjamin Constant, *Journal intime*, éd. par Jean Mistler, Monaco, 1946, *n.* 345, et Bengt Hasselrot, Benjamin Constant, *Lettres à Bernadotte*, p. LIV.

59. Cf. Hasselrot, *ibid.*, p. LIV-LV.

60. Cf. *ibid.*

61. Le 21 juin 1814, les *Journaux intimes* enregistrent la note suivante : « Dîné chez Mme de St[aël]. Talleyrand. L'idée de Guill[aume] III se répand fort. » Le 17, il a dîné avec Fouché dont l'entretien a probablement porté sur le même sujet. Alfred Roulin interprète la phrase sur Guillaume III comme visant les projets de Guillaume III de Prusse de démembrer la France, ce qui me paraît extrêmement peu probable. Il s'agirait plutôt d'un vague projet, débattu en hauts lieux sénatoriaux de détrôner Louis XVIII au profit de Bernadotte ou du duc d'Orléans.

62. Pozzo di Borgo a insisté sur l'utilisation par Benjamin Constant de ses manuscrits antérieurs dans la *Conquête*, en 1964, dans son édition de Constant, *Ecrits et discours politiques*, vol. I ; Marcel Gauchet dans son éd. de la *Conquête*, in un choix de textes de Benjamin Constant, intitulé *De la liberté chez les modernes*, Paris, 1980, surtout dans ses références ; nous, dans notre *Présentation* à la reproduction de la 1re éd. de la *Conquête*, in Slatkine reprints, collection Ressources, Paris-Genève, 1980 ; Etienne Hofmann, dans son éd. des *Principes de politique*, vol. I, et les renvois des *Principes* à des textes ultérieurs de Benjamin Constant dont celui de la *Conquête*, vol. II.

63. Cf. la lettre de Benjamin Constant à Mackintosh, à la date du 27 mars 1827, lettre reproduite in H. Nicolson, *Benjamin Constant*, Londres, 1949, pp. 213-214.

64. In *Lettres à Böttiger*, p.p. Ferdinand Baldensperger, *Revue bleue*, 1908, pp. 485-486. Cf. également Bengt Hasselrot, Benjamin Constant, *Lettres à Bernadotte*, Introduction, IV, *Accueil fait à l'Esprit de conquête*.

65. Dans les *Principes* manuscrits comme dans la conférence sur la liberté des anciens et des modernes (cf. *infra*) Benjamin Constant accorde plus de développements aux exceptions en faveur d'Athènes. Pour les *Principes*, cf. Hofmann, II, Livre XVI.

66. Cf. Albert O. Hirschman, *The Passions and the Interests*, Princeton, 1978, 2ᵉ éd.

67. Cf. le texte même de Benjamin Constant, 2ᵉ partie, surtout les chap. VII-IX.

68. M. I. Finley, *Démocratie antique et démocratie moderne*, trad. Paris, 1976.

69. Sur Volney, cf. Jean Gaulmier, *L'Idéologue Volney*, Beyrouth (Slatkine reprints); *Volney et ses leçons d'histoire*, article recueilli in *Autour du romantisme*, Mélanges offerts à Jean Gaulmier, Paris, 1977, pp. 62-71; Mouza Raskolnikoff, *Le refus de Rome, Volney et les Idéologues*, *Revue historique*, 1982. Il n'est pas sans intérêt de rappeler dans la lignée de Condorcet et de Volney, la pensée de Daunou qui, en 1819, a fait publier dans le *Censeur européen* un essai remarquable, *Des garanties individuelles*, édité et réédité par la suite comme un écrit à part. La ressemblance avec les idées de Benjamin Constant est frappante. Cf. notre étude, *Le Censeur européen, histoire d'un journal industrialiste*, in *Revue d'histoire économique et sociale*, 1959, nᵒ 2-3, p. 191.
Sur l'impact de l'Antiquité à l'époque de la Révolution, cf. H. T. Parker, *The Cult of Antiquity and the French Revolutionnaries*, Chicago, 1937; P. Vidal-Naquet, *Tradition de la démocratie grecque*, in M. I. Finley, *Démocratie antique et démocratie moderne*.

70. *La Cité antique* a paru en 1864; du vivant de l'auteur, mort en 1890, il y a eu 13 rééditions, et 12 de la traduction en anglais. Sur la critique de Gustave Glotz, cf. Guy H. Dodge, *Benjamin Constant's Philosophy of Liberalism*, University of North Carolina Press, 1980, p. 46, *n*. 75. Sur la problématique ancienne et moderne, cf. Georges Gusdorf, *Signification humaine de la liberté*, Paris, 1962.

71. Pour le jugement porté par Croce, cf. *Constant e Jellinek, intorno alla differenza tra la libertà degli antichi e quella dei moderni*, accessible in *Etica e politiche*, 1931, Saggi filosofici, VI; du même, *Storia d'Europa del secolo decimonono*, 4ᵉ éd., 1938, p. 10; à la suite de Croce toute une littérature a été consacrée à la problématique ancienne et moderne par des chercheurs italiens : Guido Calogero, Norberto Bobbio, Alberto Signorini, Nicola Mateucci.

72. Pour la date de cette conférence, cf. notre *Ecole libérale*, chap. II, p. 40 et notre Benjamin Constant et Goyet de la Sarthe, *Correspondance, 1818-1822*, Genève, 1973, p. 46, *n*.10.

73. Cf. Benjamin Constant et Goyet de la Sarthe, *Correspondance*, p. 14, *n*. 2.

74. Cf. sur le ministère Decazes, notre *Ecole libérale*, chap. V.

75. Cf. *De la justice politique*, éd. par Burton R. Pollin, p. 120, n. 72.

76. Cf. Jean Roussel, *Jean-Jacques Rousseau en France après la Révolution*, Paris, 1972 ; sur les positions de Patrice Thompson, Roland Mortier, Jean Roussel et d'autres spécialistes, cf. Hofmann, I, p. 317 sq. Il a échappé aux lecteurs de Mably que son soi-disant plaidoyer en faveur de la communauté des biens, est plutôt une attaque contre l'*Ordre naturel* du physiocrate Mercier de la Rivière qu'une profession de foi communiste. Cf. notre *Le « social » de Mably*, in *Revue d'histoire économique et sociale*, 1956, vol. 34, pp. 411-425 ; nos *Mably et la postérité* et *Mably et ses contemporains*, in *Revue des sciences humaines*, 1954, pp. 25-40 et 351-366.

77. Sur Benjamin Constant, Rousseau et Mably, cf. ses *Principes* manuscrits, Hofman, II ; l'*Esprit de conquête* et la conférence sur les anciens et modernes ; les recueils d'articles éd. par nous ; sa *Correspondance* avec Goyet de la Sarthe ainsi que notre *Ecole libérale*, Sur la définition par Benjamin Constant de la souveraineté, cf. ses *Réflexions sur les constitutions*, in *Cours de politique constitutionnelle*, vol. I, *n*. A., surajoutée en 1818 ; les *Recueils d'articles;* Mme Simone Goyard-Fabre, *L'idée de souveraineté du peuple et le « libéralisme pur » de Benjamin Constant*, in *Revue de métaphysique et de morale*, 1976, t. 81, n° 3, pp. 289-327.

78. Cf. notre compte rendu de l'ouvrage de Guy Howard Dodge, *Benjamin Constant's Philosophy of Liberalism*, in *R.H.L.F.*, 1982, I.

79. Cf. notre *Ecole libérale*, chap. II.

80. Par Jean Viénot, Paris, 1906.

81. Par Mlle Lucia Omacini, Genève, 1977.

82. Cf. Etienne Hofmann, I, p. 236-237.

83. Lucia Omacini, *Benjamin Constant correcteur de Mme de Staël*, communication faite aux journées de Coppet, septembre 1978, publiée in *Cahiers staëliens*, 1978, n° 25, pp. 5-23.

84. A la date du 24 mai 1814.

85. Texte reproduit in Benjamin Constant, *De la justice politique*, éd. par Burton R. Pollin, *Appendice B*.

86. Cet essai figure dans les manuscrits de 1810 ; il a été recueilli, avec changements, dans les *Mélanges* (1829) et reproduit par Pierre Deguise, Lausanne, 1967 ; une mention explicite de ce texte est enregistrée dans les *Journaux intimes*, à la date du 10 janvier 1805.

87. Cf. Heine, *De l'Allemagne*, Paris, 1835 et 1855, accessible in Slatkine reprints, Ressources, Genève-Paris, 1979, texte présenté par nous ; Sur Mme de Staël et l'Allemagne, cf. André Monchoux, *L'Allemagne devant les lettres françaises, 1814 à 1835*, Paris, s.d., Introduction ; Mme de Pange, *Mme de Staël et la découverte de l'Allemagne*, Paris, 1929 ; —, Auguste-Guillaume, *Schlegel et Madame de Staël*, Paris, 1938 ; Mlle Simone Balayé, *Madame de Staël*, chap. V.

Pour évaluer les connaissances de Mme de Staël de la langue et la littérature allemandes à la veille de son voyage en Allemagne vers la fin de 1803, on peut consulter ses lettres à Charles de Villers (in Isler, *Briefe*) et ses *Dix années d'exil* (Introduction et notes par Simone Balayé, Paris, 1966) : les textes de Mme de Staël ne permettent pas de conclure à une initiation quelque peu étendue ; on ne voit pas comment elle aurait pu parfaire cette initiation pendant son court séjour en Allemagne, en 1804, ou à Vienne en 1808 ; après la mort de son père, elle édite ses *manuscrits*, part pour l'Italie en 1805, compose *Corinne* qu'elle publie en 1807, organise des journées mondaines et des représentations théâtrales à Coppet, se déplace beaucoup, va à Vienne où elle est prise par des mondanités, édite les lettres du prince de Ligne. Elle commence à écrire *De l'Allemagne* en 1808 et mène à terme son ouvrage en 1810 ; la conclusion qui s'impose, c'est qu'il lui fallait un collaborateur ou plutôt des collaborateurs.

88. *Considérations sur les principaux événements de la Révolution française*, ouvrage posthume de Mme la baronne de Staël, publié par M. le duc de Broglie et M. le baron de Staël, Paris, 1818, 3 vol. in-8° ; réédé. par Jacques Godechot, Paris, 1983 ; la critique en voulait à Mme de Staël pour avoir identifié le rôle de Necker avec une bonne partie de la Révolution et d'avoir marqué sa prédilection pour l'aristocratie ; Benjamin Constant a rendu compte de l'ouvrage, aux dates des 20 mai, 15 juin et fin juillet 1818. Cf in *Recueil d'articles, 1817-1820* et notre *Ecole libérale*.

89. *De Mme de Staël et de ses ouvrages*, étude reproduite in Benjamin Constant, *Œuvres*, p.p. Alfred Roulin.

90. Sorties de presse le 24 mai 1814.

91. Cf. *supra*, la *n*. 55 ; pour les articles publiés dans la presse à la même époque, cf. notre Benjamin Constant, *Recueil d'articles, 1795-1817*.

92. Cf. notre Benjamin Constant, *Lettres à Madame Récamier*, Paris, 1977 ; pour les *Mémoires*, cf. Benjamin Constant, *Œuvres*, p.p. Alfred Roulin ; Maurice Levaillant, *Les Amours de Benjamin Constant*.

93. *De la responsabilité des ministres*, 2 février 1815.

94. Pour les articles célèbres des 11 mars et 19 mars 1815, cf. le *Recueil d'articles, 1795-1817*.

95. Cf. Etienne Hofmann, *Benjamin Constant à la veille des Cent Jours*, in *Etudes de lettres*, Lausanne, 1977, t. 10, n° 3, p. 1-29.

96. Cf. notre Benjamin Constant, *Lettre inédite à Napoléon*, in *Revue de la Bibliothèque nationale*, Paris, 1981, 4; *Lettres sur les Cent Jours*, publiées dans la *Minerve française*, 1819-1820 (lettres reprises dans le *Recueil d'articles, 1817-1820*); lettres publiées également en volume, *Mémoires sur les Cent Jours*, 1820-1822, éd. critique par O. Pozzo di Borgo, Paris, 1961, dont la préface est très judicieuse.

97. Cf. le *Recueil d'articles, 1795-1817*.

98. *De la doctrine politique qui peut réunir les partis en France*, décembre 1816, brochure rédigée contre la droite et contre Chateaubriand, en particulier. Cf. notre *Ecole libérale*.

99. Cf. nos Benjamin Constant, *Recueil d'articles, 1817-1820* et *L'Ecole libérale*.

100. Réimpression en 1818-1820 d'ouvrages antérieurs en 4 vol., partiellement reproduits par J.-P. Pagès, son ami, en 1836, et relancés par Édouard Laboulaye, en 1861 et 1872, qui y a ajouté d'importants traités que Benjamin Constant n'a pas inclus dans son *Cours*, et enlevé des écrits de circonstance.

101. Les tentatives du pouvoir pour mettre fin à l'activité politique de Benjamin Constant remontent au mois d'octobre 1820 : pour le guet-apens à Saumur et les procès qui lui ont été intentés en 1822-1823, cf. nos, Benjamin Constant et Goyet de la Sarthe, *Correspondance* et le *Recueil d'articles, 1820-1824*.

102. Cf. Benjamin Constant, *Discours à la Chambre des députés*, 1827-1828, 2 vol. ; ses discours en 1828-1830 n'ont pas encore été publiés.

103. Pour les articles dans le *Courrier français* et le *Constitutionnel*, cf. nos Benjamin Constant, *Recueils d'articles, 1820-1824, 1825-1829, 1829-1830* (les deux derniers recueils sont en cours de publication).

104. Les conférences de Benjamin Constant à l'Athénée royal ont porté sur les religions, la constitution anglaise, l'*Eloge de Sir Romilly*, l'opposition des modernes aux anciens et, en décembre 1825, *Coup d'œil sur la tendance générale des esprits dans le XIXe siècle*.

105. Cf. Paul Delbouille, *Genèse, structure et destin d'Adolphe*.

106. Paris, 1822-1824, 2 vol., commentaire des plus importants qui fournit par un double niveau de lecture des précisions précieuses sur la pensée de Benjamin Constant à ces dates, mais commentaire des plus négligés aussi par la critique.

107. *Appel aux nations chrétiennes en faveur des Grecs*, Paris, 1825.

108. Pour la publication de *De la religion*, cf. Pierre Deguise, *Benjamin Constant méconnu*; pour les articles d'inspiration religieuse, cf. nos, Benjamin Constant, *Recueils d'articles* et *Benjamin Constant publiciste* (à paraître).

109. Cf. les *Mémoires sur les Cent Jours*, éd. par O. Pozzo di Borgo, *Préface*.

110. Notamment, *Christianisme*, in *Encyclopédie moderne*, 1825; *Coup d'œil sur la tendance générale des esprits dans le XIXe siècle*, in *Revue encyclopédique*, 1825; *Réflexions sur la tragédie*, in *Revue de Paris*, 1829, t. VII; *Aristophane*, in *Revue de Paris*, 1830, t. XV; *Souvenirs historiques, ibid.*, t. XI et XVI.

111. Sur les tentatives de Benjamin Constant pour accéder à l'Institut, puis à l'Académie française, cf. Gustave Rudler, *Un chapitre de la tragi-comédie académique*, in *Bibliothèque universelle et revue suisse*, 1920, t. 98, pp. 29-38 et 189-202.

112. Cf. le *Recueil d'articles, 1829-1830* (à paraître).

113. Cf. *ibid.*

114. Cf. *ibid.*

115. Cf. *ibid.* et notre, *Benjamin Constant militant, grandeur et limites de sa pensée*, communication faite au colloque Benjamin Constant, Lausanne, 1980, Oxford, Voltaire Foundation, 1982.

116. Cf. les *Recueils d'articles, 1825-1829, 1829-1830*.

117. Cf. *L'Ecole libérale*, chap. II, et *Benjamin Constant et le mythe de la liberté*, communication faite au colloque de l'Université d'Haïfa, *Les Mythes d'origine*, 1981, à paraître prochainement.

118. Cf. nos Benjamin Constant, *Recueils d'articles*.

119. Cf. notre *Ecole libérale*, chap. VIII.

120. Cf. nos *Recueils d'articles;* notre *Benjamin Constant polémiste*, in *Annales Benjamin Constant*, n° 1, Lausanne, 1980, pp. 43-53; *Benjamin Constant militant, grandeur et limites de sa pensée, communication cit.*

121. Cf. les *Recueils, 1825-1829, 1829-1830* (à paraître).

122. Sur le sentiment religieux, cf. les travaux de J.-R. Derré, Pierre Deguise, Patrice Thompson; sur le sentiment religieux et la liberté, cf. Paul Bénichou, *Le Temps des prophètes;* nos, *L'Ecole libérale*, chap. II, et *Benjamin Constant et le mythe de la liberté, communication cit.*

123. Cf. Benjamin Constant, *Appel aux nations chrétiennes en faveur des Grecs*, où il met en garde l'Europe contre sa décadence et contre l'envahissement futur de son continent par un Islam conquérant.

124. *Coup d'œil sur la tendance générale des esprits dans le XIXe siècle;* cette conférence, tenue le 3 décembre 1825, a été recueillie partiellement par la *Revue encyclopédique*, décembre 1825; pour en suivre les échos et la polémique avec les saint-simoniens, cf. notre *Recueil d'articles, 1825-1829* et notre *Benjamin Constant publiciste*, à paraître.

125. Dunoyer a publié en volume les leçons qu'il avait professées à l'Athénée en 1825, *Cours d'économie et de morale*, que la *Revue encyclopédique* a résumé dans son vol. 26, et que Benjamin Constant a commenté dans la livraison du 1er février 1826. L'article figure dans les *Mélanges*, avec quelques modifications. L'ouvrage de Dunoyer, publié en 1825, est intitulé, *L'Industrie et la morale considérées dans leurs rapports avec la liberté*.

126. Pierre Deguise a reproduit l'étude des *Mélanges*, in *De la perfectibilité de l'espèce humaine, op. cit.*

127. Cf. le *Catéchisme des industriels* de Saint-Simon, décembre 1823 à juin 1824, quatre cahiers dont le troisième est « l'opuscule fondamental » de Comte, et surtout le *Nouveau Christianisme*, Paris, 1825 (accessible dans l'éd. de H. Desroche, Paris, 1969); v. Henri Gouhier, *La Jeunesse d'Auguste Comte et la formation du positivisme*, vol. III; pour les saint-simoniens, cf. le *Producteur*, 1825-1826, 5 vol., et *Le Globe*, 1830-1832, vol. X-XII (Slatkine reprints); de l'Allemagne, *Les Saint-Simoniens*, Paris, 1930; S. Charlety, *Histoire du saint-simonisme*, Paris, 1931.

128. Le même jour, le 3 décembre 1825, où Benjamin Constant a plaidé à l'Athénée la cause de la spiritualité contre l'industrialisme matérialiste, Stendhal a mis en vente son pamphlet, *D'un nouveau complot contre les industriels*, réédité avec des adoucissements par *Le Globe* du 17 décembre, et par un groupe de chercheurs, Paris, 1972; sur l'optique sociale de Stendhal, cf. F. Rude, *Stendhal et la pensée sociale de son temps*, Paris, 1967; pour un rapprochement entre Stendhal et Benjamin Constant, cf. Victor Del Litto, *Stendhal, Constant et l'industrialisme*, in Benjamin Constant, *Actes du congrès de Lausanne*, Genève, 1968, pp. 65-67.

129. Article publié en deux parties, au mois d'octobre 1829, *in Revue de Paris*, t. VII, pp. 5-21 et 126-140.

130. Il est certain que les *Réflexions sur la tragédie* ajoutent une dimension en profondeur à l'optique dramatique de Benjamin Constant par rapport à ses travaux antérieurs; ce qui n'avait été que pressenti dans la préface de *Wallstein* (1809) ou en quelque sorte implicite dans le *Mercure de France* (1817, v. le *Recueil d'articles, 1817-1820*), est énoncé ici avec force développements et mis puissamment en relief; sans doute, Constant doit-il l'idée d'*obstacle* au dramaturge allemand, Robert, mais la rencontre avec celui-ci sur le plan dramatique n'a pas été déterminante pour le concept fondamental de l'opposition inéluctable des modernes aux pouvoirs sociaux, idée essentielle dans les écrits politiques, religieux et romanesques de Benjamin Constant. Sur le contexte littéraire de l'époque, cf. Edmond Eggli, *Schiller et le romantisme français*, Paris, 1927, 2 vol. (Slatkine reprints); J.-R. Derré, *Wallstein*, éd. critique, Introduction; *L'Ecole libérale*, chap. IX, X, XII.

131. Trois éditions en 1980.

132. Cf. Pierre Deguise, *Etat présent des études sur Benjamin Constant*, in *L'Information littéraire*, 1958, t. 10, n° 4, pp. 139-

150 ; —, *Nouvel état présent des études sur Benjamin Constant*, in *Annales Benjamin Constant*, 1980, n° 1, pp. 9-25.

133. Cf. la bibliographie, in Paul Delbouille, *Genèse, structure et destin d'Adolphe*.

134. Cf. Brian Juden, *Accueil et rayonnement de la pensée de Benjamin Constant sur la religion*, communication faite au colloque Benjamin Constant, Lausanne, 1980, Oxford, The Voltaire Foundation, 1982, pp. 151-166.

135. Sur Benjamin Constant et l'Allemagne avant 1848, cf. Lothar Gall, *Benjamin Constant, seine politische Ideenwelt und der deutsche Vormärz*, Wiesbaden, 1963.

136. Cf. Édouard Laboulaye, toute une série d'articles, *Benjamin Constant*, in *Revue nationale et étrangère, politique, scientifique et littéraire*, 1861 ; —, *Benjamin Constant et les Cent Jours*, ibid., 1866-1867.

137. Cf. Guy H. Dodge, *Benjamin Constant's Philosophy of Liberalism, op. cit.*.

138. Cf. les études de Pierre Deguise, *supra, n.* 132.

139. Cf. Benjamin Constant, *Actes du congrès de Lausanne*, Genève, 1968 ; *Europe*, n° spécial, 1968, n° 467.

140. Cf. *Annales Benjamin Constant*, 1980, n° 1 ; Benjamin Constant, *Actes du colloque de Lausanne*, 1980, Oxford, The Voltaire Foundation, 1982.

141. Je pense aux travaux récents de Patrice Thompson, Marcel Gauchet et Etienne Hofmann.

REMARQUE SUR LA PRÉSENTE ÉDITION

Les écrits réunis dans la présente édition correspondent à deux moments importants dans la carrière de publiciste et penseur de Benjamin Constant : 1814 et 1819.

Le texte de l'*Esprit de conquête et de l'usurpation* est celui de la première édition, contrairement à la pratique de reproduire la troisième et, tout récemment, la quatrième. Il me semble que la première édition traduit mieux, sans les changements introduits dans les deux autres, les préoccupations de son auteur en 1813-1814 : son désir de concourir au renversement de Napoléon et d'aménager l'accession au pouvoir de Bernadotte. C'est dans cette édition que nous surprenons Benjamin Constant dans le vif de l'action, selon une pensée longuement mûrie.

De la liberté des anciens comparée à celle des modernes, reprend les thèmes de l'*Esprit de conquête,* en les développant d'une manière cohérente, d'où l'intérêt de faire suivre le texte de la *Conquête* de celui de la conférence célèbre de Benjamin Constant.

En posant les problèmes majeurs de son époque, Benjamin Constant, en vrai humaniste, reprend la pensée des anciens. Mais la réflexion sur l'Antiquité renvoie dos à dos les anciens et les modernes. Problématique ancienne, problématique moderne, elle semble toujours d'actualité.

J'ai utilisé entre autres, les éditions récentes de

MM. Marcel Gauchet et Etienne Hofmann. Les renvois aux *Principes* manuscrits de 1806 peuvent dorénavant se référer au texte publié par M. Etienne Hofmann, volume II.

La graphie de Benjamin Constant et sa ponctuation ont été respectées dans une large mesure, sans pousser cette fidélité jusqu'à une vénération fétichiste, insistant surtout sur les variantes d'une édition à l'autre, parfois sur les coquilles ou sur une orthographe curieuse de l'époque. Ainsi, il ne m'a pas semblé nécessaire de conserver, par exemple, le *oi*, là où nous employons le *ai*, ni les :, là où l'usage actuel met ;. Le principe suivi a été celui de l'intelligibilité du texte, tout en laissant se dégager de ces pages au verbe puissant le parfum des mots et des intonations passés. Les *astériques* renvoient aux notes de Benjamin Constant, les *lettres*, aux variantes et les *chiffres arabes*, à mes notes.

É. H.

DE L'ESPRIT

DE CONQUÊTE

ET

DE L'USURPATION

DANS LEURS RAPPORTS

AVEC LA CIVILISATION EUROPÉENNE

PAR

Benjamin de Constant-Rebecque,
membre du Tribunat, éliminé en 1802, Correspondant
de la Scciété Royale des sciences de Göttingue

1814

AVERTISSEMENT[a][1]

Je me suis demandé, avant d'attacher mon nom à ce livre, si je ne serais pas accusé d'une certaine présomption, en discutant des intérêts soumis aux mains les plus puissantes et les plus augustes. Je me suis répondu, en premier lieu, que l'opinion générale ne se composant que des opinions particulières, il était aujourd'hui du devoir impérieux de chacun de concourir à la formation d'un esprit public qui secondât les nobles efforts des souverains et des peuples, pour la délivrance de la race humaine, et secondement[b], qu'ayant été l'un des mandataires du peuple qu'on force au silence, et n'ayant cessé de l'être

N.B. Pour les notes appelées par des lettres, voir les variantes en fin de volume, p. 293, les astérisques sont réservés aux notes de B. Constant.

1. L'exemplaire de la Ire éd. que la Bibliothèque universitaire et cantonale de Lausanne possède et qui sert pour l'établissement de la présente édition critique, présente une certaine anomalie : la Table des matières, paginée [V], VI, VII et VIII, figure en premier lieu, puis la Préface, paginée [III] et IV, puis l'Avertissement, paginé [ ] et)o(. L'éd. 2 commence par l'Avertissement, puis la Préface, enfin la Table des matières, le tout paginé de [V] à XII. Je pense que ce n'est là qu'une simple erreur de reliure, et non comme le croit F. Longchamp que l'éd. 1 ne comportait guère de préface et que celle-ci fut interfoliée dans l'exemplaire de Lausanne (*Bulletin du bibliophile*, 1937, pp. 486-494, 533,-541) ; cf. notre introduction au texte de l'éd. 1, reproduit par Slatkine reprints, dans la collection Ressources, Paris-Genève, 1980 ; pour l'Avertissement de l'éd. 4, cf. *infra*, l'Appendice B.

qu'illégalement[2], ma voix, de quelque peu d'importance qu'elle soit d'ailleurs, aura l'avantage de rompre cette unanimité prétendue qui fait l'étonnement et le blâme de l'Europe et qui n'est que l'effet de la terreur des Français[b]. J'ose affirmer, avec une conviction profonde, qu'il n'y a pas, dans mon ouvrage, une ligne, que la presque totalité de la France, si elle était libre, ne s'empressât de signer.

2. Benjamin Constant avait été nommé au Tribunat, le 24 décembre 1799, et éliminé par un jeu de nominations illégales, avec d'autres opposants, le 17 janvier 1802.

PRÉFACE[1]

L'ouvrage actuel fait partie d'un traité de politique, terminé depuis longtemps[2]. L'état de la France et celui de l'Europe semblaient le condamner à ne jamais paraître. Le continent n'était qu'un vaste cachot, privé de toute communication avec cette noble Angleterre, asile généreux de la pensée, illustre refuge de la dignité de l'espèce humaine. Tout à coup, des deux extrémités de la terre, deux grands peuples se sont répondus, et les flammes de Moscou ont été l'aurore de la liberté du monde. Il est permis d'espérer que la France ne sera pas exceptée de la délivrance universelle, la France qu'estiment les nations qui la combattent, la France, dont la volonté suffit pour obtenir et donner la paix. Le moment est donc revenu, où chacun peut se flatter d'être utile, suivant ses forces et ses lumières.

L'auteur de cet ouvrage a cru néanmoins que les circonstances n'étaient pas favorables à l'examen d'une foule de questions abstraites[a]. Il a extrait seulement ce qui lui a paru d'un intérêt immédiat[b]. Il

---

1. Pour la préface à l'éd. 3, cf. *infra*, l'Appendice A.
2. Il s'agit des *Principes de politique applicables à tous les gouvernements*, manuscrit qu'il avait composé en 1806, en travaillant sur un autre manuscrit, *Fragments d'un ouvrage abandonné sur la possibilité d'une constitution républicaine dans un grand pays*, à moins que le *traité de politique* ne désigne d'une manière globale les deux manuscrits à la fois. Cf. *supra*, l'Introduction.

aurait pu accroître cet intérêt par des personnalités plus directes. Mais il a voulu conserver avec scrupule ce qu'un profond sentiment lui avait dicté, quand la terre était sous le joug. Il a éprouvé de la répugnance à se montrer plus amer ou plus hardi, contre l'adversité méritée que contre la prospérité coupable. Si les calamités publiques laissaient à son âme la faculté de s'ouvrir à des considérations personnelles, il lui serait doux de penser, que lorsqu'on a voulu travailler, sans contradicteurs, à l'asservissement général, on a trouvé nécessaire d'étouffer sa voix [c].

TABLE DES MATIÈRES[a]

DE L'ESPRIT DE CONQUÊTE ET DE L'USURPATION
DANS LEURS RAPPORTS
AVEC LA CIVILISATION EUROPÉENNE

PREMIÈRE PARTIE

DE L'ESPRIT DE CONQUÊTE

SECONDE PARTIE

DE L'USURPATION

1. La Table de l'éd. 4 comporte la mention des chapitres surajoutés à cette éd. :

Chap. I. *Des innovations, des réformes, de l'uniformité des institutions.*

Chap. II. *Développements sur l'usurpation.*

Cf. *infra*, Appendice C.

DE L'ESPRIT DE CONQUÊTE
ET
DE L'USURPATION
dans leurs rapports
avec la civilisation européenne

Je me propose d'examiner deux fléaux, dans leurs rapports avec l'état présent de l'espèce humaine, et la civilisation actuelle. L'un est l'esprit de conquête, l'autre l'usurpation.

Il y a des choses qui sont possibles à telle époque, et qui ne le sont plus à telle autre. Cette vérité semble triviale : elle est néanmoins souvent méconnue ; elle ne l'est jamais sans danger[a].

Lorsque les hommes qui disposent des destinées de la terre se trompent sur ce qui est possible, c'est un grand mal. L'expérience, alors, loin de les servir, leur nuit et les égare. Ils lisent l'histoire ; ils voient[b] ce que l'on a fait précédemment : ils n'examinent point si cela peut se faire encore ; ils prennent en main des leviers brisés ; leur obstination, ou, si l'on veut, leur génie, procure à leurs efforts un succès éphémère ; mais comme ils sont en lutte avec les dispositions, les intérêts, toute l'existence morale de leurs contemporains, ces forces de résistance réagissent contre eux ; et au bout d'un certain temps, bien long pour leurs victimes, très court quand on le considère historiquement, il ne reste de leurs entreprises que les crimes qu'ils ont commis et les souffrances qu'ils ont causées.

La durée de toute puissance dépend de la proportion qui existe entre son esprit et son époque. Chaque siècle attend en quelque sorte un homme qui lui serve de représentant. Quand ce représentant se montre, ou paraît se montrer, toutes les forces du moment se grouppent[c] autour de lui. S'il représente fidèlement l'esprit général, le succès est infaillible. S'il dévie, le succès devient douteux ; et s'il persiste dans une fausse route, l'assentiment qui constituait son pouvoir l'abandonne, et le pouvoir s'écroule.

Malheur donc à ceux qui, se croyant invincibles, jettent le gand[d] à l'espèce humaine, et prétendent opérer par elle, car ils n'ont pas d'autre instrument, des bouleversements qu'elle désapprouve, et des miracles qu'elle ne veut pas.

DE L'ESPRIT DE CONQUÊTE
ET
DE L'USURPATION

dans leurs rapports
avec la civilisation européenne

PREMIÈRE PARTIE
DE L'ESPRIT DE CONQUÊTE

CHAPITRE PREMIER

DES VERTUS COMPATIBLES AVEC LA GUERRE
À CERTAINES ÉPOQUES DE L'ÉTAT SOCIAL

Plusieurs écrivains[1], entraînés par l'amour de l'humanité dans de louables exagérations, n'ont envisagé la guerre que sous ses côtés funestes. Je reconnais volontiers ses avantages.

Il n'est pas vrai que la guerre soit toujours un mal. A de certaines époques de l'espèce humaine, elle est dans la nature de l'homme. Elle favorise alors le développement de ses plus belles et de ses plus grandes facultés. Elle lui ouvre un trésor de précieuses jouissances. Elle le forme à la grandeur d'âme, à l'adresse, au sang-froid, au courage, au mépris de la mort, sans lequel il ne peut jamais se répondre qu'il ne commettra pas toutes les lâchetés et bientôt tous les crimes. La guerre lui enseigne des dévouements héroïques et lui fait contracter des amitiés sublimes. Elle l'unit de liens plus étroits, d'une part, à sa patrie, et de l'autre, à ses compagnons d'armes. Elle fait succéder à de nobles entreprises de nobles loisirs.

---

1. On peut évidemment citer Voltaire qui a combattu la guerre dans ses écrits sous toutes les formes ; l'attitude des Philosophes est identique ; celle des Physiocrates, de Turgot, d'Adam Smith, de Condorcet, des Idéologues et des économoistes français contemporains est similaire. Ce sont des orientations psychologiques, économiques et sociales toujours déterminées par des raisons morales. Pour rendre l'opposition entre les temps anciens et les temps modernes plus saisissante, Benjamin Constant préfère situer le débat dans une perspective nouvelle.

Mais tous ces avantages de la guerre tiennent à une condition indispensable, c'est qu'elle soit le résultat naturel de la situation et de l'esprit national des peuples[2].

Car je ne parle point ici d'une nation attaquée et qui défend son indépendance. Nul doute que cette nation ne puisse réunir à l'ardeur guerrière les plus hautes vertus ; ou plutôt cette ardeur guerrière est elle-même de toutes les vertus la plus haute. Mais il ne s'agit pas alors de la guerre proprement dite ; il s'agit de la défense légitime, c'est-à-dire du patriotisme, de l'amour de la justice, de toutes les affections nobles et sacrées.

Un peuple, qui, sans être appelé à la défense de ses foyers, est porté par sa situation ou son caractère national à des expéditions belliqueuses et à des conquêtes, peut encore allier à l'esprit guerrier la simplicité des mœurs, le dédain pour le luxe, la générosité, la loyauté, la fidélité aux engagements, le respect pour l'ennemi courageux, la pitié même, et les ménagements pour l'ennemi subjugué. Nous voyons, dans l'histoire ancienne et dans les annales du moyen âge, ces qualités briller chez plusieurs nations, dont la guerre fesait[a] l'occupation presqu'habituelle.

Mais la situation présente des peuples européens permet-elle d'espérer cet amalgame ? L'amour de la guerre est-il dans leur caractère national ? Résulte-t-il de leurs circonstances ?

Si ces deux questions doivent se résoudre négative-

2. Les passages qui précèdent sont repris, avec changements et suppressions, du Livre XIII des *Principes* manuscrits, *Sous quel point de vue la guerre peut être considérée comme ayant des avantages*, éd. Etienne Hofmann, *Principes de politique*, II, p. 333 sq. (nos renvois, sans autres spécifications, seront faits à ce vol.) ; idée qu'on retrouve dans la comparaison de Benjamin Constant entre la liberté des anciens et celle des modernes, cf. *infra*, dans maints articles où il fait le procès de la droite, dans son *Commentaire sur l'ouvrage de Filangieri*, Paris, 1822-1824, 2 vol., vol. I, chap. II. Cf. aussi les notes de Marcel Gauchet, in Benjamin Constant, *De la liberté chez les modernes* [titre apocryphe] (sans autres spécifications, nos renvois seront faits à Gauchet).

ment, il s'ensuivra, que, pour porter de nos jours les nations à la guerre et aux conquêtes, il faudra bouleverser leur situation, ce qui ne se fait jamais, sans leur infliger beaucoup de malheurs, et dénaturer leur caractère, ce qui ne se fait jamais sans leur donner beaucoup de vices.

CHAPITRE II

Du caractère des nations modernes
relativement a la guerre

Les peuples guerriers de l'antiquité devaient pour la
plupart à leur situation leur esprit belliqueux. Divisés
en petites peuplades, ils se disputaient à main armée
un territoire resserré. Poussés par la nécessité les uns
contre les autres, ils se combattaient ou[a] se menaçaient sans cesse. Ceux qui ne voulaient pas être
conquérants ne pouvaient néanmoins déposer le glaive
sous peine d'être conquis. Tous achetaient leur sûreté,
leur indépendance, leur existence entière au prix de la
guerre[1].

Le monde de nos jours est précisément, sous ce
rapport, l'opposé du monde ancien.

Tandis que chaque peuple, autrefois, formait une
famille isolée, ennemie née des autres familles, une
masse d'hommes existe maintenant, sous différents
noms et sous divers modes d'organisation sociale, mais
homogène par sa nature. Elle est assez forte pour
n'avoir rien à craindre des hordes encore barbares.
Elle est assez civilisée pour que la guerre lui soit à
charge. Sa tendance uniforme est vers la paix. La
tradition belliqueuse, héritage de temps reculés, et
surtout les erreurs des gouvernements retardent les
effets de cette tendance ; mais elle fait chaque jour un
progrès de plus. Les chefs des peuples lui rendent
hommage ; car ils évitent d'avouer ouvertement

1. Passage adapté du Livre XVI, 3, p. 421.

l'amour des conquêtes, ou l'espoir d'une gloire acquise uniquement par les armes. Le fils de Philippe n'oserait plus proposer à ses sujets l'envahissement de l'univers ; et le discours de Pyrrhus à Cynéas semblerait aujourd'hui le comble de l'insolence ou de la folie[2].

Un gouvernement qui parlerait de la gloire militaire, comme but, méconnaîtrait ou mépriserait l'esprit des nations et celui de l'époque. Il se tromperait d'un millier d'années, et lors même qu'il réussirait d'abord, il serait curieux de voir qui gagnerait cette étrange gageure, de notre siècle ou de ce gouvernement[3].

Nous sommes arrivés à l'époque du commerce, époque qui doit nécessairement remplacer celle de la guerre, comme celle de la guerre a dû nécessairement la précéder.

La guerre et le commerce ne sont que deux moyens différents d'arriver au même but, celui de posséder ce que l'on désire. Le commerce n'est autre chose qu'un hommage rendu à la force du possesseur par l'aspirant à la possession. C'est une tentative pour obtenir de gré à gré ce qu'on n'espère plus conquérir par la violence. Un homme qui serait toujours le plus fort n'aurait jamais l'idée du commerce. C'est l'expérience qui, en lui prouvant que la guerre, c'est-à-dire, l'emploi de sa force contre la force d'autrui, est exposée à diverses résistances et à divers échecs, le porte à recourir au commerce, c'est-à-dire, à un moyen plus doux et plus sûr d'engager l'intérêt des autres à consentir à ce qui convient à son intérêt.

La guerre est donc antérieure au commerce. L'une est l'impulsion sauvage, l'autre le calcul civilisé[4]. Il est

---

2. Passages repris, depuis *Le fils de Philippe*, *ibid.*, p. 422-423. Dans Boileau, Epître I, Pyrrhus justifie par des raisons futiles son ambition de conquêtes, mais Cinéas, son conseiller, cherche à le persuader d'y renoncer. Cf. également Gauchet, notes.

3. Cf. le Livre XVI, 3, p. 423.

4. Passages adaptés du Livre XVI, 4, p. 425.

clair que plus la tendance commerciale domine, plus la tendance guerrière doit s'affaiblir.

Le but unique des nations modernes, c'est le repos, avec le repos l'aisance, et comme source de l'aisance, l'industrie. La guerre est chaque jour un moyen plus inefficace d'atteindre ce but. Ses chances n'offrent plus ni aux individus ni aux nations des bénéfices qui égalent les résultats du travail paisible, et des échanges réguliers. Chez les anciens, une guerre heureuse ajoutait, en esclaves, en tributs, en terres partagées, à la richesse publique et particulière. Chez les modernes, une guerre heureuse coûte infailliblement plus qu'elle ne rapporte[5].

La république romaine, sans commerce, sans lettres, sans arts, n'ayant pour occupation intérieure que l'agriculture, restreinte à un sol trop peu étendu pour ses habitants, entourée de peuples barbares, et toujours menacée ou menaçante, suivait sa destinée en se livrant à des entreprises militaires non interrompues. Un gouvernement qui, de nos jours, voudrait imiter la république romaine, aurait ceci de différent, qu'agissant en opposition avec son peuple, il rendrait ses instruments tout aussi malheureux que ses victimes; un peuple ainsi gouverné serait la république romaine, moins la liberté, moins le mouvement national, qui facilite tous les sacrifices, moins l'espoir qu'avait chaque individu du partage des terres, moins, en un mot, toutes les circonstances, qui embellissaient aux yeux des Romains ce genre de vie hazardeux[b] et agité[6].

Le commerce a modifié jusqu'à la nature de la guerre. Les nations mercantiles étaient autrefois toujours subjugées par les peuples guerriers. Elles leur résistent aujourd'hui avec avantage[7]. Elles ont des auxiliaires au sein de ces peuples mêmes. Les ramifications infinies et compliquées du commerce ont placé

5. Passage adapté du Livre XVI, 3, p. 423.
6. Passage reproduit du Livre XIII, 1, p. 334.
7. Phrases reproduites du Livre XVI, 4, p. 427.

l'intérêt des sociétés hors des limites de leur territoire ; et l'esprit du siècle l'emporte sur l'esprit étroit
et hostile qu'on voudrait parer du nom de patriotisme.

Carthage, luttant avec Rome dans l'antiquité, devait
succomber ; elle avait contre elle la force des choses.
Mais si la lutte s'établissait maintenant entre Rome et
Carthage, Carthage aurait pour elle les vœux de
l'univers. Elle aurait pour alliés les mœurs actuelles et
le génie du monde [8].

La situation des peuples modernes les empêche
donc d'être belliqueux par caractère[9] ; et des raisons
de détail, mais toujours tirées des progrès de l'espèce
humaine, et par conséquent de la différence des
époques, viennent se joindre aux causes générales.

La nouvelle manière de combattre, le changement
des armes, l'artillerie, ont dépouillé la vie militaire de
ce qu'elle avait de plus attrayant. Il n'y a plus de lutte
contre le péril ; il n'y a que de la fatalité. Le courage
doit s'empreindre de résignation ou se composer
d'insouciance. On ne goûte plus cette jouissance de
volonté, d'action, de développement des forces physiques et des facultés morales, qui fesait[c] aimer aux
héros anciens, aux chevaliers du moyen âge, les
combats corps à corps [10].

La guerre a donc perdu son charme, comme son
utilité. L'homme n'est plus entraîné à s'y livrer, ni par
intérêt, ni par passion.

8. Cf. *ibid.*, p. 428.
9. Phrase reproduite du Livre XIII, 1, p. 334.
10. Cf. *ibid.*, pp. 334-335.

CHAPITRE III

DE L'ESPRIT DE CONQUÊTE DANS L'ÉTAT ACTUEL
DE L'EUROPE

Un gouvernement qui voudrait aujourd'hui pousser
à la guerre et aux conquêtes un peuple européen,
commettrait donc un grossier et funeste anachronisme. Il travaillerait à donner à sa nation une
impulsion contraire à la nature. Aucun des motifs, qui
portaient les hommes d'autrefois à braver tant de
périls, à supporter tant de fatigues, n'existant pour les
hommes de nos jours, il faudrait leur offrir d'autres
motifs, tirés de l'état actuel de la civilisation. Il
faudrait les animer aux combats par ce même amour
des jouissances, qui, laissé à lui-même, ne les dispose-
rait qu'à la paix. Notre siècle, qui apprécie tout par
l'utilité, et qui, lorsqu'on veut le sortir de cette
sphère, oppose l'ironie à l'enthousiasme réel ou factice, ne consentirait pas à se repaître d'une gloire
stérile, qu'il n'est plus dans nos habitudes de préférer
à toutes les autres. A la place de cette gloire, il faudrait
mettre le plaisir, à la place du triomphe, le pillage.
L'on frémira, si l'on réfléchit à ce que serait l'esprit
militaire, appuyé sur ces seuls motifs.

Certes, dans le tableau que je vais tracer, il est loin
de moi de vouloir faire injure à ces héros, qui, se
plaçant avec délices entre la patrie et les périls, ont,
dans tous les pays, protégé l'indépendance des peuples; à ces héros qui ont si glorieusement défendu la

France[a][1]. Je ne crains pas d'être mal compris par eux.
Il en est plus d'un, dont l'âme, correspondant à la
mienne, partage tous mes sentiments, et qui, retrou-
vant dans ces lignes son opinion secrète[b], verra dans
leur auteur son organe.

1. Il faudrait se rappeler que Benjamin Constant était arrivé à
Paris de Bruxelles, le 15 avril 1814 et que la 3ᵉ éd. de l'*Esprit de
conquête* sortit de presse le 22 avril. Cette petite variante répondait
à une double visée : se faire mieux voir des bonapartistes et
s'identifier par la même occasion avec les destinées de la France.
Depuis le 25 mai 1795, date de son arrivée à Paris avec Germaine de
Staël, et tout au long de la Restauration, Benjamin Constant s'est vu
reprocher ses origines suisses. Cf. notre Benjamin Constant, *Recueil
d'articles, 1795-1817*, p. 40, *n*. 1 ; *Recueil d'articles, 1820-1824*,
pp. 337-341 ; Mˡˡᵉ S. Balayé, *La nationalité de Madame de Staël*, in
Mélanges offerts à Julien Cain, Paris, 1968 ; Mᵐᵉ B. W. Jasinski,
L'engagement de Benjamin Constant, pp. 207-210.

France ''. Je ne crains pas d'être mal compris par eux.
Il en est plus d'un, dont l'âme, correspondant à la
mienne, partage tous mes sentiments; et qui, retrou-
vant dans ces lignes son opinion secrète '', verra dans
leur auteur son organe.

CHAPITRE IV

D'UNE RACE MILITAIRE
N'AGISSANT QUE PAR INTÉRÊT

Les peuples guerriers, que nous avons connus
jusqu'ici, étaient tous animés par des motifs plus
nobles que les profits réels et positifs de la guerre. La
religion se mêlait à l'impulsion belliqueuse des uns.
L'orageuse liberté dont jouissaient les autres leur
donnait une activité surabondante, qu'ils avaient
besoin d'exercer au-dehors. Ils associaient à l'idée de
la victoire celle d'une renommée prolongée bien au-
delà de leur existence sur la terre, et combattaient
ainsi, non pour l'assouvissement d'une soif ignoble de
jouissances présentes et matérielles, mais pour[a] un
espoir en quelque sorte, idéal, et qui exaltait l'imagination, comme tout ce qui se perd dans l'avenir et le
vague.

Il est si vrai, que, même chez les nations qui nous
semblent le plus exclusivement occupées de pillage et
de rapines, l'acquisition des richesses n'était pas le but
principal, que nous voyons les héros scandinaves faire
brûler sur leurs bûchers tous les trésors conquis
durant leur vie, pour forcer les générations qui les
remplaçaient à conquérir, par de nouveaux exploits,
de nouveaux trésors. La richesse leur était donc
précieuse comme témoignage éclatant des victoires
remportées, plutôt que comme signe représentatif et
moyen de jouissances.

Mais si une race purement militaire se formait
actuellement, comme son ardeur ne reposerait sur

aucune conviction, sur aucun sentiment, sur aucune pensée, comme toutes les causes d'exaltation, qui, jadis, anoblissaient le carnage même, lui seraient étrangères, elle n'aurait d'aliment ou de mobile que la plus étroite et la plus âpre personnalité. Elle prendrait la férocité de l'esprit guerrier, mais elle conserverait le calcul de l'esprit commercial. Ces Vandales ressuscités n'auraient point cette ignorance du luxe, cette simplicité de mœurs, ce dédain de toute action basse, qui pouvaient caractériser leurs grossiers prédécesseurs. Ils réuniraient à la brutalité de la barbarie les raffinements de la mollesse, aux excès de la violence les ruses de l'avidité.

Des hommes, à qui l'on aurait dit bien formellement qu'ils ne se battent que pour piller, des hommes dont on aurait réduit toutes les idées belliqueuses à ce résultat clair et arithmétique, seraient bien différents des guerriers de l'antiquité.

Quatre cent mille égoïstes, bien exercés, bien armés, sauraient que leur destination est de donner ou de recevoir la mort. Ils auraient supputé qu'il valait mieux se résigner à cette destination que s'y dérober, parce que la tyrannie qui les y condamne est plus forte qu'eux. Ils auraient, pour se consoler, tourné leurs regards vers la récompense qui leur est promise, la dépouille de ceux contre lesquels on les mène. Ils marcheraient en conséquence, avec la résolution de tirer de leurs propres forces le meilleur parti qu'il leur serait possible. Ils n'auraient ni pitié pour les vaincus, ni respect pour les faibles, parce que les vaincus, étant, pour leur malheur, propriétaires de quelque chose, ne paraîtraient à ces vainqueurs, qu'un obstacle entre eux et le but proposé. Le calcul aurait tué dans leur âme toutes les émotions naturelles, excepté celles qui naissent de la sensualité. Ils seraient encore émus à la vue d'une femme. Ils ne le seraient pas à la vue d'un vieillard ou d'un enfant. Ce qu'ils auraient de connaissances pratiques leur servirait à mieux rédiger leurs arrêts de massacre ou de spoliation. L'habitude des formes légales donnerait à leurs injustices l'impassibi-

lité de la loi. L'habitude des formes sociales répandrait
sur leurs cruautés un vernis d'insouciance et de
légèreté qu'ils croiraient de l'élégance. Ils parcour-
raient ainsi le monde, tournant les progrès de la
civilisation contre elle-même, tout entiers à leur
intérêt, prenant le meurtre pour moyen, la débauche
pour passe-temps, la dérision pour gaieté, le pillage
pour but, séparés par un abyme[b] moral du reste de
l'espèce humaine, et n'étant unis entre eux que
comme les animaux féroces qui se jettent rassemblés
sur les troupeaux.

Tels ils seraient dans leurs succès; que seraient-ils
dans leurs revers?

Comme ils n'auraient eu qu'un but à atteindre, et
non pas une cause à défendre, le but manqué, aucune
conscience ne les soutiendrait. Ils ne se rattacheraient
à aucune opinion; ils ne tiendraient l'un à l'autre que
par une nécessité physique, dont chacun même cher-
cherait à s'affranchir.

Il faut aux hommes, pour qu'ils s'associent récipro-
quement à leurs destinées, autre chose que l'intérêt. Il
leur faut une opinion; il leur faut de la morale.
L'intérêt tend à les isoler, parce qu'il offre à chacun la
chance d'être seul plus heureux ou plus habile.

L'égoïsme, qui, dans la prospérité, aurait rendu ces
conquérants de la terre impitoyables pour leurs ennemis, les rendrait, dans l'adversité, indifférents, infidèles à leurs frères d'armes. Cet esprit pénétrerait
dans tous les rangs, depuis le plus élevé jusqu'au plus
obscur. Chacun verrait, dans son camarade à l'agonie,
un dédommagement au pillage devenu impossible
contre l'étranger; le malade dépouillerait le mourant;
le fuyard dépouillerait le malade. L'infirme et le blessé
paraîtraient à l'officier chargé de leur sort un poids
importun dont il se débarrasserait à tout prix; et
quand le Général[c][1] aurait précipité son armée dans

1. Pour des raisons de langue et d'esthétique, Benjamin Constant
a préféré adoucir une évocation trop brutale de Napoléon par le
relief du *G.* majuscule, d'où la variante.

quelque situation sans remède, il ne se croirait tenu à rien envers les infortunés qu'il aurait conduits dans le gouffre ; il ne resterait point avec eux pour les sauver. Les quitter lui semblerait un mode tout simple d'échapper aux revers ou de réparer les fautes. Qu'importe qu'il les ait guidés, qu'ils se soient reposés sur sa parole, qu'ils lui aient confié leur vie, qu'ils l'aient défendu, jusqu'au dernier moment, de leurs mains mourantes ? instruments inutiles, ne faut-il pas qu'ils soient brisés ?

Sans doute ces conséquences de l'esprit militaire fondé sur des motifs purement intéressés ne pourraient se manifester dans leur terrible étendue chez aucun peuple moderne, à moins que le système conquérant ne se prolongeât durant plusieurs générations [d 2]. Les vertus paisibles, que notre civilisation nourrit et développe, lutteraient [e] contre la corruption et les vices que ce système [f] appelle et qui lui sont nécessaires [g 3]. Mais ce serait l'esprit national, l'esprit du siècle résistant au gouvernement [h]. Les vertus qui survivraient aux efforts de l'autorité seraient une sorte d'indiscipline [i]. L'intérêt étant le mot d'ordre, tout sentiment désintéressé tiendrait [j] de l'insubordination ; et plus le régime des conquêtes [k] se prolongerait [l], plus ces vertus s'affaibliraient [m] et deviendraient [n] rares.

2. Phrase qui dissocie l'armée de son chef en la flattant.
3. Phrase qui appuie sur la flatterie et la dissociation.

CHAPITRE V

AUTRE CAUSE DE DÉTÉRIORATION
POUR LA CLASSE MILITAIRE
DANS LE SYSTÈME DE CONQUÊTE

On a remarqué souvent que les joueurs étaient les plus immoraux des hommes. C'est qu'ils risquent chaque jour tout ce qu'ils possèdent ; il n'y a pour eux nul avenir assuré ; ils vivent et s'agitent sous l'empire du hazard[a].

Dans le système de conquête, le soldat devient un joueur, avec cette différence que son enjeu, c'est sa vie. Mais cet enjeu ne peut être retiré. Il l'expose sans cesse et sans terme à une chance qui doit tôt ou tard être contraire. Il n'y a donc pas non plus d'avenir pour lui. Le hazard[a] est aussi son maître aveugle et impitoyable.

Or la morale a besoin du temps. C'est là qu'elle place ses dédommagements et ses récompenses. Pour celui qui vit de minute en minute ou de bataille en bataille, le temps n'existe pas. Les dédommagements de l'avenir deviennent chimériques. Le plaisir du moment a seul quelque certitude ; et pour me servir d'une expression qui devient ici doublement convenable, chaque jouissance est autant de gagné sur l'ennemi. Qui ne sent que l'habitude de cette loterie de plaisir et de mort est nécessairement corruptrice ?

Observez la différence qui existe toujours entre la défense légitime et le système des conquêtes. Cette différence se reproduira souvent encore. Le soldat qui combat pour sa patrie ne fait que traverser le danger. Il a pour perspective ultérieure le repos, la liberté, la gloire. Il a donc un avenir ; et sa moralité, loin de se dépraver, s'anoblit et s'exalte. Mais l'instrument d'un conquérant insatiable voit après une guerre une autre guerre, après un pays dévasté un autre pays à dévaster de même, c'est-à-dire après le hazard[a], le hazard[a] encore.

encore.

CHAPITRE VI

Influence de cet esprit militaire
sur l'état intérieur des peuples

Il ne suffit pas d'envisager l'influence du système de
conquêtes[a], dans son action sur l'armée et dans les
rapports qu'il établit entre elle et les étrangers. Il faut
le considérer encore, dans ceux qui en résultent, entre
l'armée et les citoyens.

Un esprit de corps exclusif et hostile s'empare
toujours des associations qui ont un autre but que le
reste des hommes. Malgré la douceur et la pureté du
christianisme, souvent les confédérations de ses prêtres ont formé dans l'Etat des Etats à part. Partout les
hommes réunis en corps d'armée, se séparent de la
nation. Ils contractent pour l'emploi de la force, dont
ils sont dépositaires, une sorte de respect. Leurs
mœurs et leurs idées deviennent subversives de ces
principes d'ordre et de liberté pacifique et régulière,
que tous les gouvernements ont l'intérêt, comme le
devoir de consacrer[1].

Il n'est donc pas indifférent de créer dans un pays,
par un système de guerres prolongées ou renouvel-
lées[b] sans cesse, une masse nombreuse, imbue exclusivement de l'esprit militaire[2]. Car cet inconvénient
ne peut se restreindre dans de certaines limites, qui en
rendent l'importance moins sensible. L'armée, dis-

1. Passage adapté du Livre XIII, 3, p. 341.
2. Phrases reproduites, *ibid.*, p. 342.

tincte du peuple par son esprit, se confond avec lui dans l'administration des affaires.

Un gouvernement conquérant est plus intéressé qu'un autre à récompenser par du pouvoir et par des honneurs ses instruments immédiats. Il ne saurait les tenir dans un camp retranché. Il faut qu'il les décore au contraire des pompes et des dignités civiles.

Mais ces guerriers déposeront-ils avec le fer qui les couvre l'esprit dont les a pénétrés dès leur enfance l'habitude du carnage et des périls ? Revêtiront-ils, avec la toge sénatoriale[c], la vénération pour les lois, les ménagements pour les formes protectrices, ces divinités des associations humaines ? La classe désarmée leur paraît un ignoble vulgaire, les lois des subtilités inutiles, les formes d'insupportables lenteurs. Ils estiment par-dessus tout, dans les transactions, comme dans les faits guerriers, la rapidité des évolutions. L'unanimité leur semble nécessaire dans les opinions, comme le même uniforme dans les troupes. L'opposition leur est un désordre, le raisonnement une révolte, les tribunaux des conseils de guerre, les juges des soldats qui ont leur consigne, les accusés des ennemis, les jugements des batailles[3].

Ceci n'est point une exagération fantastique. N'avons-nous pas vu, durant ces vingt dernières années, s'introduire dans presque toute l'Europe une justice militaire, dont le premier principe était d'abréger les formes, comme si toute abréviation des formes n'était pas le plus révoltant sophisme ; car si les formes sont inutiles, tous les tribunaux doivent les bannir ; si elles sont nécessaires, tous doivent les respecter ; et certes, plus l'accusation est grave, moins l'examen est superflu. N'avons-nous pas vu siéger sans cesse, parmi les juges, des hommes dont le vêtement seul annonçait qu'ils étaient voués à l'obéissance, et ne pouvaient en conséquence être des juges indépendants ?

3. Passage adapté, depuis *L'unanimité leur semble*, du Livre IX, 2, p. 187 ; cf. égaleme . le Livre XIII, 3, p. 431.

Nos neveux ne croiront pas, s'ils ont quelque
sentiment de la dignité humaine, qu'il fut un temps ou
des hommes[d] nourris sous la tente, et ignorants de la
vie civile, interrogeaient des prévenus qu'ils étaient
incapables de comprendre, condamnaient sans appel
des citoyens qu'ils n'avaient pas le droit de juger. Nos
neveux ne croiront pas, s'ils ne sont le plus avili des
peuples, qu'on ait fait comparaître devant des tribunaux militaires des législateurs, des écrivains, des
accusés de délits politiques, donnant ainsi, par une
dérision féroce, pour juge à l'opinion, et à la pensée, le
courage sans lumières[e] et la soumission sans intelligence. Ils ne croiront pas non plus, qu'on ait imposé à
des guerriers revenant de la victoire, couverts de
lauriers que rien n'avait flétris, l'horrible tâche de se
transformer en bourreaux, de poursuivre, de saisir,
d'égorger des concitoyens, dont les noms, comme les
crimes, leur étaient inconnus. Non, tel ne fut jamais,
s'écrieront-ils, le prix des exploits, la pompe triomphale[f]. Non, ce n'est pas ainsi que les défenseurs de la
France reparaissaient dans leur patrie et saluaient le
sol natal[g 4].

---

4. Passage reproduit du Livre IX, 2, p. 188.
Il faudrait ajouter aux *Principes* manuscrits cités, la *Constitution*
républicaine manuscrite, Livre VII, 7, *De l'organisation de la force
armée*. MM. Gauchet et Hofmann rappellent le concours de
Benjamin Constant à l'ouvrage demeuré manuscrit de Mme de Staël,
Des circonstances actuelles, éd. critique fournie par Mlle L. Omacini.
Ainsi pourrait-on rapprocher les pp. 289-291 des *Circonstances* du
chapitre VI de la *Conquête*. Certes, ils sont nombreux les rapprochements éventuels à faire entre ces deux textes ainsi qu'avec le
manuscrit de la *Constitution* républicaine, sauf à définir le travail de
« correcteur » de Benjamin Constant et la nature de sa collaboration
à l'œuvre de Mme de Staël, tâche irréalisable dans l'état actuel de la
documentation. Cf. la *Préface* de Gauchet et notre Introduction.

CHAPITRE VII

AUTRE INCONVÉNIENT DE LA FORMATION D'UN TEL ESPRIT MILITAIRE

Enfin, par une triste réaction, cette portion du peuple que le gouvernement aurait forcée à contracter l'esprit militaire, contraindrait à son tour le gouvernement de persister dans le système pour lequel il aurait pris tant de soin de la former.

Une armée nombreuse, fière de ses succès, accoutumée au pillage, n'est pas un instrument qu'il soit aisé de manier. Nous ne parlons pas seulement des dangers dont il menace les peuples qui ont des constitutions populaires. L'histoire est trop pleine d'exemples qu'il est superflu de citer.

Tantôt les soldats d'une république illustrée par six siècles de victoires, entourés de monuments élevés à la liberté par vingt générations de héros, foulant aux pieds la cendre des Cincinnatus et des Camille, marchent sous les ordres de César, pour profaner les tombeaux de leurs ancêtres, et pour asservir la ville éternelle. Tantôt les légions anglaises s'élancent avec Cromwell sur un parlement [1] qui luttait encore contre les fers qu'on lui destinait, et les crimes dont on voulait le rendre l'organe, et livrent à l'usurpateur hypocrite, d'une part le roi [2], de l'autre la république [3].

1. Le *long parlement*, supprimé par Cromwell en avril 1653.
2. Charles Iᵉʳ.
3. Passage adapté du Livre XIII, 3, p. 341.
Le rapprochement entre Napoléon, Cromwell, César, en opposi-

Mais les gouvernements absolus n'ont pas moins à craindre de cette force toujours menaçante. Si elle est terrible contre les étrangers et contre le peuple au nom de son chef, elle peut devenir à chaque instant terrible à ce chef même. C'est ainsi que ces animaux énormes[a], que des nations barbares plaçaient en tête de leurs armées pour les diriger sur leurs ennemis, reculaient tout à coup, frappés d'épouvante ou saisis de fureur, et méconnaissant la voix de leurs maîtres, écrasaient ou dispersaient les bataillons qui attendaient d'eux leur salut et leur triomphe.

Il faut donc occuper cette armée, inquiète dans son désœuvrement redoutable ; il faut la tenir éloignée ; il faut lui trouver des adversaires. Le système guerrier, indépendamment des guerres présentes, contient le germe de guerres futures ; et le souverain, qui est entré dans cette route, entraîné qu'il est par la fatalité qu'il a évoquée, ne peut redevenir pacifique à aucune époque.

tion avec les images symboliques de Cincinnatus et Camille, dictateurs de Rome, mais cependant gardiens et sauveurs de la république, cédera bientôt la place au rapprochement, toujours fréquent, de Napoléon à Cromwell, mais surtout à celui des Bourbons comparés aux Stuarts : Louis XVI, Louis XVIII, le comte d'Artois, en regard de Charles Ier, Charles II et Jacques II. Cf. notre *Ecole libérale, le Mercure et la Minerve, 1817-1820*, chap. VIII, *Transpositions historiques*.

CHAPITRE VIII

ACTION D'UN GOUVERNEMENT CONQUÉRANT
SUR LA MASSE DE LA NATION

J'ai montré, ce me semble, qu'un gouvernement, livré à l'esprit d'envahissement et de conquête, devrait corrompre une portion du peuple, pour qu'elle le servît activement dans ses entreprises. Je vais prouver actuellement, que, tandis qu'il dépraverait cette portion choisie, il faudrait qu'il agît sur le reste de la nation dont il réclamerait l'obéissance passive et les sacrifices, de manière à troubler sa raison, à fausser son jugement, à bouleverser toutes ses idées.

Quand un peuple est naturellement belliqueux, l'autorité qui le domine n'a pas besoin de le tromper, pour l'entraîner à la guerre. Attila montrait du doigt à ses Huns la partie du monde sur laquelle ils devaient fondre, et ils y couraient ; parce qu'Attila n'était que l'organe et le représentant de leur impulsion. Mais de nos jours la guerre ne procurant aux peuples aucun avantage, et n'étant pour eux qu'une source de privations et de souffrances, l'apologie du système des conquêtes ne pourrait reposer que sur le sophisme et l'imposture.

Tout en s'abandonnant à ses projets gigantesques, le gouvernement n'oserait dire à sa nation : marchons à la conquête du monde. Elle lui répondrait d'une voix unanime, nous ne voulons pas de la conquête du monde.

Mais il parlerait de l'indépendance nationale, de l'honneur national, de l'arrondissement des frontières, des intérêts commerciaux, des précautions dictées par la prévoyance ; que sais-je encore ? car il est inépuisable, le vocabulaire de l'hypocrisie et de l'injustice [1].

Il parlerait de l'indépendance nationale, comme si l'indépendance d'une nation était compromise, parce que d'autres nations sont indépendantes.

Il parlerait de l'honneur national, comme si l'honneur national était blessé, parce que d'autres nations conservent leur honneur.

Il alléguerait la nécessité de l'arrondissement des frontières, comme si cette doctrine, une fois admise, ne bannissait pas [a] de la terre tout repos et toute équité. Car c'est toujours en dehors qu'un gouvernement veut arrondir ses frontières. Aucun n'a sacrifié, que l'on sache, une portion de son territoire pour donner au reste une plus grande régularité géométrique. Ainsi l'arrondissement des frontières est un système, dont la baze [b] se détruit par elle-même, dont les éléments se combattent, et dont l'exécution, ne reposant que sur la spoliation des plus faibles, rend illégitime la possession des plus forts.

Ce gouvernement invoquerait les intérêts du commerce, comme si c'était servir le commerce que dépeupler un pays de sa jeunesse la plus florissante, arracher les bras les plus nécessaires à l'agriculture, aux manufactures, à l'industrie [*], élever entre les autres peuples et soi des barrières arrosées de sang. Le commerce s'appuye [c] sur la bonne intelligence des nations entre elles ; il ne se soutient que par la justice ; il se fonde sur l'égalité ; il prospère dans le repos ; et ce serait pour l'intérêt du commerce qu'un gouvernement rallumerait sans cesse des guerres acharnées, qu'il appellerait sur la tête de son peuple une haine universelle, qu'il marcherait d'injustice en injustice,

---

[*] La guerre coûte plus que ses frais, dit un écrivain judicieux. Elle coûte tout ce qu'elle empêche de gagner, Say, *Econom. polit.* V. 8 [2].

1. Passage adapté du Livre XIII, 2, p. 336.
2. J.-B. Say, *Traité d'économie politique*, Paris, an XI-1803, 2 vol.

qu'il ébranlerait chaque jour le crédit par des violences, qu'il ne voudrait point tolérer d'égaux [3] !

Sous le prétexte des précautions dictées par la
prévoyance, ce gouvernement attaquerait ses voisins
les plus paisibles, ses plus humbles alliés, en leur
supposant des projets hostiles, et comme devançant
des aggressions méditées. Si les malheureux objets de
ses calomnies étaient facilement subjugués, il se
vanterait de les avoir prévenus ; s'ils avaient le temps
et la force de lui résister, vous le voyez, s'écrierait-il,
ils voulaient la guerre, puisqu'ils se défendent *[4].

Que l'on ne croie pas que cette conduite fût le
résultat accidentel d'une perversité particulière. Elle
serait le résultat nécessaire de la position. Toute
autorité, qui voudrait entreprendre aujourd'hui des
conquêtes étendues serait condamnée à cette série de
prétextes vains et de scandaleux mensonges. Elle
serait coupable, assurément, et nous ne chercherons
pas à diminuer son crime. Mais ce crime ne consisterait point dans les moyens employés ; il consisterait
dans le choix volontaire de la situation qui commande
de pareils moyens.

L'autorité aurait donc à faire, sur les facultés

---

* L'on avait inventé, durant la révolution française, un prétexte
de guerre inconnu jusques alors, celui de délivrer les peuples du
joug de leurs gouvernements, qu'on supposait illégitimes et tyranniques. Avec ce prétexte on a porté la mort chez des hommes, dont
les uns vivaient tranquilles, sous des institutions adoucies par le
temps et l'habitude, et dont les autres jouissaient, depuis plusieurs
siècles, de tous les bienfaits de la liberté. Epoque à jamais honteuse,
où l'on vit un gouvernement perfide graver des mots sacrés sur ses
étendarts [d] coupables, troubler la paix, violer l'indépendance,
détruire la prospérité de ses voisins innocents, en ajoutant au
scandale de l'Europe par des protestations mensongères de respect
pour les droits des hommes et de zèle pour l'humanité ! La pire des
conquêtes, c'est l'hypocrite, dit Machiavel, comme s'il avait prédit
notre histoire [5].

3. Passage reproduit, depuis *Le commerce s'appuie sur la bonne
intelligence*, du Livre XIII, 2, p. 338.
4. Passage adapté du Livre V, 2, p. 96 ; même idée, Livre XIII,
2, p. 337.
5. Note reproduite du Livre XIII, 2, p. 338.

intellectuelles de la masse de ses sujets, le même travail que sur les qualités morales de la portion militaire. Elle devrait s'efforcer de bannir toute logique de l'esprit des uns, comme elle aurait tâché d'étouffer toute humanité dans le cœur des autres. Tous les mots perdraient leur sens. Celui de modération présagerait la violence ; celui de justice annoncerait l'iniquité. Le droit des nations deviendrait un code d'expropriation et de barbarie ; toutes les notions, que les lumières de plusieurs siècles ont introduites dans les relations des sociétés, comme dans celles des individus, en seraient de nouveau repoussées. Le genre humain reculerait vers ces temps de dévastation qui nous semblaient l'opprobre de l'histoire. L'hypocrisie seule en ferait la différence ; et cette hypocrisie serait d'autant plus corruptrice que personne n'y croirait. Car les mensonges de l'autorité ne sont pas seulement funestes, quand ils égarent et trompent les peuples. Ils ne le sont pas moins, quand ils ne les trompent pas[6].

Des sujets qui soupçonnent leurs maîtres de duplicité et de perfidie se forment à la perfidie et à la duplicité. Celui qui entend nommer le chef qui le gouverne un grand politique, parce que chaque ligne qu'il publie est une imposture, veut être à son tour un grand politique, dans une sphère plus subalterne. La vérité lui semble niaiserie, la fraude habileté. Il ne mentait jadis que par intérêt ; il mentira désormais par intérêt et par amour-propre. Il aura la fatuité de la fourberie ; et si cette contagion gagne un peuple essentiellement vain[e], essentiellement imitateur, un peuple où chacun craigne par-dessus tout de passer pour dupe, la morale privée tardera-t-elle à être engloutie dans le naufrage de la morale publique ?

6. Passage reproduit, depuis *Le droit des nations*, du Livre XIII, 2, p. 337.

CHAPITRE IX

Des moyens de contrainte nécessaire
pour suppléer a l'efficacité du mensonge

Supposons que néanmoins quelques débris de raison surnagent, ce sera sous d'autres rapports un malheur de plus.

Il faudra que la contrainte supplée à l'insuffisance du sophisme. Chacun cherchant à se dérober à l'obligation de verser son sang dans des expéditions dont on n'aura pu lui prouver l'utilité, il faudra que l'autorité soudoie une foule avide, destinée à briser l'opposition générale. On verra l'espionnage et la délation, ces éternelles ressources de la force, quand elle a créé des devoirs et des délits factices, encouragées et récompensées, des sbirres[a] lâchés, comme des dogues féroces, dans les cités et dans les campagnes, pour poursuivre et pour enchaîner des fugitifs, innocents aux yeux de la morale et de la nature, une classe, se préparant à tous les crimes en s'accoutumant à violer les lois, une autre classe, se familiarisant avec l'infamie, en vivant du malheur de ses semblables, les pères punis pour les fautes des enfants, l'intérêt des enfants séparé ainsi de celui des pères, les familles, n'ayant que le choix de se réunir pour la résistance, ou de se diviser pour la trahison, l'amour paternel transformé en attentat, la tendresse filiale traitée de révolte ; et toutes ces vexations auront lieu, non pour une défense légitime, mais pour l'acquisition de pays éloignés, dont la possession n'ajoute rien à la prospérité nationale, à moins qu'on n'appelle prospérité nationale le vain renom de quelques hommes et leur funeste célébrité[1] !

Soyons justes pourtant. On offre des consolations à ces victimes, destinées à combattre et à périr aux extrémités de la terre. Regardez-les : elles chancellent en suivant leurs guides. On les a plongées dans un état d'yvresse[b] qui leur inspire une gaîté[c] grossière et forcée. Les airs sont frappés de leurs clameurs bruyantes ; les hameaux retentissent de leurs chants licencieux[d]. Cette yvresse[b], ces clameurs, cette licence, qui le croirait ! c'est le chef-d'œuvre de leurs magistrats !

Etrange renversement, produit, dans l'action de l'autorité, par le système des conquêtes ! Durant vingt années, vous avez recommandé à ces mêmes hommes la sobriété, l'attachement à leurs familles, l'assiduité dans leurs travaux ; mais il faut envahir le monde. On les saisit, on les entraîne, on les excite au mépris des vertus qu'on leur avait longtemps inculquées. On les étourdit par l'intempérance, on les ranime par la débauche ; c'est ce qu'on appelle raviver l'esprit public.

CHAPITRE X

AUTRES INCONVÉNIENTS DU SYSTÈME GUERRIER POUR LES LUMIÈRES ET LA CLASSE INSTRUITE

Nous n'avons pas encore achevé l'énumération qui nous occupe. Les maux que nous avons décrits, quelques[a] terribles qu'ils nous paraissent, ne pèseraient pas seuls sur la nation misérable ; d'autres s'y joindraient, moins frappants peut-être à leur origine, mais plus irréparables, puisqu'ils flétriraient dans leur germe les espérances de l'avenir.

A certains périodes[1] de la vie, les interruptions à l'exercice des facultés intellectuelles ne se réparent pas. Les habitudes hazardeuses[b], insouciantes et grossières de l'état guerrier, la rupture soudaine de toutes les relations domestiques, une dépendance mécanique[c], quand l'ennemi n'est pas en présence, une indépendance complète sous le rapport des mœurs, à l'âge où les passions sont dans leur fermentation la plus active, ce ne sont pas là des choses indifférentes pour la morale ou pour les lumières. Condamner, sans une nécessité absolue, à l'habitation des camps ou des casernes, les jeunes rejetons de la classe éclairée, dans laquelle résident, comme un dépôt précieux, l'instruction, la délicatesse, la justesse des idées, et cette tradition de douceur, de noblesse et d'élégance, qui seule nous distingue des barbares, c'est faire à la nation tout entière un mal, que ne

---

1. *certains périodes*, graphie courante à l'époque.

compensent ni ses vains succès ni la terreur qu'elle inspire, terreur qui n'est pour elle d'aucun avantage[2].

Vouer au métier de soldat le fils du commerçant, de l'artiste, du magistrat, le jeune homme qui se consacre aux lettres, aux sciences, à l'exercice de quelque industrie difficile et compliquée, c'est lui dérober tout le fruit de son éducation antérieure. Cette éducation même se ressentira de la perspective d'une interruption inévitable. Si les rêves brillants de la gloire militaire enyvrent[d] l'imagination de la jeunesse, elle dédaignera des études paisibles, des occupations sédentaires, un travail d'attention, contraire à ses goûts et à la mobilité de ses facultés naissantes. Si c'est avec douleur qu'elle se voit arrachée à ses foyers, si elle calcule combien le sacrifice de plusieurs années apportera de retard à ses progrès, elle désespérera d'elle-même ; elle ne voudra pas se consumer en efforts dont une main de fer lui déroberait le fruit. Elle se dira, que, puisque l'autorité lui dispute le temps nécessaire à son perfectionnement intellectuel, il est inutile de lutter contre la force[3]. Ainsi la nation tombera dans une dégradation morale, et dans une ignorance toujours croissante. Elle s'abrutira au milieu des victoires ; et sous ses lauriers mêmes, elle sera poursuivie du sentiment qu'elle suit une fausse route, et qu'elle manque sa destination*.

Tous nos raisonnements, sans doute, ne sont applicables, que lorsqu'il s'agit de guerres inutiles et gratuites. Aucune considération ne peut entrer en balance avec la nécessité de repousser un agresseur. Alors toutes les classes doivent accourir, puisque toutes sont également menacées. Mais leur motif

---

* Il y avait, en France, sous la monarchie, soixante mille hommes de milice. L'engagement était de six ans. Ainsi le sort tombait chaque année sur dix mille hommes. M. Necker appelle la milice une effrayante loterie. Qu'aurait-il dit de la conscription[4] ?

2. Passage adapté du Livre XIII, 5, p. 348.
3. *Si les rêves brillants — contre la force*, passage adapté, *ibid.*, pp. 348-349.
4. Note reproduite du Livre XIII, n. E., pp. 352-353.

n'étant pas un ignoble pillage, elles ne se corrompent point. Leur zèle s'appuyant sur la conviction, la contrainte devient superflue. L'interruption qu'éprouvent les occupations sociales, motivée qu'elle est sur les obligations les plus saintes, et les intérêts les plus chers, n'a pas les mêmes effets que des interruptions arbitraires. Le peuple en voit le terme ; il s'y soumet avec joye[e], comme à un moyen de rentrer dans un état de repos ; et quand il y rentre, c'est avec une jeunesse nouvelle, avec des facultés anoblies, avec le sentiment d'une force utilement et dignement employée.

Mais autre chose est défendre sa patrie, autre chose attaquer des peuples qui ont aussi une patrie à défendre. L'esprit de conquête cherche à confondre ces deux idées. Certains gouvernements, quand ils envoyent[f] leurs légions d'un pôle à l'autre, parlent encore de la défense de leurs foyers ; on dirait qu'ils appellent leurs foyers tous les endroits où ils ont mis le feu.

CHAPITRE XI

POINT DE VUE SOUS LEQUEL
UNE NATION CONQUÉRANTE
ENVISAGERAIT AUJOURD'HUI SES PROPRES SUCCÈS

Passons maintenant aux résultats extérieurs du système des conquêtes.

Il est probable que la même disposition des modernes, qui leur fait préférer la paix à la guerre, donnerait dans l'origine de grands avantages au peuple forcé par son gouvernement à devenir agresseur. Des nations, absorbées dans leurs jouissances, seraient lentes à résister ; elles abandonneraient une portion de leurs droits, pour conserver le reste ; elles espéreraient sauver leur repos, en transigeant de leur liberté. Par une combinaison[a] fort étrange, plus l'esprit général serait pacifique, plus l'Etat, qui se mettrait en lutte avec cet esprit, trouverait d'abord des succès faciles.

Mais quelles seraient les conséquences de ces succès, même pour la nation conquérante ? n'ayant aucun accroissement de bonheur réel à en attendre, en ressentirait-elle au moins quelque satisfaction d'amour-propre ? réclamerait-elle sa part de gloire ?

Bien loin de là. Telle est à présent la répugnance pour les conquêtes, que chacun éprouverait l'impérieux besoin de s'en disculper. Il y aurait une protestation universelle, qui n'en serait pas moins énergique, pour être muette. Le gouvernement verrait la masse de ses sujets se tenir à l'écart, morne spectatrice. On n'entendrait dans tout l'empire qu'un long monologue du pouvoir. Tout au plus ce monologue serait-il dialogué de temps en temps, parce que des interlocuteurs serviles répéteraient au maître les discours qu'il aurait dictés. Mais les gouvernés cesseraient de prêter l'oreille à de fastidieuses harangues, qu'il ne leur serait jamais permis d'interrompre. Ils détourneraient leurs regards d'un vain étalage, dont ils ne supporteraient que les frais et les périls, et dont l'intention serait contraire à leur vœu [1].

L'on s'étonne de ce que les entreprises les plus merveilleuses ne produisent de nos jours aucune sensation. C'est que le bon sens des peuples les avertit que ce n'est point pour eux que l'on fait ces choses. Comme les chefs y trouvent seuls du plaisir, on les charge seuls de la récompense [2]. L'intérêt aux victoires se concentre dans l'autorité et ses créatures. Une barrière morale s'élève entre le pouvoir agité et la foule immobile. Le succès n'est qu'un météore qui ne vivifie rien sur son passage. A peine lève-t-on la tête pour le contempler un instant. Quelquefois même on s'en afflige, comme d'un encouragement donné au délire. On verse des larmes sur les victimes, mais on désire les échecs.

Dans les temps belliqueux, l'on admirait par-dessus tout le génie militaire. Dans nos temps pacifiques, ce que l'on implore, c'est de la modération et de la justice. Quand un gouvernement nous prodigue de grands spectacles, et de l'héroïsme, et des créations et des destructions sans nombre, on serait tenté de lui répondre, le moindre grain de mil serait mieux notre affaire * [b 3]; et les plus éclatants prodiges, et leurs pompeuses célébrations ne sont que des cérémonies funéraires, où l'on forme des danses sur des tombeaux.

* La Fontaine [4].

1. Quelques phrases des passages précédents sont adaptées du Livre VII, 5, p. 148-149.
2. Passage adapté du Livre XVI, 7, pp. 434-435.
3. Passage adapté ibid., p. 435.
4. Fables, I, 20 : Le coq et la perle.

CHAPITRE XII

Effet de ces succès sur les peuples conquis

Le droit des gens des Romains, dit Montesquieu,
consistait à exterminer les citoyens de la nation
vaincue. Le droit des gens que nous suivons aujour-
d'hui, fait qu'un Etat qui en a conquis un autre
continue à le gouverner selon ses lois, et ne prend pour
lui que l'exercice du gouvernement politique et
civil * a.

Je n'examine pas jusqu'à quel point cette assertion
est exacte. Il y a certainement beaucoup d'exceptions à
faire, pour ce qui regarde l'antiquité.

Nous voyons souvent que des nations subjuguées
ont continué à jouir de toutes les formes de leur
administration précédente et de leurs anciennes lois.
La religion des vaincus était scrupuleusement respectée. Le polythéisme, qui recommandait l'adoration
des dieux étrangers, inspirait des ménagements pour
tous les cultes. Le sacerdoce égyptien conserva sa
puissance sous les Perses. L'exemple de Cambyse qui

---

* Pour qu'on ne m'accuse pas de citer faux je transcris tout le
paragraphe. Un État, qui en a conquis un autre, le traite d'une des
quatre manières suivantes. Il continue à le gouverner selon ses lois,
et ne prend pour lui que l'exercice du gouvernement politique et
civil ; ou il lui donne un nouveau gouvernement politique et civil ;
ou il détruit la société et la disperse dans d'autres ; ou enfin il
extermine tous les citoyens. La première manière est conforme au
droit des gens que nous suivons aujourd'hui ; la quatrième est plus
conforme au droit des gens des Romains. » *Esprit des lois*, Liv. X,
ch. 3.

était en démence ne doit pas être cité ; mais Darius, ayant voulu placer dans un temple sa statue devant celle de Sésostris, le grand prêtre s'y opposa, et le monarque n'osa lui faire violence. Les Romains laissèrent aux habitants de la plupart des contrées soumises leurs autorités municipales, et n'intervinrent dans la religion gauloise que pour abolir les sacrifices humains[1].

Nous conviendrons cependant que les effets de la conquête étaient devenus très doux depuis quelques siècles et sont restés tels jusqu'à la fin du dix-huitième[2]. C'est que l'esprit de conquête avait cessé. Celles de Louis XIV lui-même étaient plutôt une suite des prétentions et de l'arrogance d'un monarque orgueilleux que d'un véritable esprit conquérant. Mais l'esprit de conquête est ressorti des orages de la révolution française plus impétueux que jamais. Les effets des conquêtes ne sont donc plus ce qu'ils étaient du temps de M. de Montesquieu.

Il est vrai, l'on ne réduit pas les vaincus en esclavage, on ne les dépouille pas de la propriété de leurs terres, on ne les condamne point à les cultiver pour d'autres, on ne les déclare pas une race subordonnée, appartenant aux vainqueurs.

Leur situation paraît donc encore à l'extérieur plus tolérable qu'autrefois. Quand l'orage est passé, tout semble rentrer dans l'ordre. Les cités sont debout ; les

---

1. Benjamin Constant a interrompu en 1806 ses travaux sur la religion pour extraire de sa *Constitution* républicaine les matériaux pour ses *Principes*. Son ouvrage sur la religion ne verra le jour qu'entre 1824 et 1831 (les vol. 4 et 5 sont donc posthumes) et son *Polythéisme romain*, posthume, en 1833, en 2 vol. Cf. P. Deguise, *Benjamin Constant méconnu*.

2. On trouve dans les *Principes* manuscrits comme dans l'*Esprit de conquête* des éléments d'une philosophie de la conquête qui a eu sa fortune au XVIIIe siècle, mais qui serait appelée à un essor prodigieux sous la Restauration. Il conviendrait toutefois de faire remarquer l'optique modérée de Benjamin Constant quant aux effets lointains de la conquête des barbares, mais, par contre, les effets néfastes de la conquête et de l'esprit militaire dus à la Révolution.

marchés se repeuplent ; les boutiques se rouvrent ; et sauf le pillage accidentel, qui est un malheur de la circonstance, sauf l'insolence habituelle, qui est un droit de la victoire, sauf les contributions, qui, méthodiquement imposées, prennent une douce apparence de régularité, et qui cessent, ou doivent cesser, lorsque la conquête est accomplie, on dirait d'abord qu'il n'y a de changé que les noms et quelques formes. Entrons néanmoins plus profondément dans la question.

La conquête, chez les anciens, détruisait souvent les nations entières ; mais quand elle ne les détruisait pas, elle laissait intacts tous les objets de l'attachement le plus vif des hommes, leurs mœurs, leurs lois, leurs usages, leurs dieux. Il n'en est pas de même dans les temps modernes. La vanité de la civilisation est plus tourmentante que l'orgueil de la barbarie. Celui-ci voit en masse ; la première examine avec inquiétude et en détail.

Les conquérants de l'antiquité, satisfaits d'une obéissance générale, ne s'informaient pas de la vie domestique de leurs esclaves ni de leurs relations locales. Les peuples soumis retrouvaient presque en entier, au fond de leurs provinces lointaines, ce qui constitue le charme de la vie, les habitudes de l'enfance, les pratiques consacrées, cet entourage de souvenirs, qui, malgré l'assujettissement politique, conserve à un pays l'air d'une patrie.

Les conquérants de nos jours, peuples ou princes, veulent que leur empire ne présente qu'une surface unie, sur laquelle l'œil superbe du pouvoir se promène, sans rencontrer aucune inégalité qui le blesse, ou borne sa vue. Le même code, les mêmes mesures, les mêmes règlements, et, si l'on peut y parvenir, graduellement la même langue, voilà ce qu'on proclame la perfection de toute organisation sociale. La religion fait exception ; peut-être est-ce parce qu'on la méprise, la regardant comme une erreur usée, qu'il faut laisser mourir en paix. Mais cette exception est la seule, et l'on s'en dédommage, en séparant, le plus qu'on le peut, la religion des intérêts de la terre.

Sur tout le reste, le grand mot aujourd'hui, c'est l'uniformité. C'est dommage qu'on ne puisse abattre toutes les villes, pour les rebâtir toutes sur le même plan, niveler toutes les montagnes, pour que le terrain [b] soit partout égal ; et je m'étonne qu'on n'ait pas ordonné à tous les habitants de porter le même costume, afin que le maître ne rencontrât plus de bigarrure irrégulière et de choquante variété.

Il en résulte, que les vaincus, après les calamités qu'ils ont supportées dans leurs défaites, ont à subir un nouveau genre de malheurs. Ils ont d'abord été victimes d'une chimère de gloire ; ils sont victimes ensuite d'une chimère d'uniformité.

CHAPITRE XIII

DE L'UNIFORMITÉ

Il est assez remarquable que l'uniformité n'ait jamais rencontré plus de faveur que dans une révolution faite au nom des droits et de la liberté des hommes. L'esprit systématique s'est d'abord extasié sur la symétrie[a]. L'amour du pouvoir a bientôt découvert quel avantage immense cette symétrie[a] lui procurait. Tandis que le patriotisme n'existe que par un vif attachement aux intérêts, aux mœurs, aux coutumes de localité, nos soi-disans[b] patriotes ont déclaré la guerre à toutes ces choses. Ils ont tari cette source naturelle du patriotisme, et l'ont voulu remplacer par une passion factice envers un être abstrait, une idée générale, dépouillée de tout ce qui frappe l'imagination et de tout ce qui parle à la mémoire. Pour bâtir l'édifice, ils commençaient par broyer et réduire en poudre les matériaux qu'ils devaient employer. Peu s'en est fallu, qu'ils ne désignassent par des chiffres les cités et les provinces, comme ils désignaient par des chiffres les légions et les corps d'armée, tant ils semblaient craindre qu'une idée morale ne pût se rattacher à ce qu'ils instituaient[1]!

Le despotisme, qui a remplacé la démagogie, et qui s'est constitué légataire du fruit de tous ses travaux, a persisté très habilement dans la route tracée. Les deux extrêmes se sont trouvés d'accord sur ce point, parce

---

1. Passage adapté du Livre XV, 3, p. 389.

qu'au fond, dans les deux extrêmes, il y avait volonté de tyrannie. Les intérêts et les souvenirs qui naissent des habitudes locales contiennent un germe de résistance, que l'autorité ne souffre qu'à regret, et qu'elle s'empresse de déraciner [2]. Elle a meilleur marché des individus ; elle roule sur eux sans effort son poids énorme comme sur du sable.

Aujourd'hui l'admiration pour l'uniformité, admiration réelle dans quelques esprits bornés, affectée par beaucoup d'esprits serviles, est reçue comme un dogme religieux, par une foule d'échos assidus de toute opinion favorisée.

Appliqué à toutes les parties d'un empire, ce principe doit l'être à tous les pays que cet empire peut conquérir. Il est donc actuellement la suite immédiate et inséparable de l'esprit de conquête.

Mais chaque génération, dit l'un des étrangers qui a le mieux prévu nos erreurs dès l'origine, *chaque génération hérite de ses ayeux[c] un trésor de richesses morales, trésor invisible et précieux, qu'elle lègue à ses descendants* *. La perte de ce trésor est pour un peuple un mal incalculable. En l'en dépouillant, vous lui ôtez tout sentiment de sa valeur et de sa dignité propre. Lors même que ce que vous y substituez vaudrait mieux, comme ce dont vous le privez lui était respectable, et que vous lui imposez votre amélioration par la force, le résultat de votre opération est simplement de lui faire commettre un acte de lâcheté qui l'avilit et le démoralise.

La bonté des lois est, osons le dire, une chose beaucoup moins importante, que l'esprit avec lequel une nation se soumet à ses lois et leur obéit. Si elle les chérit, si elle les observe, parce qu'elles lui paraissent

---

* Mr. Rehberg dans son excellent ouvrage sur le Code Napoléon, p. 8 [3].

2. Passage adapté, depuis *Les intérêts et les souverains*, ibid.

3. A. W. Rehberg, *Ueber des Code napoleon und dessen Einführung in Deutschland*, Hanovre, 1813. Le renvoi à l'auteur ne figure pas dans l'éd. 4.

émanées d'une source sainte, le don des générations dont elle révère les mânes, elles se rattachent intimement à sa moralité ; elles anoblissent son caractère ; et lors même qu'elles sont fautives, elles produisent plus de vertus et par là plus de bonheur que des lois meilleures, qui ne seraient appuyées que sur l'ordre de l'autorité.

J'ai, pour le passé, je l'avoue, beaucoup de vénération ; et chaque jour, à mesure que l'expérience m'instruit, ou que la réflexion m'éclaire, cette vénération augmente. Je le dirai, au grand scandale de nos modernes réformateurs, qu'ils s'intitulent Lycurgues ou Charlemagnes, si je voyais un peuple, auquel on aurait offert les institutions les plus parfaites, métaphysiquement parlant, et qui les refuserait, pour rester fidèle à celles de ses pères, j'estimerais ce peuple, et je le croirais plus heureux, par son sentiment et par son âme, sous ses institutions défectueuses, qu'il ne pourrait l'être, par tous les perfectionnements proposés[d][4].

Cette doctrine, je le conçois, n'est pas de nature à prendre faveur. On aime à faire des lois, on les croit excellentes ; on s'enorgueillit de leur mérite. Le passé se fait tout seul ; personne n'en peut réclamer la gloire[*].

---

[*] Je n'accepte[e] du respect pour le passé que ce qui est injuste. Le temps ne sanctionne pas l'injustice. L'esclavage, par exemple, ne se légitime par aucun laps de temps. C'est que dans ce qui est intrinsèquement injuste, il y a toujours une partie souffrante, qui ne peut en prendre l'habitude et pour laquelle en conséquence l'influence salutaire du passé n'existe pas. Ceux qui allèguent l'habitude en faveur de l'injustice ressemblent à cette cuisinière française, à qui l'on reprochait de faire souffrir des anguilles, en les écorchant.

Elles y sont accoutumées, dit-elle. Il y a trente ans que je le fais.

4. Le plaidoyer en faveur de ce qui est, mais conditionné par un effort constant d'améliorations, selon l'esprit progressiste du siècle, est devenu chez Benjamin Constant, de bonne heure, une orientation majeure de sa philosophie politique, comme d'ailleurs son opposition à tout arbitraire. S'il approuve un moment le 18 fructidor, il ne laissera pas de changer d'avis par la suite. Ce n'est certes pas l'attitude de Burke qui prêche dans ses *Réflexions sur la*

Indépendamment de ces considérations, et en séparant le bonheur d'avec la morale, remarquez que l'homme se plie aux institutions qu'il trouve établies, comme à des règles de la nature physique. Il arrange, d'après les défauts mêmes de ces institutions, ses intérêts, ses spéculations, tout son plan de vie. Leurs défauts[f] s'adoucissent parce que toutes les fois qu'une institution dure longtemps, il y a transaction entre elle et les intérêts de l'homme[5]. Ses relations, ses espérances se groupent[g] autour de ce qui existe. Changer tout cela, même pour le mieux, c'est lui faire mal.

Rien de plus absurde que de violenter les habitudes, sous prétexte de servir les intérêts. Le premier des intérêts, c'est d'être heureux, et les habitudes forment une partie essentielle du bonheur[6].

Il est évident que des peuples, placés dans des situations, élevés dans des coutumes, habitant des lieux dissemblables, ne peuvent être ramenés à des formes, à des usages, à des pratiques, à des lois absolument pareilles, sans une contrainte qui leur coûte beaucoup plus qu'elle ne leur vaut. La série d'idées dont leur être moral s'est formé graduellement, et dès leur naissance, ne peut être modifiée par un arrangement purement nominal, purement extérieur, indépendant de leur volonté.

Même dans les Etats constitués depuis longtemps, et dont l'amalgame a perdu l'odieux de la violence et de la conquête, on voit le patriotisme qui naît des variétés locales, seul genre de patriotisme véritable, renaître comme de ses cendres, dès que la main du pouvoir allège un instant son action. Les magistrats des plus petites communes se complaisent à les embellir. Ils en entretiennent avec soin les monuments antiques. Il y a presque dans chaque village un érudit,

Révolution de France, Paris-Londres, s.d. (texte repris par Slatkine reprints, présentation par G. de Bertier de Sauvigny, Paris-Genève, 1980), la fidélité au passé en tant que passé. Cf. notre *Ecole libérale* et Gauchet, p. 625, n. 3.

5. Phrase adaptée du Livre XV, 6, p. 405.
6. Passage adapté du Livre XV, 3, p. 388.

qui aime à raconter ses rustiques annales, et qu'on écoute avec respect. Les habitants trouvent du plaisir à tout ce qui leur donne l'apparence même trompeuse d'être constitués en corps de nation, et réunis par des liens particuliers. On sent que s'ils n'étaient arrêtés dans le développement de cette inclination innocente et bienfaisante, il se formerait bientôt en eux une sorte d'honneur communal, pour ainsi dire, d'honneur de ville, d'honneur de province, qui serait à la fois une jouissance et une vertu[7]. Mais la jalousie de l'autorité les surveille, s'allarme[h], et brise le germe prêt à éclore.

L'attachement aux coutumes locales tient à tous les sentiments désintéressés, nobles et pieux. Quelle politique déplorable que celle qui en fait de la rébellion! qu'arrive-t-il? que dans tous les Etats, où l'on détruit ainsi toute vie partielle, un petit Etat se forme au centre; dans la capitale s'agglomèrent tous les intérêts; là vont s'agiter toutes les ambitions; le reste est immobile[8]. Les individus, perdus dans un isolement contre nature, étrangers au lieu de leur naissance, sans contact avec le passé, ne vivant que dans un présent rapide, et jetés comme des atomes sur une plaine immense et nivelée, se détachent d'une patrie qu'ils n'aperçoivent nulle part, et dont l'ensemble leur devient indifférent, parce que leur affection ne peut se reposer sur aucune de ses parties[9].

La variété, c'est de l'organisation; l'uniformité, c'est du méchanisme[i]. La variété, c'est la vie; l'uniformité, c'est la mort*.

---

* Nous ne pouvons entrer dans la réfutation de tous les raisonnements qu'on allègue en faveur de l'uniformité. Nous nous bornons à renvoyer le lecteur à deux autorités imposantes, Mr. de Montesquieu, Esprit des lois, XXIX, 18, et le Marquis de Mirabeau dans l'Ami des hommes. Ce dernier prouve très bien, que même sur les objets sur lesquels on croit le plus utile d'établir l'uniformité, par

7. Passage adapté, depuis *on voit le patriotisme, ibid.*, p. 388-389.
8. Phrase adaptée, depuis *un petit Etat, ibid.*, p. 387.
9. Idées qu'on retrouve *ibid.*, p. 389.

La conquête a donc de nos jours un désavantage additionnel, et qu'elle n'avait pas dans l'antiquité. Elle poursuit les vaincus dans l'intérieur de leur existence. Elle les mutile, pour les réduire à une proportion uniforme. Jadis les conquérants exigeaient que les députés des nations conquises parussent à genoux en leur présence. Aujourd'hui, c'est le moral de l'homme qu'on veut prosterner.

On parle sans cesse du grand empire, de la nation entière, notions abstraites, qui n'ont aucune réalité. Le grand empire n'est rien, quand on le conçoit à part des provinces. La nation entière n'est rien, quand on la sépare des fractions qui la composent. C'est en défendant les droits des fractions qu'on défend les droits de la nation entière ; car elle se trouve répartie dans chacune de ces fractions. Si on les dépouille successivement de ce qu'elles ont de plus cher, si chacune, isolée pour être victime, redevient par une étrange métamorphose, portion du grand tout, pour servir de prétexte au sacrifice d'une autre portion, l'on immole à l'être abstrait les êtres réels ; l'on offre au peuple en masse l'holocauste du peuple en détail.

Il ne faut pas se le déguiser : les grands Etats ont de grands désavantages. Les lois partent d'un lieu tellement éloigné de ceux où elles doivent s'appliquer, que des erreurs graves et fréquentes sont l'effet inévitable de cet éloignement. Le gouvernement prend l'opinion

ex. [i] sur les poids et mesures, l'avantage est beaucoup moins grand qu'on ne le pense, et accompagné de beaucoup plus d'inconvénients [10].

10. Cf. Mirabeau, *L'Ami des hommes, ou traité de la population*, Avignon, 1756-1760, 2 vol., où l'auteur plaide avec ferveur la cause des administrations locales. Cf. Gauchet, p. 625, n. 6. Il faut remarquer non seulement la leçon de Montesquieu contre l'esprit d'uniformité, celle de Mirabeau en faveur des autonomies locales, mais encore celle du mythe anglais, et surtout l'expérience acquise par Benjamin Constant et ses contemporains sous la Révolution et l'Empire. C'est à partir de là que le libéralisme de Constant se définit et s'éclaire. Augustin Thierry reprendra en 1820 cette leçon dans ses *Lettres sur l'histoire de France*. Cf. notre *Ecole libérale*.

de ses alentours, ou tout au plus du lieu de sa
résidence pour celle de tout l'empire. Une circonstance locale ou momentanée devient le motif d'une loi
générale. Les habitants des provinces les plus reculées
sont tout à coup surpris par des innovations inatten-
dues, des rigueurs non méritées, des règlements
vexatoires, subversifs de toutes les bases de leurs
calculs, et de toutes les sauvegardes de leurs intérêts,
parce qu'à deux cents lieues, des hommes qui leur
sont entièrement étrangers ont cru pressentir quelques
périls, deviner quelqu'agitation, ou[k] appercevoir[l]
quelque utilité[m 11].

On ne peut s'empêcher de regretter ces temps, où la
terre était couverte de peuplades nombreuses et
animées, où l'espèce humaine s'agitait et s'exerçait en
tout sens, dans une sphère proportionnée à ses forces.
L'autorité n'avait pas besoin d'être dure pour être
obéie. La liberté pouvait être orageuse, sans être
anarchique. L'éloquence dominait les esprits et
remuait les âmes. La gloire était à la portée du talent,
qui, dans sa lutte contre la médiocrité, n'était pas
submergé par les flots d'une multitude lourde et
innombrable. La morale trouvait un appui dans un
public immédiat, spectateur et juge de toutes les
actions, dans leurs plus petits détails et leurs nuances
les plus délicates.

Ces temps ne sont plus. Les regrets sont inutiles.
Du moins, puisqu'il faut renoncer à tous ces biens, on
ne saurait trop le répéter aux maîtres de la terre :
qu'ils laissent subsister, dans leurs vastes empires, les
variétés dont ils sont susceptibles, les variétés récla-
mées par la nature, consacrées par l'expérience. Une
règle se fausse, lors qu'on l'applique à des cas trop
divers ; le joug devient pesant, par cela seul qu'on le
maintient uniforme, dans des circonstances trop différentes.

Ajoutons que, dans le système des conquêtes, cette

11. Passage adapté, depuis *Les lois partent*, du Livre XV, 3,
p. 387.

manie d'uniformité réagit des vaincus sur les vainqueurs. Tous perdent leur caractère national, leurs couleurs primitives ; l'ensemble n'est plus qu'une masse inerte, qui, par intervalles, se réveille pour souffrir, mais qui d'ailleurs s'affaisse et s'engourdit sous le despotisme. Car l'excès du despotisme peut seul prolonger une combinaison qui tend à se dissoudre, et retenir sous une même domination des Etats que tout conspire à séparer. Le prompt établissement du pouvoir sans bornes, dit Montesquieu, est le remède, qui, dans ces cas, peut prévenir la dissolution, nouveau malheur, ajoute-t-il, après celui de l'aggrandissement [12].

Encore ce remède, plus fâcheux que le mal, n'est-il point d'une efficacité durable. L'ordre naturel des choses se venge des outrages qu'on veut lui faire, et plus la compression a été violente, plus la réaction se montre terrible [13].

12. Cf. *L'Esprit des lois*, Livre X, surtout le chap. 9.
13. Ce chapitre est adapté notamment du Livre XV, 3. On retrouve la même idée sur les autonomies locales sous forme d'une note B., dans les *Réflexions sur les constitutions*, 1814 (in *Cours de politique constitutionnelle*, Paris, 1818-1820, 4 vol., vol. 1, pp. 196-209), ainsi que dans les *Principes de politique*, Paris, 1815, chap. XII. Cf. également Gauchet, p. 624-625.

CHAPITRE XIV

TERME INÉVITABLE DES SUCCÈS
D'UNE NATION CONQUÉRANTE

La force nécessaire à un peuple, pour tenir tous les autres dans la sujettion[a], est aujourd'hui, plus que jamais, un privilège qui ne peut durer. La nation, qui prétendrait à un pareil empire, se placerait dans un poste plus périlleux que la peuplade la plus faible. Elle deviendrait l'objet d'une horreur universelle. Toutes les opinions, tous les vœux, toutes les haines la menaceraient, et tôt ou tard, ces haines, ces opinions et ces vœux éclateraient pour l'envelopper[1].

Il y aurait sans doute dans cette fureur contre tout un peuple quelque chose d'injuste. Un peuple tout entier n'est jamais coupable des excès que son chef lui fait commettre. C'est ce chef qui l'égare, ou, plus souvent encore, qui le domine, sans l'égarer[2].

Mais les nations, victimes de sa déplorable obéissance ne sauraient lui tenir compte des sentiments cachés que sa conduite dément. Elles reprochent aux instruments le crime de la main qui les dirige. La France entière souffrait de l'ambition de Louis XIV et la détestait; mais l'Europe accusait la France de cette ambition, et la Suède a porté la peine du délire de Charles XII.

Lorsqu'une fois le monde aurait repris sa raison, reconquis son courage, vers quels lieux de la terre

1. Passage adapté du Livre XIII, 2, p. 336.
2. Passage adapté, *ibid.*, p. 336-337.

l'agresseur menacé tournerait-il les yeux pour trouver des défenseurs ? à quels sentiments en appellerait-il ? quelle apologie ne serait pas décréditée d'avance, si elle sortait de la même bouche, qui, durant sa prospérité coupable, aurait prodigué tant d'insultes, proféré tant de mensonges, dicté tant d'ordres de dévastation ? Invoquerait-il la justice ? il l'a violée. L'humanité ? il l'a foulée aux pieds. La foi jurée ? toutes ses entreprises ont commencé par le parjure. La sainteté des alliances ? il a traité ses alliés comme ses esclaves. Quel peuple aurait pu s'allier de bonne foi, s'associer volontairement à ses rêves gigantesques ? Tous auraient sans doute courbé momentanément la tête sous le joug dominateur ; mais ils l'auraient considéré comme une calamité passagère. Ils auraient attendu que le torrent eût cessé de rouler ses ondes, certains qu'il se perdrait un jour dans le sable aride, et qu'on pourrait fouler à pied sec le sol sillonné par ses ravages [3].

Compterait-il sur les secours de ses nouveaux sujets ? Il les a privés de tout ce qu'ils chérissaient et respectaient. Il a troublé la cendre de leurs pères et fait couler le sang de leurs fils.

Tous se coaliseraient contre lui. La paix, l'indépendance, la justice seraient les mots du ralliement général ; et par cela même qu'ils auraient été longtemps proscrits, ces mots auraient acquis une puissance presque magique. Les hommes, pour avoir été les jouets de la folie, auraient conçu l'enthousiasme du bon sens. Un cri de délivrance, un cri d'union retentirait d'un bout du globe à l'autre. La pudeur publique se communiquerait aux plus indécis, elle entraînerait les plus timides. Nul n'oserait demeurer neutre, de peur d'être traître envers soi-même.

Le conquérant verrait alors qu'il a trop présumé de la dégradation du monde. Il apprendrait que les calculs, fondés sur l'immoralité et sur la bassesse, ces

---

3. Première phrase adaptée, *ibid.*, p. 337.

calculs dont il se vantait naguères[b] comme d'une découverte sublime, sont aussi incertains qu'ils sont étroits, aussi trompeurs qu'ils sont ignobles. Il riait de la niaiserie de la vertu, de cette confiance en un désintéressement qui lui paraissait une chimère, de cet appel à une exaltation dont il ne pouvait concevoir les motifs ni la durée, et qu'il était tenté de prendre pour l'accès passager d'une maladie soudaine. Maintenant il découvre que l'égoïsme a aussi sa niaiserie, qu'il n'est pas moins ignorant sur ce qui est bon que l'honnêteté sur ce qui est mauvais, et que pour connaître les hommes, il ne suffit pas de les mépriser. L'espèce humaine lui devient une énigme. On parle autour de lui de générosité, de sacrifices, de dévouement. Cette langue étrangère étonne ses oreilles ; il ne sait pas négocier dans cet idiome. Il demeure immobile, consterné de sa méprise, exemple mémorable du machiavélisme dupe de sa propre corruption.

Mais que ferait cependant le peuple qu'un tel maître aurait conduit à ce terme ? Qui pourrait s'empêcher de plaindre ce peuple, s'il était naturellement doux, éclairé, sociable, susceptible de tous les sentiments délicats, de tous les courages héroïques, et qu'une fatalité déchaînée sur lui l'eût rejeté de la sorte loin des sentiers de la civilisation et de la morale ? qu'il sentirait profondément sa propre misère ! Ses confidences intimes, ses entretiens, ses lettres, tous les épanchements qu'il croirait dérober à la surveillance, ne seraient qu'un cri de douleur.

Il interrogerait tour à tour et son chef, et sa conscience.

Sa conscience lui répondrait qu'il ne suffit pas de se dire contraint pour être excusable, que ce n'est pas assez de séparer ses opinions de ses actes, de désavouer sa propre conduite, et de murmurer le blâme, en coopérant aux attentats.

Son chef accuserait probablement les chances de la guerre, la fortune inconstante, la destinée capricieuse [4]. Beau résultat, vraiment, de tant d'angoisses, de tant de souffrances, et de vingt générations balayées par un vent funeste et précipitées dans la tombe !

CHAPITRE XV

Résultats du système guerrier
a l'époque actuelle

Les nations commerçantes de l'Europe moderne, industrieuses, civilisées, placées sur un sol assez étendu pour leurs besoins, ayant avec les autres peuples des relations dont l'interruption devient un désastre, n'ont rien à espérer des conquêtes. Une guerre inutile est donc aujourd'hui le plus grand attentat qu'un gouvernement puisse commettre. Elle ébranle, sans compensation, toutes les garanties sociales. Elle met en péril tous les genres de liberté, blesse tous les intérêts, trouble toutes les sécurités, pèse sur toutes les fortunes, combine et autorise tous les modes de tyrannie intérieure et extérieure. Elle introduit dans les formes judiciaires une rapidité destructive de leur sainteté, comme de leur but ; elle tend à représenter tous les hommes que les agents de l'autorité voyent[a] avec malveillance, comme des complices de l'ennemi étranger ; elle déprave les générations naissantes ; elle divise le peuple en deux parts, dont l'une méprise l'autre, et passe volontiers du mépris à l'injustice ; elle prépare des destructions futures par des destructions passées ; elle achète par les malheurs du présent les malheurs de l'avenir.

Ce sont là des vérités, qui ont besoin d'être souvent répétées ; car l'autorité, dans son dédain superbe, les traite comme des paradoxes, en les appelant des lieux communs[1].

1. Passages adaptés du Livre XIII, 2 et 3, pp. 335 et 343-344.

Il y a d'ailleurs, parmi nous, un assez grand nombre d'écrivains, toujours au service du système dominant, vrais lansquenets sauf la bravoure, à qui les désaveux ne coûtent rien, que les absurdités n'arrêtent pas, qui cherchent partout une force dont ils réduisent les volontés en principes, qui reproduisent toutes les doctrines les plus opposées, et qui ont un zèle d'autant plus infatigable qu'il se passe de leur conviction. Ces écrivains ont répété à satiété, quand ils en avaient reçu le signal, que la paix était le besoin du monde. Mais ils disent en même temps que la gloire militaire est la première des gloires, et que c'est par l'éclat des armes que la France doit s'illustrer. J'ai peine à m'expliquer, comment la gloire militaire s'acquiert autrement que par la guerre, ou comment l'éclat des armes se concilie avec cette paix dont le monde a besoin. Mais que leur importe ? Leur but est de rédiger des phrases suivant la direction du jour. Du fond de leur cabinet obscur, ils vantent, tantôt la démagogie, tantôt le despotisme, tantôt le carnage, lançant, pour autant qu'il est en eux, tous les fléaux sur l'humanité, et prêchant le mal, faute de pouvoir le faire[2].

Je me suis demandé quelquefois ce que répondrait l'un de ces hommes qui veulent renouveller[b] Cambyse, Alexandre ou Attila, si son peuple prenait la parole, et s'il lui disait : la nature vous a donné un coup d'œil rapide, une activité infatigable, un besoin dévorant d'émotions fortes, une soif inextinguible de braver le danger pour le surmonter, et de rencontrer des obstacles pour les vaincre. Mais est-ce à nous à payer le prix de ces facultés ? N'existons-nous que pour qu'à nos dépens, elles soient exercées ? Ne sommes-nous là que pour vous frayer de nos corps expirants une route vers la renommée ? Vous avez le génie des combats ; que nous fait votre génie ? Vous vous ennuyez dans le désœuvrement de la paix ; que nous importe votre ennui ? Le léopard aussi, si on le

2. Passage adapté du Livre X, 1, p. 200 et du Livre XIII, 3, p. 344.

transportait dans nos cités populeuses, pourrait se plaindre de n'y pas trouver ces forêts épaisses, ces plaines immenses, où il se délectait à poursuivre, à saisir et à dévorer sa proie[c], où sa vigueur se déployait dans la course rapide et dans l'élan prodigieux. Vous êtes comme lui d'un autre climat, d'une autre terre, d'une autre espèce que nous. Apprenez la civilisation, si vous voulez régner à une époque civilisée. Apprenez la paix, si vous prétendez régir des peuples pacifiques ; ou cherchez ailleurs des instruments qui vous ressemblent, pour qui le repos ne soit rien, pour qui la vie n'ait de charmes que lorsqu'ils la risquent au sein de la mêlée, pour qui la société n'ait créé ni les affections douces, ni les habitudes stables, ni les arts ingénieux, ni la pensée calme et profonde, ni toutes ces jouissances nobles ou élégantes, que le souvenir rend plus précieuses et que double la sécurité. Ces choses sont l'héritage de nos pères, c'est notre patrimoine. Homme d'un autre monde, cessez d'en dépouiller celui-ci.

Qui pourrait ne pas applaudir à ce langage ? Le traité ne tarderait pas à être conclu, entre des nations qui ne voudraient qu'être libres, et celle que l'univers ne combattrait que pour la contraindre à être juste. On la verrait avec joye[d] abjurer enfin sa longue patience, réparer ses longues erreurs, exercer pour sa réhabilitation un courage naguères[e] trop déplorablement employé. Elle se replacerait, brillante de gloire, parmi les peuples civilisés, et le système des conquêtes, ce fragment d'un état de chose qui n'existe plus, cet élément désorganisateur de tout ce qui existe, serait de nouveau banni de la terre, et flétri, par cette dernière expérience, d'une éternelle réprobation.

DE L'ESPRIT DE CONQUÊTE

ET

DE L'USURPATION

dans leurs rapports avec la civilisation européenne[a]

SECONDE PARTIE

DE L'USURPATION

CHAPITRE PREMIER

BUT PRÉCIS DE LA COMPARAISON
ENTRE L'USURPATION ET LA MONARCHIE

Mon but n'est nullement, dans cet ouvrage, de me livrer à l'examen des diverses formes de gouvernement.

Je veux opposer un gouvernement régulier à ce qui n'en est pas un, mais non comparer les gouvernements réguliers entre eux. Nous n'en sommes plus aux temps où l'on déclarait la monarchie un pouvoir contre nature ; et je n'écris pas non plus dans le pays où il est ordonné de proclamer que la république est une institution antisociale.

Il y a vingt ans, qu'un homme d'horrible mémoire, dont le nom ne doit plus souiller aucun écrit, puisque la mort a fait justice de sa personne, disait, en examinant la constitution anglaise : j'y vois un roi, je recule d'horreur [1]. Il y a dix ans qu'un anonyme, prononçait le même anathème contre les gouvernements républicains * [b], tant il est vrai, qu'à de certains [c] époques, il faut parcourir tout le cercle des folies, pour revenir à la raison ** [2].

* *Essais de Morale et de Politique.* Paris 1804 [3].
** Il y a un esprit de parti absurde et une ignorance profonde à vouloir réduire à des termes simples la question de la république et de la monarchie ; comme si la première n'était que le gouvernement

1. Propos tenus par Couthon à la séance des jacobins du 20 janvier 1794, suite au débat de la Société sur les « vices de la constitution anglaise ». Cf. Gauchet, p. 627 n. 2.
2. Passage reproduit du Livre I, 1, p. 21.
3. L.-M. Molé, *Essais de morale et de politique*, Paris, 1806 ; le livre a paru en décembre 1805, sans nom d'auteur, cf. Hofmann, *Principes de politique*, vol. I, p. 232, n. 144.

Quant à moi, je ne me réunirai point aux détracteurs des républiques. Celles de l'antiquité, où les facultés de l'homme se développaient dans un champ si vaste, tellement fortes de leurs propres forces, avec un tel sentiment d'énergie et de dignité, remplissent toutes les âmes qui ont quelque valeur d'une émotion d'un genre profond et particulier. Les vieux éléments d'une nature antérieure, pour ainsi dire, à la nôtre, semblent se réveiller en nous à ces souvenirs[4]. Les

de plusieurs et la seconde celui d'un seul. Réduite à ces termes, l'une n'assure point le repos, l'autre ne garantit point la liberté. Y avait-il du repos à Rome sous Néron, sous Domitien, sous Héliogabale, à Syracuse sous Denys, en France sous Louis XI ou sous Charles IX ? Y avait-il de la liberté sous les décemvirs, sous le long parlement, sous la convention ou même le directoire ? L'on peut concevoir un peuple gouverné par des hommes qui paraissent de son choix, et ne jouissant d'aucune liberté, si ces hommes forment une faction dans l'Etat, et si leur puissance est illimitée. On peut aussi concevoir un peuple soumis à un chef unique, et ne goûtant aucun repos, si ce chef n'est contenu ni par la loi ni par l'opinion. D'un autre côté, une république pourrait se trouver tellement organisée que l'autorité y fût assez forte pour maintenir l'ordre ; et quant à la monarchie, pour ne citer qu'un exemple, qui osera nier qu'en Angleterre, depuis cent vingt ans, l'on n'ait joui de plus de sûreté personnelle et de plus de droits politiques que n'en procurèrent jamais à la France ses essais de république, dont les institutions informes et imparfaites disséminaient l'arbitraire et multipliaient les tyrans ?

Que de questions de détail, d'ailleurs, dont chacune serait nécessaire à examiner ! La monarchie est-elle la même chose, suivant que son établissement remonte à des siècles reculés, ou date d'une époque récente ; suivant que la famille régnante est de temps immémorial sur le trône, comme les descendants de Hugues Capet, ou qu'étrangère par son origine, elle a été appelée à la couronne par le vœu du peuple, comme en Angleterre, en 1688, ou qu'elle est enfin tout à fait nouvelle, et sortie, par d'heureuses circonstances de la foule de ses égaux ; suivant encore que la monarchie est accompagnée d'une ancienne noblesse héréditaire, comme dans presque tous les Etats de l'Europe, ou qu'une seule famille s'élève isolément, et se voit forcée de créer à la hâte une noblesse sans ayeux[d] ; suivant que cette noblesse est féodale, comme en Allemagne, purement honorifique, comme elle l'était en France, ou qu'elle forme une sorte de magistrature, comme la chambre des Pairs, etc.

4. Pensée adaptée du Livre XVI, 1, p. 419.

républiques de nos temps modernes, moins brillantes et plus paisibles, ont favorisé d'autres développements de facultés et créé d'autres vertus. Le nom de la Suisse rappelle cinq siècles de bonheur privé et de loyauté publique. Le nom de la Hollande en retrace trois d'activité, de bon sens, de fidélité, et d'une probité scrupuleuse, jusqu'au milieu des dissensions[e] civiles, et même sous le joug de l'étranger ; et l'imperceptible Genève a fourni aux annales des sciences, de la philosophie et de la morale, une moisson plus ample que bien des empires cent fois plus vastes et plus puissants.

D'une autre part, en considérant les monarchies de nos jours, ces monarchies, où maintenant les peuples et les rois sont réunis par une confiance réciproque, et ont contracté une sincère alliance[5], on doit se plaire à leur rendre hommage. Celui-là serait bien peu fait pour apprécier la nature humaine, qui aurait pu contempler froidement les transports de ces peuples, au retour de leurs anciens chefs, et qui resterait insensible témoin de cette passion de loyauté, qui est aussi, pour l'homme, une noble jouissance.

Enfin, lorsqu'on réfléchit que l'Angleterre est une monarchie, et que l'on y voit tous les droits des citoyens hors d'atteinte, l'élection populaire mainte-nant la vie dans le corps politique, malgré quelques abus plus apparents que réels, la liberté de la presse respectée, le talent assuré de son triomphe, et, dans les individus de toutes les classes, cette sécurité fière et calme de l'homme environné de la loi de sa patrie, sécurité dont naguères, dans notre continent miséra-ble, nous avions perdu jusqu'au dernier souvenir, comment ne pas rendre justice à des institutions qui garantissent un pareil bonheur ? Il y a quelques mois, que chacun, regardant autour de soi, se demandait

5. Allusion à la sixième coalition qui comprenait l'Angleterre, la Russie, la Suède, la Prusse et l'Autriche. Cf. G. Lefebvre, *Napoléon*, Livre VI, I.

dans quel azyle[f] obscur, si l'Angleterre était subjuguée, il pourrait écrire, parler, penser, respirer.

Mais l'usurpation ne présente aux peuples ni les avantages d'une monarchie, ni ceux d'une république, l'usurpation n'est point la monarchie, ce qui fait qu'on a méconnu cette vérité, c'est que voyant dans l'une comme dans l'autre, un seul homme dépositaire de la puissance, l'on n'a pas suffisamment distingué deux choses qui ne se ressemblent que sous ce rapport[6].

6. Le parallélisme entre l'usurpation et la monarchie héréditaire est développé dans la *Constitution* républicaine, surtout dans le Livre I, *Des institutions héréditaires*, et le Livre IV, *De la monarchie héréditaire*.

CHAPITRE II

DIFFÉRENCES ENTRE L'USURPATION[a 1]
ET LA MONARCHIE

L'habitude qui veille au fond de tous les cœurs
Les frappe de respect, les poursuit de terreurs,
Et sur la foule aveugle un instant égarée,
Exerce une puissance invisible et sacrée,
Héritage des temps, culte du souvenir,
Qui toujours au passé ramène l'avenir.

Wallstein Act. II. Sc 4[2].

Ἄπας δὲ τραχὺς ὅστις ἂν νέον κρατεῖ.

Eschyle Prometh[3].

La monarchie, telle qu'elle existe dans la plupart des Etats européens, est une institution modifiée par le temps, adoucie par l'habitude. Elle est entourée de corps intermédiaires qui la soutiennent à la fois et la

---

1. Soit pour des raisons de convenance, soit pour ne pas irriter les autorités bourboniennes qui venaient de s'installer, Benjamin Constant a supprimé le chapitre V de la seconde partie de son ouvrage, dans les éd. 3 et 4. Mais par un tour qui lui est caractéristique, il est revenu à la charge, sous une forme voilée, dans le second chapitre surajouté à l'éd. 4 (notre Appendice C.), en prétextant les objections d'un « écrivain de talent ».

2. Propos de Géraldin à Buttler, in *Wallstein*, éd. critique par J.-R. Derré, Paris, 1965, p. 104.

3. *Prométhée enchaîné*, v. 35 : « Un nouveau maître est toujours dur », vers cité à quelques reprises dans les écrits de Benjamin Constant.

limitent ; et sa transmission régulière et paisible rend la soumission plus facile et la puissance moins ombrageuse. Le monarque est en quelque sorte un être abstrait. On voit en lui non pas un individu, mais une race entière de rois, une tradition de plusieurs siècles.

L'usurpation est une force qui n'est modifiée ni adoucie par rien. Elle est nécessairement empreinte de l'individualité de l'usurpateur, et cette individualité, par l'opposition qui existe entre elle et tous les intérêts antérieurs, doit être dans un état perpétuel de défiance et d'hostilité.

La monarchie n'est point une préférence, accordée à un homme aux dépens des autres ; c'est une suprématie consacrée d'avance ; elle décourage les ambitions, mais n'offense point les vanités. L'usurpation exige de la part de tous une abdication immédiate, en faveur d'un seul ; elle soulève toutes les prétentions ; elle met en fermentation tous les amours propres. Lorsque le mot de Pédarète [b4] porte sur trois cents hommes, il est moins difficile à prononcer, que lorsqu'il porte sur un seul.

Ce n'est pas tout de se déclarer monarque héréditaire. Ce qui constitue tel, ce n'est pas le trône qu'on veut transmettre, mais le trône qu'on a hérité. On n'est monarque héréditaire qu'après la seconde génération. Jusqu'alors, l'usurpation peut bien s'intituler monarchie ; mais elle conserve l'agitation des révolutions qui l'ont fondée ; ces prétendues dynasties nouvelles sont aussi orageuses que les factions, ou aussi oppressives que la tyrannie. C'est l'anarchie de Pologne, ou le despotisme de Constantinople. Souvent c'est tous les deux.

Un monarque, montant sur le trône que ses ancêtres ont occupé, suit une route dans laquelle il ne s'est point lancé par sa volonté propre. Il n'a point sa réputation à faire ; il est seul de son espèce ; on ne le

---

4. Pédarète, chef militaire spartiate dont on retrouve le nom dans la *Guerre du Péloponnèse* de Thucydide. Cf. M. Gauchet, p. 628, n. 4.

compare à personne. Un usurpateur est exposé à toutes les comparaisons que suggèrent les regrets, les jalousies ou les espérances ; il est obligé de justifier son élévation ; il a contracté l'engagement tacite d'attacher de grands résultats à une si grande fortune ; il doit craindre de tromper l'attente du public, qu'il a si puissamment éveillée. L'inaction la plus raisonnable, la mieux motivée lui devient un danger. *Il faut donner aux Français tous les trois mois,* disait un homme [5] qui s'y entend bien, *quelque chose de nouveau ;* il a tenu parole.

Or c'est, sans doute, un avantage que d'être propre à de grandes choses, quand le bien général l'exige ; mais c'est un mal, que d'être condamné à de grandes choses, pour sa considération personnelle, quand le bien général ne l'exige pas. L'on a beaucoup déclamé contre les rois fainéants. Dieu nous rende leur fainéantise, plutôt que l'activité d'un usurpateur !

Aux inconvénients de la position, joignez les vices du caractère : car il y en a que l'usurpation implique, et il y en a encore que l'usurpation produit.

Que de ruses, que de violences, que de parjures elle nécessite ! Comme il faut invoquer des principes qu'on se prépare à fouler aux pieds, prendre des engagements que l'on veut enfreindre, se jouer de la bonne foi des uns, profiter de la faiblesse des autres, éveiller l'avidité là où elle sommeille, enhardir l'injustice, là où elle se cache, la dépravation, là où elle est timide, mettre, en un mot, toutes les passions coupables comme en serre chaude, pour que la maturité soit plus rapide, et que la moisson soit plus abondante !

Un monarque arrive noblement au trône ; un usurpateur s'y glisse à travers la boue et le sang, et quand il y prend place, sa robe tachée porte l'empreinte de la carrière qu'il a parcourue.

Croit-on que le succès viendra, de sa baguette magique, le purifier du passé ? Tout au contraire, il ne

5. Napoléon.

serait pas corrompu d'avance, que le succès suffirait pour le corrompre.

L'éducation des princes, qui peut être défectueuse sous bien des rapports, a cet avantage, qu'elle les prépare, sinon toujours à remplir dignement les fonctions du rang suprême, du moins à n'être pas ébloui de son éclat. Le fils d'un roi, parvenant au pouvoir, n'est point transporté dans une sphère nouvelle. Il jouit avec calme de ce qu'il a, depuis sa naissance, considéré comme son partage. La hauteur à laquelle il est placé ne lui cause point de vertiges. Mais la tête d'un usurpateur n'est jamais assez forte, pour supporter cette élévation subite. Sa raison ne peut résister à un tel changement de toute son existence. L'on a remarqué, que les particuliers mêmes, qui se trouvaient soudain investis d'une extrême richesse, concevaient des désirs, des caprices, et des fantaisies désordonnées. Le superflu de leur opulence les enyvre[c], parce que l'opulence est une force ainsi que le pouvoir. Comment n'en serait-il pas de même de celui qui s'est emparé illégalement de toutes les forces, et approprié illégalement tous les trésors ? Illégalement, dis-je, car il y a quelque chose de miraculeux dans la conscience de la légitimité. Notre siècle, fertile en expériences de tout genre, nous en fournit une preuve remarquable. Voyez ces deux hommes, l'un[6] que le vœu d'un peuple et l'adoption d'un roi ont appelé au trône, l'autre[7] qui s'y est lancé, appuyé seulement sur sa volonté propre, et sur l'assentiment arraché à la terreur. Le premier, confiant et tranquille, a pour allié le passé ; il ne craint point la gloire de ses ayeux[d] adoptifs, il la rehausse par sa propre gloire. Le second, inquiet et tourmenté, ne croit pas aux droits qu'il s'arroge, bien qu'il force le monde à les reconnaître. L'illégalité le poursuit comme un fantôme ; il se réfugie vainement et dans le faste et dans la victoire. Le spectre l'accompagne, au sein des pompes et sur les

---

6. Bernadotte.
7. Napoléon.

champs de bataille. Il promulgue des lois et il les change ; il établit des constitutions et il les viole ; il fonde des empires et il les renverse ; il n'est jamais content de son édifice bâti sur le sable et dont la baze[e] se perd dans l'abyme[f].

Si nous parcourons tous les détails de l'administration extérieure et intérieure, partout nous verrons des différences, au désavantage de l'usurpation, et à l'avantage de la monarchie.

Un roi n'a pas besoin de commander ses armées. D'autres peuvent combattre pour lui, tandis que ses vertus pacifiques le rendent cher et respectable à son peuple. L'usurpateur doit être toujours à la tête de ses prétoriens. Il en serait le mépris, s'il n'en était l'idole.

Ceux qui corrompirent les républiques grecques, dit Montesquieu, *ne devinrent pas toujours tyrans. C'est qu'ils s'étaient plus attachés à l'éloquence qu'à l'art militaire*[*][8]. Mais dans nos associations nombreuses, l'éloquence est impuissante, l'usurpation n'a d'autre appui que la force armée ; pour la fonder, cette force est nécessaire ; elle l'est encore pour la conserver.

Déjà, sous un usurpateur, des guerres sans cesse renouvelées[g] ; ce sont des prétextes pour s'entourer de gardes ; ce sont des occasions pour façonner ces gardes à l'obéissance ; ce sont des moyens d'éblouir les esprits, et de suppléer, par le prestige de la conquête, au prestige de l'antiquité. L'usurpation nous ramène au système guerrier ; elle entraîne donc tous les inconvénients que nous avons rencontrés dans ce système.

La gloire d'un monarque légitime s'accroît des gloires environnantes. Il gagne à la considération dont il entoure ses ministres. Il n'a nulle concurrence à redouter. L'usurpateur, pareil naguères, ou même inférieur à ses instruments, est obligé de les avilir, pour qu'ils ne deviennent pas[h] ses rivaux. Il les

* *Esprit des lois*, VIII, 1.

8. *Esprit des lois*, VIII, 2, éd. de la Pléiade, vol. II, p. 351 ; la citation de Montesquieu figure dans le Livre XIII, 3, p. 343.

froisse, pour les employer. Aussi, regardez-y de près,
toutes les âmes fières s'éloignent; et quand les âmes
fières s'éloignent, que reste-t-il? Des hommes, qui
savent ramper, mais ne sauraient défendre, des
hommes, qui insulteraient les premiers, après sa
chute, le maître qu'ils auraient flatté[1].

Ceci fait que l'usurpation est plus dispendieuse que
la monarchie. Il faut d'abord payer les agents pour
qu'ils se laissent dégrader; il faut ensuite payer encore
ces agents dégradés, pour qu'ils se rendent utiles.
L'argent doit faire le service et de l'opinion et de
l'honneur. Mais ces agents, tout corrompus et tout
zélés qu'ils sont, n'ont pas l'habitude du gouvernement. Ni eux, ni leur maître, nouveau comme eux, ne
savent tourner les obstacles. A chaque difficulté qu'ils
rencontrent, la violence leur est si commode qu'elle
leur paraît toujours nécessaire. Ils seraient tyrans par
ignorance, s'ils ne l'étaient par intention. Vous voyez
les mêmes institutions subsister dans la monarchie
durant des siècles. Vous ne voyez pas un usurpateur
qui n'ait vingt fois révoqué ses propres lois, et
suspendu les formes qu'il venait d'instituer, comme
un ouvrier novice et impatient brise ses outils.

Un monarque héréditaire peut exister à côté, ou
pour mieux dire, à la tête d'une noblesse antique et
brillante, il est, comme elle, riche de souvenirs. Mais
là où le monarque voit des soutiens, l'usurpateur voit
des ennemis. Toute noblesse, dont l'existence a précédé la sienne, doit lui faire ombrage. Il faut que, pour
appuyer sa nouvelle dynastie, il crée une nouvelle
noblesse[j]. Mais voulez-vous savoir ce que sera cette
noblesse nouvelle? Durant la guerre des paysans de la
Souabe contre leurs seigneurs, les premiers revêtaient
souvent les armes de leurs maîtres qu'ils avaient tués;
qu'arrivait-il? Sous le casque doré du noble, on
reconnaissait le paysan, et l'armure chevaleresque
était un travestissement, au lieu d'être une parure[k 9].

---

9. Les phrases, depuis *Durant la guerre [...] d'être une parure*,
sont adaptées du Livre X, 6, p. 210.

Il y a confusion d'idées[1], dans ceux qui partent[m] des avantages d'une hérédité déjà reconnue, pour en conclure la possibilité de créer l'hérédité. La noblesse engage, envers un homme et ses descendants, le respect des générations, non seulement futures, mais contemporaines. Or ce dernier point est le plus difficile. On peut bien admettre un traité pareil, lorsqu'en naissant on le trouve sanctionné ; mais assister au contrat et s'y résigner, est impossible, si l'on n'est la partie avantagée.

L'hérédité s'introduit, dans des siècles de simplicité ou de conquêtes ; mais on ne l'institue pas, au milieu de la civilisation. Elle peut alors se conserver, mais non s'établir. Toutes les institutions, qui tiennent du prestige, ne sont jamais l'effet de la volonté ; elles sont l'ouvrage des circonstances. Tous les terreins[n] sont propres aux allignements[o] géométriques. La nature seule produit les sites et les effets pittoresques. Une hérédité qu'on voudrait édifier, sans qu'elle reposât sur aucune tradition respectable et presque mystérieuse, ne dominerait point l'imagination. Les passions ne seraient point désarmées ; elles s'irriteraient au contraire davantage, contre une inégalité, subitement érigée en leur présence et à leurs dépens. Lorsque CROMWELL voulut instituer une chambre haute, il y eut révolte générale dans l'opinion d'Angleterre. Les anciens pairs refusèrent d'en faire partie ; et la nation refusa de son côté de reconnaître comme pairs ceux qui se rendirent à l'invitation *.

On crée néanmoins de nouveaux nobles, objectera-t-on. C'est que l'illustration de l'ordre entier rejaillit sur eux. Mais si vous créez à la fois le corps et les membres, où sera la source de l'illustration ?

Des raisonnements du même genre se reproduisent,

---

* Un pamphlet publié contre la prétendue chambre haute du temps de Cromwell est une preuve remarquable de l'impuissance de l'autorité dans les institutions de ce genre. v. *a seasonable*[p] *Speech made by a worthy member of Parliament in the house of Commons, concerning the other house. March,* 1659.

relativement à ces assemblées, qui, dans quelques monarchies, défendent ou représentent le peuple. Le roi d'Angleterre est vénérable, au milieu de son parlement. Mais c'est qu'il n'est pas, nous le répétons, un simple individu. Il représente aussi la longue suite des rois qui l'ont précédé. Il n'est pas éclipsé par les mandataires de la nation ; mais un seul homme, sorti de la foule, est d'une stature trop diminutive ; et pour soutenir le parallèle, il faut que cette stature devienne terrible. Les représentants d'un peuple, sous un usurpateur, doivent être ses esclaves, pour n'être pas ses maîtres. Or de tous les fléaux politiques, le plus effroyable est une assemblée, qui n'est que l'instrument d'un seul homme. Nul n'oserait vouloir en son nom ce qu'il ordonne à ses agents de vouloir, lorsqu'ils se disent les interprètes libres du vœu national. Songez au sénat de Tibère, songez au parlement d'HENRI VIII [10].

Ce que j'ai dit de la noblesse s'applique également à la propriété. Les anciens propriétaires sont les appuis naturels d'un monarque légitime ; ils sont les ennemis nés d'un usurpateur. Or, je pense qu'il est reconnu, que, pour qu'un gouvernement soit paisible, la puissance et la propriété doivent être d'accord. Si vous les séparez, il y aura lutte ; et à la fin de cette lutte, ou la propriété sera envahie, ou le gouvernement sera renversé [11].

Il paraît plus facile, à la vérité, de créer de nouveaux propriétaires que de nouveaux nobles ; mais il s'en faut qu'enrichir des hommes devenus puissants soit la même chose qu'investir du pouvoir des hommes qui étaient nés riches. La richesse n'a point un effet rétroactif. Conférée tout à coup à quelques individus, elle ne leur donne ni cette sécurité sur leur situation, ni cette absence d'intérêts étroits, ni cette éducation soignée, qui forment ses principaux avantages. On ne

10. Benjamin Constant aurait pu ajouter l'exemple du Sénat, du corps législatif et du Tribunat.
11. Phrase adaptée du Livre X, 6, p. 210.

prend pas l'esprit propriétaire, aussi lestement qu'on prend la propriété[12]. A Dieu ne plaise que je veuille insinuer ici que la richesse doit constituer un privilège. Toutes les facultés naturelles, comme tous les avantages sociaux, doivent trouver leur place dans l'organisation politique ; et le talent n'est certes pas un moindre trésor que l'opulence. Mais dans une société bien organisée, le talent conduit à la propriété. Le corps des anciens propriétaires se recrute ainsi de nouveaux membres, et c'est la seule manière dont un changement progressif, imperceptible et toujours partiel doive s'opérer. L'acquisition lente et graduelle d'une propriété légitime est autre chose que la conquête violente d'une propriété qu'on enlève. L'homme qui s'enrichit par son industrie ou ses facultés apprend à mériter ce qu'il acquiert. Celui qu'enrichit la spoliation ne devient que plus indigne de ce qu'il ravit.

Plus d'une fois, durant nos troubles, nos maîtres d'un jour, qui nous entendaient regretter le gouvernement des propriétaires, ont eu la tentation de devenir propriétaires, pour se rendre plus dignes de nous gouverner. Mais quand ils se seraient investis en quelques heures de propriétés considérables, par une volonté qu'ils auraient appelée loi, le peuple et eux-mêmes auraient pensé, que ce que la loi avait conféré, la loi pouvait le reprendre ; et la propriété, au lieu de protéger l'institution, aurait eu continuellement besoin d'être protégée par elle[13]. En richesse, comme en autre chose, rien ne supplée au temps[14].

D'ailleurs, pour enrichir les uns, il faut appauvrir les autres. Pour créer de nouveaux propriétaires, il faut dépouiller les anciens. L'usurpation générale doit s'entourer d'usurpations partielles, comme d'ouvrages

12. Dès l'*Esprit de conquête* et davantage sous la Restauration, Benjamin Constant accorde à la *propriété mobile* un rôle capital, l'expression du vœu national, par la Chambre des députés, face au régime. Cf. notre *Ecole libérale*, chap. II.

13. Passage adapté du Livre X, 6, pp. 20°-210.

14. Phrase adaptée, *ibid.*, p. 210.

avancés qui la défendent. Pour un intérêt qu'elle se concilie, dix s'arment contre elle.

Ainsi donc, malgré la ressemblance trompeuse qui paraît exister entre l'usurpation et la monarchie, considérées toutes deux comme le pouvoir remis à un seul homme, rien n'est plus différent. Tout ce qui fortifie la seconde menace la première ; tout ce qui est dans la monarchie, une cause d'union, d'harmonie et de repos, est dans l'usurpation une cause de résistance, de haine et de secousses.

Ces raisonnements ne militent pas avec moins de force pour les républiques, quand elles ont existé longtemps. Alors elles acquièrent comme les monarchies, un héritage de traditions, d'usages, et d'habitudes. L'usurpation seule, nue et dépouillée de toutes ces choses, erre au hazard[q], le glaive en main, cherchant de tous côtés, pour couvrir sa honte, des lambeaux qu'elle déchire et qu'elle ensanglante, en les arrachant.

CHAPITRE III

D'UN RAPPORT SOUS LEQUEL L'USURPATION
EST PLUS FÂCHEUSE
QUE LE DESPOTISME LE PLUS ABSOLU

Je ne suis point assurément le partisan du despotisme ; mais s'il fallait choisir entre l'usurpation et un despotisme consolidé, je ne sais si ce dernier ne me semblerait pas préférable.

Le despotisme bannit toutes les formes de la liberté ; l'usurpation, pour motiver le renversement de ce qu'elle remplace, a besoin de ces formes ; mais en s'en emparant, elle les profane[a]. L'existence de l'esprit public lui étant dangereuse, et l'apparence de l'esprit public lui étant nécessaire, elle frappe d'une main le peuple, pour étouffer l'opinion réelle, et elle le frappe encore de l'autre, pour le contraindre au simulacre de l'opinion supposée.

Quand le grand Seigneur envoye[b] le cordon à l'un des ministres disgraciés, les bourreaux sont muets, comme la victime. Quand un usurpateur proscrit l'innocence, il ordonne la calomnie, pour que, répétée, elle paraisse un jugement national. Le despote interdit la discussion, et n'exige que l'obéissance ; l'usurpateur prescrit un examen dérisoire, comme préface de l'approbation.

Cette contrefaction de la liberté réunit tous les maux de l'anarchie et tous ceux de l'esclavage. Il n'y a point de terme à la tyrannie, qui veut arracher les symptômes du consentement[c]. Les hommes paisibles sont persécutés comme indifférents, les hommes énergiques comme dangereux. La servitude est sans repos, l'agitation sans jouissance. Cette agitation ne ressemble à la vie morale, que comme ressemblent à la vie physique ces convulsions hideuses, qu'un art plus effrayant qu'utile imprime aux cadavres sans les ranimer.

C'est l'usurpation qui a inventé cette prétendue sanction du peuple, ces adresses d'adhésion, tribut monotone, qu'à toutes les époques, les mêmes hommes prodiguent aux mesures les plus opposées[d]. La peur y vient singer tous les dehors du courage, pour se féliciter de la honte et pour remercier du malheur. Singulier genre d'artifice, dont nul n'est la dupe! Comédie convenue, qui n'en impose à personne, et qui depuis longtemps aurait dû succomber sous les traits du ridicule! Mais le ridicule attaque tout, et ne détruit rien. Chacun pense avoir reconquis, par la moquerie, l'honneur de l'indépendance, et content d'avoir désavoué ses actions par ses paroles, se trouve à l'aise pour démentir ses paroles par ses actions[1].

Qui ne sent, que plus un gouvernement est oppressif, plus les citoyens épouvantés s'empresseront de lui faire hommage de leur enthousiasme de commande! Ne voyez-vous pas, à côté des registres que chacun signe d'une main tremblante, ces délateurs et ces soldats? Ne lisez-vous pas ces proclamations déclarant factieux ou rebelles ceux dont le suffrage serait négatif? Qu'est-ce qu'interroger un peuple, au milieu des cachots et sous l'empire de l'arbitraire, sinon demander aux adversaires de la puissance une liste pour les reconnaître, et pour les frapper à loisir?

L'usurpateur cependant enregistre ces acclamations et ces harangues. L'avenir le jugera sur ces monuments érigés par lui. Où le peuple fut tellement vil, dira-t-on, le gouvernement dut être tyrannique. Rome ne se prosternait pas devant Marc-Aurèle, mais devant Tibère et Caracalla[2].

1. Les deux dernières phrases, depuis *Mais le ridicule attaque tout*, sont adaptées du Livre VI, 2, p. 113.
2. La dernière phrase est adaptée, *ibid.*, p. 114.

Le despotisme étouffe la liberté de la presse; l'usurpation la parodie. Or quand la liberté de la presse est tout à fait comprimée, l'opinion sommeille, mais rien ne l'égare. Quand au contraire des écrivains soudoyés s'en saisissent, ils discutent, comme s'il était question de convaincre; ils s'emportent, comme s'il y avait de l'opposition; ils insultent, comme si l'on possédait la faculté de répondre. Leurs diffamations absurdes précèdent des condamnations barbares; leurs plaisanteries féroces préludent à d'illégales condamnations. Leurs démonstrations nous feraient croire que leurs victimes résistent, comme, en voyant de loin les danses frénétiques des sauvages, autour des captifs qu'ils tourmentent, on dirait qu'ils combattent les malheureux qu'ils vont dévorer [3].

Le despotisme, en un mot, règne par le silence, et laisse à l'homme le droit de se taire. L'usurpation le condamne à parler; elle le poursuit dans le sanctuaire intime de sa pensée; et le forçant à mentir à sa conscience, elle lui ravit la dernière consolation qui reste encore à l'opprimé.

Quand un peuple n'est qu'esclave, sans être avili, il y a pour lui possibilité d'un meilleur état de choses. Si quelque circonstance heureuse le lui présente, il s'en montre digne. Le despotisme laisse cette chance à l'espèce humaine. Le joug de Philippe II et les échaffauds [e] du duc d'Albe ne dégradèrent point les généreux Hollandais. Mais l'usurpation avilit un peuple, en même temps qu'elle l'opprime; elle l'accoutume à fouler aux pieds ce qu'il respectait, à courtiser ce qu'il méprise, à se mépriser lui-même; et pour peu qu'elle se prolonge, elle rend même, après sa chute, toute liberté, toute amélioration impossible. On renverse Commode; mais les prétoriens mettent l'empire à l'enchère, et le peuple obéit à l'acheteur.

En pensant aux usurpateurs fameux que l'on nous vante de siècle en siècle, une seule chose me semble admirable, c'est l'admiration qu'on a pour eux. César

---

3. Tout le passage est adapté, *ibid.*

et cet Octave, qu'on appelle Auguste, sont des modèles en ce genre. Ils commencèrent par la proscription de tout ce qu'il y avait d'éminent à Rome. Ils poursuivirent, par la dégradation de tout ce qui restait de noble. Ils finirent par léguer au monde Vitellius, Domitien, Héliogabale, et enfin les Vandales et les Goths.

CHAPITRE IV

QUE L'USURPATION NE PEUT SUBSISTER
A NOTRE ÉPOQUE DE LA CIVILISATION

Après ce tableau fidèle [a] de l'usurpation, il sera consolant de démontrer qu'elle est aujourd'hui un anachronisme non moins grossier que le système des conquêtes.

Les républiques subsistent, de par le sentiment profond que chaque citoyen a de ses droits, de par le bonheur, la raison, le calme et l'énergie que la jouissance de la liberté procure à l'homme. Les monarchies, de par le temps, de par les habitudes, de par la sainteté des générations passées. L'usurpation ne peut s'établir que par la suprématie individuelle de l'usurpateur.

Or, il y a des époques, dans l'histoire de l'espèce humaine, où la suprématie, nécessaire pour que l'usurpation soit possible, ne saurait exister. Tel fut le période [1] qui s'écoula en Grèce, depuis l'expulsion des Pisistratides jusqu'au règne de Philippe de Macédoine. Tels furent aussi les cinq premiers siècles de Rome, depuis la chute des Tarquins, jusqu'aux guerres civiles.

En Grèce, des individus se distinguent, s'élèvent, dirigent le peuple ; leur empire est celui du talent, empire brillant, mais passager, qu'on leur dispute, et qu'on leur enlève. Périclès voit plus d'une fois sa domination prête à lui échapper, et ne doit qu'à la

---

1. *le période*, graphie courante à l'époque.

contagion qui le frappe de mourir au sein du pouvoir. Miltiade, Aristide, Thémistocle, Alcibiade, saisissent la puissance et la reperdent, presque sans secousses.

A Rome, l'absence de toute suprématie individuelle se fait encore bien plus remarquer. Pendant cinq siècles, on ne peut sortir de la foule immense des grands hommes de la république, le nom d'un seul, qui l'ait gouvernée d'une manière durable.

A d'autres époques, au contraire, il semble que le gouvernement des peuples appartienne au premier individu qui se présente. Dix ambitieux, pleins de talents et d'audace, avaient en vain tenté d'asservir la république romaine. Il avait fallu vingt ans de dangers, de travaux et de triomphes à César pour arriver aux marches du trône, et il était mort assassiné, avant d'y monter. Claude se cache derrière une tapisserie ; des soldats l'y découvrent ; il est empereur, il règne quatorze ans.

Cette différence ne tient pas uniquement à la lassitude qui s'empare des hommes, après des agitations prolongées ; elle tient aussi à la marche de la civilisation.

Lorsque l'espèce humaine est encore dans un profond degré d'ignorance et d'abaissement, presque totalement dépourvue de facultés morales, et presqu'aussi dénuée de connaissances, et par conséquent de moyens physiques, les nations suivent, comme des troupeaux, non seulement celui qu'une qualité brillante distingue, mais celui qu'un hazard[b] quelconque jette en avant de la foule. A mesure que les lumières font des progrès, la raison révoque en doute la légitimité du hazard[b] et la réflexion qui compare aperçoit entre les individus une égalité opposée à toute suprématie exclusive.

C'est ce qui fesoit[c] dire à Aristote qu'il n'y avait guéres[d] de son temps de véritable royauté. Le mérite, continuait-il, trouve aujourd'hui des pairs, et nul n'a de vertus si supérieures au reste des hommes, qu'il puisse réclamer pour lui seul la prérogative de commander *. Ce passage est d'autant plus remarquable, que le philosophe de Stagyre l'écrivait sous Alexandre.

Il fallut peut-être moins de peine et de génie à Cyrus, pour asservir les Perses barbares, qu'au plus petit tyran d'Italie, dans le seizième siècle, pour conserver le pouvoir qu'il usurpait. Les conseils mêmes de Machiavel prouvent la difficulté croissante.

Ce n'est pas précisément l'étendue, mais l'égale répartition des lumières qui met obstacle à la suprématie des individus ; et ceci ne contredit en rien ce que nous avons affirmé précédemment, que chaque siècle attendait un homme qui lui servît de représentant. Ce n'est pas dire que chaque siècle le trouve. Plus la civilisation est avancée, plus elle est difficile à représenter.

La situation de la France et de l'Europe, il y a vingt ans, se rapprochait, sous ce rapport, de celle de la Grèce et de Rome, aux époques indiquées. Il existait une telle multitude d'hommes également éclairés, que nul individu ne pouvait tirer de sa supériorité personnelle le droit exclusif de gouverner. Aussi nul, durant les dix premières années de nos troubles, n'a pu se marquer une place à part.

Malheureusement, à chaque époque pareille, un danger menace l'espèce humaine. Comme, lorsqu'on verse des flots d'une liqueur froide dans une liqueur bouillante, la chaleur de celle-ci se trouve affaiblie, de même, lorsqu'une nation civilisée est envahie par des barbares, ou qu'une masse ignorante pénètre dans son sein et s'empare de ses destinées, sa marche est arrêtée, et elle fait des pas rétrogrades.

Pour la Grèce, l'introduction de l'influence macédonienne, pour Rome, l'agrégation successive des peuples conquis, enfin, pour tout l'empire romain, l'irruption des hordes du Nord, furent des événements de ce genre. La suprématie des individus, et par

---

* Aristot., *Polit.* V. 10.

conséquent l'usurpation redevinrent possibles. Ce furent presque toujours des légions barbares qui créèrent des Empereurs.

En France, les troubles de la révolution ayant introduit dans le gouvernement une classe sans lumières, et découragé la classe éclairée, cette nouvelle irruption de barbares a produit le même effet, mais dans un degré bien moins durable, parce que la disproportion était moins sensible. L'homme qui a voulu usurper parmi nous, a été forcé de quitter pour un temps les routes civilisées. Il est remonté vers des nations plus ignorantes, comme vers un autre siècle. C'est là qu'il a jeté les fondements de sa prééminence. Ne pouvant faire arriver au sein de l'Europe l'ignorance et la barbarie, il a conduit des Européens en Afrique [2], pour voir s'il réussirait à les façonner à la barbarie et à l'ignorance ; et ensuite, pour maintenir son autorité, il a travaillé à faire reculer l'Europe.

Les peuples se sacrifiaient jadis pour les individus, et s'en fesoient [e] gloire ; de nos jours les individus sont forcés à feindre qu'ils n'agissent que pour l'avantage et le bien des peuples. On les entend quelquefois essayer de parler d'eux-mêmes, des devoirs du monde envers leurs personnes, et ressusciter un style tombé en désuétude depuis Cambyse et Xerxès. Mais nul ne leur répond dans ce sens, et désavoués qu'ils sont, par le silence de leurs flatteurs mêmes, ils se replient, malgré qu'ils en ayent [f], sur une hypocrisie, qui est un hommage à l'égalité.

Si l'on pouvait parcourir attentivement les rangs obscurs d'un peuple soumis en apparence à l'usurpateur qui l'opprime, on le verrait, comme par un instinct confus, fixer les yeux d'avance sur l'instant où cet usurpateur tombera. Son enthousiasme contient un mélange bizarre et d'analyse et de moquerie. Il semble, peu confiant en sa conviction propre, travailler à la fois à s'étourdir par ses acclamations, et à se

2. L'expédition d'Egypte, 1798-1799.

dédommager par ses railleries, et pressentir lui-même l'instant où le prestige sera passé[3].

Voulez-vous voir à quel point les faits démontrent la double impossibilité des conquêtes et de l'usurpation à l'époque actuelle ? Réfléchissez aux événements qui se sont accumulés sous nos yeux durant les six mois qui viennent de s'écouler. La conquête avait établi l'usurpation, dans une grande partie de l'Europe ; et cette usurpation sanctionnée, reconnue pour légitime, par ceux mêmes qui avaient intérêt à ne jamais la reconnaître, avait revêtu toutes les formes pour se consolider. Elle avait tantôt menacé, tantôt flatté les peuples. Elle était parvenue à rassembler des forces immenses pour inspirer la crainte, des sophismes pour éblouir les esprits, des traités pour rassurer les consciences ; elle avait gagné quelques années, qui commençaient à voiler son origine. Les gouvernements, soit républicains, soit monarchiques, qu'elle avait détruits, étaient sans espoir apparent, sans ressources visibles. Ils survivaient néanmoins dans le cœur des peuples. Vingt batailles perdues n'avaient pu les en déraciner. Une seule bataille[4] a été gagnée, et l'usurpation s'est vue de toutes parts mise en fuite, et dans plusieurs des pays où elle dominait sans opposition, le voyageur aurait peine aujourd'hui à en découvrir la trace.

3. Passage adapté du Livre XVI, 7, p. 434.
4. La bataille de Leipzig qui fit rage pendant les journées des 17, 18 et 19 octobre 1813.

CHAPITRE V

RÉPONSE À UNE OBJECTION QUI POURRAIT SE TIRER DE L'EXEMPLE DE GUILLAUME III[1]

L'exemple de Guillaume III semble au premier coup d'œil une objection très forte contre toutes les assertions que l'on vient de lire. Guillaume III ne doit-il pas être considéré comme ayant usurpé sur les Stuarts le trône d'Angleterre ? Son règne a néanmoins été glorieux et tranquille, et c'est de ce règne que datent la prospérité et la liberté anglaises. N'est-ce point une preuve que l'usurpation n'est pas toujours impossible dans les temps modernes, et que ses effets ne sont pas toujours funestes ?

Mais le nom d'usurpateur ne convient nullement à Guillaume III[2]. Il fut appelé par une nation, qui

---

1. Ce chapitre ne figure pas dans les éd. 3 et 4 pour des raisons bien claires : il s'oppose au retour des Bourbons et recommande discrètement la candidature de Bernadotte au trône vacant de France. Tout au plus, Benjamin Constant peut-il se permettre de parler des Stuarts, de Cromwell et de Guillaume III dans le chapitre II surajouté à l'éd. 4. C'est que les entraves imposées alors à la liberté de la presse l'incitent à mettre en garde les Bourbons et leurs fidèles contre les velléités absolutistes. Très vite d'ailleurs, le parallèle et les rapprochements avec l'histoire d'outre-Manche deviendront un des thèmes courants sous la plume des publicistes de gauche et de droite, soit pour accentuer les dangers de la Révolution, soit pour insister sur ceux des bouleversements.

2. Sur les Stuarts, Cromwell et la restauration de 1660, cf. K. Feiling, *England under the Tudors and the Stuarts, 1485-1688*, Londres, 1927, plusieurs réimpressions ; G. Maccaulay Treveylan, *The English Revolution, 1688-1689*, Londres, 1938.

voulait jouir d'une liberté paisible, à l'exercice d'une autorité dont il avait fait ailleurs l'apprentissage, et déjà revêtu de la puissance, dans un autre pays, il ne parvint point à la couronne, par les moyens habituels de l'usurpation, la ruse ou la violence.

Pour mieux sentir ce que sa position avait de particulier et d'avantageux, comparez-le avec Cromwell. Celui-ci était vraiment un usurpateur. Il n'avait pas pour soutien, pour auréole l'éclat d'un rang déjà glorieusement occupé. Aussi, malgré sa supériorité personnelle, il ne put obtenir que des succès disputés et éphémères. Son règne eut tous les caractères de l'usurpation ; il en eut la courte durée, et la mort vint très à propos le préserver d'une chute prochaine et inévitable.

L'intervention de Guillaume III dans la révolution de 1688, loin d'être une usurpation, préserva probablement l'Angleterre du joug d'un nouvel usurpateur, et la délivra en même temps d'une dynastie contre laquelle trop d'intérêts nationaux s'étaient prononcés.

Lorsque d'orageuses circonstances interrompent la transmission régulière du pouvoir, et que cette interruption dure assez longtemps, pour que tous les intérêts se détachent de l'autorité dépossédée, il ne s'agit pas d'examiner si la prolongation de cette autorité eût été un bien, il est certain que son rétablissement serait un mal.

Un peuple, dans cette situation, est exposé à diverses chances, dont deux sont bonnes et deux sont mauvaises.

Ou le pouvoir retourne aux mains qui l'avaient perdu, ce qui occasionne une réaction violente, des vengeances, des bouleversements ; et la contre-révolution qui s'opère n'est qu'une nouvelle révolution. C'est ce qui était arrivé en Angleterre sous les deux fils de Charles I, et les injustices qui remplirent ces deux règnes, sont une leçon mémorable dont il est à désirer que les nations profitent.

Ou quelque individu sans mission légitime saisit le pouvoir et tous les malheurs de l'usurpation pèsent sur ce peuple. C'est ce qui arriva dans la même Angleterre, sous Cromwell, et ce qui se renouvelle de nos jours, d'une manière plus terrible encore, en France.

Ou la nation parvient à se donner une organisation républicaine, assez sage pour assurer son repos, ainsi que sa liberté. Qu'on ne dise pas que ceci est impossible, puisque les Suisses, les Hollandais et les Américains y ont réussi.

Ou enfin, cette nation appelle au trône un homme déjà éminent ailleurs, et qui reçoit le sceptre avec des restrictions convenables. C'est ce que firent les Anglais en 1688. C'est ce que les Suédois ont fait de nos jours. Les uns et les autres s'en sont bien trouvés. C'est que dans ce cas, le dépositaire de l'autorité a un autre intérêt que celui d'aggrandir[a] et d'accroître sa puissance. Il a l'intérêt de faire triompher les principes qui servent de garantie à cette puissance, et ces principes sont ceux de la liberté.

Une révolution de ce genre n'a rien de commun avec l'usurpation. Le prince élu librement par la nation, est fort à la fois de sa dignité ancienne et de son titre nouveau. Il plaît à l'imagination par les souvenirs qui la captivent, et satisfait la raison par le suffrage national dont il s'appuye[a]. Il n'est point réduit à n'employer que des instruments d'une création récente. Il dispose avec confiance de toutes les forces de la nation, parce qu'il ne la dépouille d'aucune partie de son héritage politique. Les institutions antérieures ne lui sont point opposées; il se les associe, et elles concourent à le soutenir.

Ajoutons, que les Anglais eurent le bonheur de trouver dans Guillaume III précisément ce dont un peuple a besoin, dans une circonstance pareille, un homme non seulement familiarisé avec le pouvoir, mais accoutumé à la liberté, le premier magistrat d'une république; son caractère s'était mûri au sein des tempêtes; et l'expérience l'avait instruit à ne pas s'effrayer de l'agitation inséparable d'une constitution libre.

Considéré sous ce point de vue, l'exemple de

Guillaume III, loin de m'être contraire, m'est, je le pense, plutôt favorable. Son avènement, n'étant point une usurpation, ne prouve point que l'usurpation soit aujourd'hui possible. Le bonheur et la liberté dont l'Angleterre a joui sous son règne n'impliquent nullement que l'usurpation puisse jamais être bienfaisante. Enfin la durée et la tranquillité de ce règne ne démontrent rien en faveur de la durée et de la tranquillité de l'usurpation.

CHAPITRE VI[1]

L'USURPATION NE PEUT-ELLE SE MAINTENIR
PAR LA FORCE ?

Mais l'usurpation ne saurait-elle se perpétuer par la force ? N'a-t-elle pas à son service, comme tout gouvernement, des geôliers, des chaînes et des soldats ? Que faut-il de plus pour garantir sa durée ?

Ce raisonnement, depuis que l'usurpation assise sur un trône, tient de l'or d'une main, et une hache de l'autre, a été reproduit sous des formes merveilleusement variées. L'expérience elle-même semble déposer en sa faveur. J'ose pourtant révoquer cette expérience en doute.

Ces soldats, ces geôliers et ces chaînes, qui sont des moyens extrêmes, dans les gouvernements réguliers, doivent être les ressources habituelles de l'usurpation, vu les obstacles qu'elle rencontre de toutes parts. Le despotisme dont ces gouvernements ne font sentir à leurs sujets la pratique que par intervalles, et dans les temps de crise, est, pour l'usurpation, un état constant et une pratique journalière.

Or la théorie du despotisme se laisse défendre spéculativement par des écrivains, ou des orateurs, parce que la parole prête à toutes les erreurs sa docile

---

1. Dans les éd. 3 et 4, ce chapitre porte le n° VI, erreur corrigée dans la Table des matières. Dans ces deux éditions, le chapitre suivant est numéroté VI. Édouard Laboulaye a corrigé l'erreur dans ses éditions du *Cours de politique constitutionnelle*, où il a réimprimé l'*Esprit de conquête* ainsi que les *Principes de politique* de 1815.

assistance ; mais la pratique prolongée du despotisme est impossible aujourd'hui. Le despotisme est un troisième anachronisme, comme la conquête et l'usurpation.

Cette assertion surprendra peut-être un assez grand nombre de lecteurs. Je lui donnerai en conséquence quelques développements[a]. Je dirai[b] d'abord pourquoi l'on a pu croire que notre génération était disposée à se résigner au despotisme. Je montrerai que[c] c'est parce qu'on lui a offert avec ignorance, obstination, et rudesse, des formes de liberté dont elle n'était plus susceptible, et qu'ensuite, sous le nom de liberté, on lui a présenté une tyrannie plus effroyable qu'aucune de celles dont l'histoire nous a transmis la mémoire. Il n'est pas étonnant que cette génération ait conçu de la liberté une terreur aveugle, qui l'a précipitée dans la plus abjecte servitude.

Heureusement le despotisme, et grâces lui en soient rendues, a fait de son mieux pour nous guérir de cette honteuse erreur. Il a prouvé que, sous ses couleurs véritables, sans déguisements et sans palliatifs, il causait autant de maux, pour le moins, que ce qu'on avait si absurdement désigné comme liberté. Le moment est donc arrivé, où quelques idées raisonnables sur cette matière peuvent trouver accès.

CHAPITRE VII

DE L'ESPÈCE DE LIBERTÉ
QU'ON A PRÉSENTÉE AUX HOMMES
A LA FIN DU SIÈCLE DERNIER

La liberté, qu'on a présentée aux hommes à la fin du siècle dernier, était empruntée des républiques anciennes. Or plusieurs des circonstances que nous avons exposées, dans la première partie de cet ouvrage, comme étant la cause de la disposition belliqueuse des anciens, concouraient aussi à les rendre capables d'un genre de liberté dont nous ne sommes plus susceptibles.

Cette liberté se composait plutôt de la participation active au pouvoir collectif, que de la jouissance paisible de l'indépendance individuelle; et même, pour assurer cette participation, il était nécessaire que les citoyens sacrifiassent en grande partie cette jouissance. Mais ce sacrifice est absurde à demander, impossible à obtenir, à l'époque à laquelle les peuples sont arrivés.

Dans les républiques de l'antiquité, la petitesse du territoire fesait[a] que chaque citoyen avait politiquement une grande importance personnelle. L'exercice des droits de cité constituait l'occupation, et pour ainsi dire, l'amusement de tous. Le peuple entier concourait à la confection des lois, prononçait les jugements, décidait de la guerre et de la paix. La part que l'individu prenait à la souveraineté nationale, n'était point, comme à présent, une supposition abstraite; la volonté de chacun avait une influence réelle. L'exercice de cette volonté était un plaisir vif et répété. Il en résultait, que les anciens étaient disposés, pour la conservation de leur importance politique, et de leur part dans l'administration de l'Etat, à renoncer à leur indépendance privée [1].

Ce renoncement était nécessaire. Car pour faire jouir un peuple de la plus grande étendue de droits politiques, c'est-à-dire, pour que chaque citoyen ait sa part de la souveraineté, il faut des institutions qui maintiennent l'égalité, qui empêchent l'accroissement des fortunes, proscrivent les distinctions, s'opposent à l'influence des richesses, des talents, des vertus mêmes *. Or toutes ces institutions limitent la liberté et compromettent la sûreté individuelle.

Aussi, ce que nous nommons liberté civile était presqu'inconnu [b] chez la plupart des peuples anciens **. Toutes les républiques grecques, si nous en exceptons Athènes ***, soumettaient les individus à une juridiction sociale presque illimitée. Le même assujettissement individuel caractérisait les beaux siècles de Rome. Le citoyen s'était constitué en quelque

---

* De là l'ostracisme, le pétalisme, les lois agraires, la censure, etc.

** V. la preuve plus développée dans les mémoires sur l'instruction publique de Condorcet, et dans l'histoire des républiques italiennes de Simonde Sismondi, IV. 370. Je cite avec plaisir ce dernier ouvrage, production d'un caractère aussi noble que le talent de l'auteur est distingué [2].

*** Il est assez singulier que ce soit précisément Athènes que nos modernes réformateurs ont évité de prendre pour modèle. C'est que Athènes nous ressemblait trop. Ils voulaient plus de différences pour avoir plus de mérite. Le lecteur curieux de se convaincre du caractère tout à fait moderne des Athéniens peut consulter surtout Xénophon et Isocrate.

---

1. Passage adapté du Livre XVI, 2, p. 420-421.
2. Pour les *Mémoires sur l'instruction publique* de Condorcet, cf. ses *Œuvres complètes*, Paris, 1847-1849, 12 vol. (Gauchet, p. 631, n. 2) ; sur la pensée des Idéologues en matière d'éducation, cf. M. Regaldo, *Un milieu intellectuel, la Décade philosophique, 1794-1807*, Lille-Paris, 5 vol., t. I, 2e partie, chap. 5.

Pour Sismondi, cf. son *Histoire des républiques italiennes du Moyen Age*, Zurich-Paris, 1807-1818, t. I à VI ; sur Sismondi, de Salis, *Sismondi*, Paris, 1932, 2 t., accessible in Slatkine reprints.

sorte l'esclave de la nation dont il fesait[a] partie. Il s'abandonnait en entier aux décisions du souverain, du législateur. Il lui reconnaissait le droit de surveiller toutes ses actions, et de contraindre sa volonté. Mais c'est qu'il était lui-même à son tour ce législateur et ce souverain. Il sentait avec orgueil tout ce que valait son suffrage, dans une nation assez peu nombreuse, pour que chaque citoyen fût une puissance; et cette conscience de sa propre valeur était pour lui un ample dédommagement.

Il en est tout autrement dans les Etats modernes. Leur étendue, beaucoup plus vaste que celle des anciennes républiques, fait que la masse de leurs habitants, quelque forme de gouvernement qu'ils adoptent, n'ont point de part active à ce gouvernement. Ils ne sont appelés tout au plus à l'exercice de la souveraineté que par la représentation, c'est-à-dire, d'une manière fictive.

L'avantage que procurait au peuple la liberté, comme les anciens la concevaient, c'était d'être, de fait, au nombre des gouvernants, avantage réel, plaisir à la fois flatteur et solide. L'avantage que procure au peuple la liberté chez les modernes, c'est d'être représenté et de concourir à cette représentation par son choix. C'est un avantage, sans doute, puisque c'est une garantie; mais le plaisir immédiat est moins vif; il ne se compose d'aucune des jouissances du pouvoir. C'est un plaisir de réflexion; celui des anciens était un plaisir d'action. Il est clair que le premier est moins attrayant. On ne saurait exiger des hommes autant de sacrifices pour l'obtenir et le conserver.

En même temps, ces sacrifices seraient beaucoup plus pénibles. Les progrès de la civilisation, la tendance commerciale de l'époque, la communication des peuples entre eux, ont multiplié et varié à l'infini les moyens de bonheur particulier. Les hommes n'ont besoin, pour être heureux, que d'être laissés dans une indépendance parfaite, sur tout ce qui a rapport à leurs occupations, à leurs entreprises, à leur sphère d'activité, à leurs fantaisies.

Les anciens trouvaient plus de jouissances dans leur existence publique, et ils en trouvaient moins dans leur existence privée. En conséquence, lorsqu'ils sacrifiaient la liberté individuelle à la liberté politique, ils sacrifiaient moins pour obtenir plus. Presque toutes les jouissances des modernes sont dans leur existence privée. L'immense majorité, toujours exclue du pouvoir, n'attache nécessairement qu'un intérêt très passager à son existence publique. En imitant les anciens, les modernes sacrifieraient donc plus, pour obtenir moins.

Les ramifications sociales sont plus compliquées, plus étendues qu'autrefois. Les classes mêmes, qui paraissent ennemies, sont liées entre elles, par des liens imperceptibles, mais indissolubles. La propriété s'est identifiée plus intimement à l'existence de l'homme. Toutes les secousses qu'on lui fait éprouver sont plus douloureuses[3].

Nous avons perdu en imagination ce que nous avons gagné en connaissances. Nous sommes par là même incapables d'une exaltation durable. Les anciens étaient dans toute la jeunesse de la vie morale. Nous sommes dans la maturité, peut-être dans la vieillesse. Nous traînons toujours après nous je ne sai[c] quelle arrière-pensée qui naît de l'expérience et qui défait l'enthousiasme. La première condition pour l'enthousiasme, c'est de ne pas s'observer soi-même avec finesse. Or nous craignons tellement d'être dupes et surtout de le paraître, que nous nous observons sans cesse, dans nos impressions les plus violentes. Les anciens avaient sur toutes choses une conviction entière ; nous n'avons presque sur rien qu'une conviction molle et flottante, sur l'incomplet de laquelle nous cherchons en vain à nous étourdir[4].

Le mot illusion ne se trouve dans aucune langue ancienne, parce que le mot ne se crée que lorsque la chose n'existe plus[5].

3. Passage adapté du Livre XVI, 7, p. 433-434.
4. Idées et mots repris du Livre XVI, 6, p. 430.
5. Cf. *ibid*.

Les législateurs doivent renoncer à tout bouleversement d'habitudes, à toute tentative* pour agir fortement sur l'opinion. Plus de Lycurgues, plus de
Numas.

Il serait plus possible aujourd'hui de faire d'un
peuple d'esclaves un peuple de Spartiates que de
former des Spartiates par la liberté. Autrefois, là où il
y avait liberté, on pouvait supporter les privations.
Maintenant, partout où il y a privation, il faut
l'esclavage pour qu'on s'y résigne.

Le peuple le plus attaché à sa liberté, dans les temps
modernes, est aussi le peuple le plus attaché à ses
jouissances ; et il tient à sa liberté, surtout, parce qu'il
est assez éclairé, pour y apercevoir la garantie de ses
jouissances [7].

---

* « Les politiques grecs, qui vivaient sous le gouvernement
populaire, ne reconnaissaient, dit Montesquieu, d'autre force [6] que
celle de la vertu. Ceux d'aujourd'hui ne nous parlent que de
manufactures, de commerce, de finances, de richesses, et de luxe
même. » Espr. des lois, III. 3. Il attribue cette différence à la
république et à la monarchie. Il faut l'attribuer à l'esprit opposé des
temps anciens et des temps modernes. Citoyens des républiques,
sujets des monarchies, tous veulent des jouissances, et nul ne peut,
dans l'état actuel des sociétés, ne pas en vouloir.

6. *D'autre force qui pût les soutenir, Esprit des lois*, III, 3, éd. de la
Pléiade, II, p. 252.

7. Gauchet note ici la ressemblance frappante entre ce texte et
celui *Des circonstances actuelles* de Mme de Staël, p. 111-112 de
l'éd. L. Omacini.

CHAPITRE VIII

DES IMITATEURS MODERNES
DES RÉPUBLIQUES DE L'ANTIQUITÉ

Ces vérités furent complètement[a] méconnues par les hommes, qui, vers la fin du dernier siècle, se crurent chargés de régénérer l'espèce humaine. Je ne veux point inculper leurs intentions. Leur mouvement fut noble, leur but généreux ; qui de nous n'a pas senti son cœur battre d'espérance, à l'entrée de la carrière qu'ils semblaient ouvrir ? et malheur encore à présent à qui n'éprouve pas le besoin de déclarer que reconnaître des erreurs, ce n'est pas abandonner les principes que les amis de l'humanité ont professés d'âge en âge. Mais ces hommes avaient pris pour guides des écrivains, qui ne s'étaient pas doutés eux-mêmes, que deux mille ans pouvaient avoir apporté quelque altération aux dispositions et aux besoins des peuples.

J'examinerai peut-être une fois la théorie du plus illustre de ces écrivains, et je relèverai ce qu'elle a de faux et d'inapplicable. On verra, je le pense, que la métaphysique subtile du Contrat social n'est propre de nos jours qu'à fournir des armes et des prétextes à tous les genres de tyrannie, à celle d'un seul, à celle de plusieurs, à celle de tous, à l'oppression constituée sous des formes légales, ou exercée par des fureurs populaires * [1].

---

* Je suis loin de me joindre aux détracteurs de Rousseau. Ils sont nombreux dans le moment actuel. Une tourbe d'esprits subalternes, qui placent leurs succès d'un jour à révoquer en doute toutes les vérités courageuses, s'agite pour flétrir sa gloire, raison de plus pour être circonspect à le blâmer. Il a le premier rendu populaire le

Un autre philosophe, moins éloquent, mais non moins austère que Rousseau dans ses principes, et plus exagéré encore dans leur application, eut une

sentiment de nos droits. A sa voix se sont réveillés les cœurs généreux, les âmes indépendantes. Mais ce qu'il sentait avec force, il n'a pas su le définir avec précision. Plusieurs chapitres du Contrat social sont dignes des écrivains scolastiques du 15[e b] siècle. Que signifient des droits, dont on jouit d'autant plus qu'on les aliène plus complètement ? Qu'est-ce qu'une liberté, en vertu de laquelle on est d'autant plus libre qu'on fait plus complètement ce qui contrarie sa volonté propre [2] ? Voulez-vous juger du parti que les fauteurs du despotisme peuvent tirer des principes de Rousseau[c] ? Lisez un ouvrage que j'ai déjà cité plus haut. (Essais de morale et de politique [3].) De même que Rousseau [d] avait supposé que l'autorité illimité réside dans la société entière, l'auteur de ces essais[e] la suppose transportée au représentant de cette société, à un homme qu'il définit l'espèce personnifiée, la réunion individualisée. De même que Rousseau avait dit que le corps social ne pouvait nuire ni à l'ensemble de ses membres ni à chacun d'eux en particulier, celui-ci dit que le dépositaire du pouvoir, l'homme constitué société, ne peut faire de mal à la société, parce que tout le tort qu'il lui aurait fait, il l'aurait éprouvé fidèlement, tant il était la société elle-même. De même que Rousseau dit que l'individu ne peut résister à la société, parce qu'il lui a aliéné tous ses droits sans réserve, l'autre prétend que l'autorité du dépositaire du pouvoir est absolue, parce qu'aucun membre de la société ne peut lutter contre la réunion entière, qu'il ne peut exister de responsabilité pour le dépositaire du pouvoir, parce qu'aucun individu ne peut entrer en compte avec l'être dont il fait partie, et que celui-ci ne peut lui répondre qu'en le fesant[f] rentrer dans l'ordre dont il n'aurait pas dû sortir ; et pour que nous ne craignions rien de la tyrannie, il ajoute : ou voici pourquoi son autorité (celle du dépositaire du pouvoir) ne fut pas arbitraire : ce n'était plus un homme, c'était un peuple [4]. Merveilleuse garantie que ce changement de mot ! N'est-il pas bizarre que tous les écrivains de cette classe reprochent à Rousseau de se perdre dans les abstractions ? Quand ils nous parlent de la société individualisée, et du Souverain n'étant plus un homme, mais un peuple, sont-ce les abstractions qu'ils évitent ?

1. Sur Constant et Rousseau, cf. J. Roussel, *Jean-Jacques Rousseau en France après la Révolution, 1795-1830*, Paris, 1972, cinquième partie, chap. III, *Les Sinuosités de Benjamin Constant*, pp. 489-522 ; sur la critique et l'optique critique de Benjamin Constant, cf. E. Hofmann, *Principes de politique*, I, p. 317 sq. Il conviendrait de faire remarquer que les noms de Rousseau et Mably reviennent souvent sous la plume de Constant, cf. ses *Recueils d'articles*, sa *Correspondance* avec Goyet de la Sarthe, son *Commentaire* de Filangieri, vol. I, chap. VIII ; qu'il s'agit pour lui

influence presque égale sur les réformateurs de la France. C'est l'abbé de Mably ; on peut le regarder comme le représentant de cette classe nombreuse de démagogues bien ou mal intentionnés qui, du haut de la tribune, dans les clubs et dans les pamphlets, parlaient de la nation souveraine, pour que les citoyens fussent plus complètement assujettis et du peuple libre, pour que chaque individu fût plus complètement esclave.

L'abbé de Mably*, comme Rousseau, et comme tant d'autres, avait pris l'autorité pour la liberté, et tous les moyens lui paraissaient bons pour étendre l'action de l'autorité sur cette partie récalcitrante de l'existence humaine dont il déplorait l'indépendance. Le regret qu'il exprime partout dans ses ouvrages, c'est que la loi ne puisse atteindre que les actions ; il aurait voulu qu'elle atteignît les pensées, les impressions les plus passagères, qu'elle poursuivît l'homme sans relâche, et sans lui laisser un azyle[g] où il pût

---

* L'ouvrage de Mably, sur la législation ou principes des lois[5], est le code de despotisme le plus complet que l'on puisse imaginer. Combinez ses trois principes, 1. l'autorité législative est illimitée, il faut l'étendre à tout, et tout courber devant elle. 2. La liberté individuelle est un fléau, si vous ne pouvez l'anéantir, restreignez-la du moins, autant qu'il est possible. 3. La propriété est un mal : si vous ne pouvez la détruire, affaiblissez son influence de toute manière ; vous aurez par cette combinaison la constitution réunie de Constantinople et de Robespierre[6].

d'apprécier l'œuvre de ces philosophes moins en fonction d'eux-mêmes et de leur contexte que dans la perspective révolutionnaire et post-révolutionnaire de cette œuvre, perspective qui a réuni, selon un jeu complexe d'interprétations, les protagonistes du droit divin et les adeptes de la volonté générale, autour d'un absolutisme identique.

2. Passage adapté du Livre I, 9, p. 44-45.
3. Molé, dont les *Essais* sortirent de presse en décembre 1805.
4. Passages adaptés du Livre I, 8, p. 42-43.
5. *De la législation ou principes des lois,* Amsterdam, 1776, 2 vol. ; cf. nos études, *Mably et la postérité,* in *Revue des sciences humaines,* janvier-mars 1954, pp. 25-40 ; *Mably et ses contemporains,* ibid., juillet-septembre 1954, pp. 351-366 ; *Le « social » de Mably,* in *Revue d'histoire économique et sociale,* 1957, vol. 35, pp. 464-470.
6. Passage adapté du Livre XVI, *notes,* p. 456.

échapper à son pouvoir. A peine apercevait-il, n'importe chez quel peuple, une mesure vexatoire, qu'il pensait avoir fait une découverte, et qu'il la proposait pour modèle. Il détestait la liberté individuelle en ennemi personnel, et dès qu'il rencontrait une nation qui en était privée, n'eût-elle point de liberté politique, il ne pouvait s'empêcher de l'admirer. Il s'extasiait sur les Egyptiens, parce que, disait-il, tout chez eux était prescrit par la loi. Jusqu'aux délassements, jusqu'aux besoins, tout pliait sous l'empire du législateur. Tous les moments de la journée étaient remplis par quelque devoir. L'amour même était soumis à cette intervention respectée, et c'était la loi qui, tour à tour, ouvrait et fermait la couche nuptiale * [7].

Sparte qui réunissait des formes républicaines au même asservissement des individus, excita dans l'esprit de ce philosophe un enthousiasme plus vif encore. Ce couvent guerrier lui semblait l'idéal d'une république libre. Il avait pour Athènes un profond mépris, et il aurait dit volontiers de cette première nation de la Grèce, ce qu'un académicien grand Seigneur disait de l'académie : *quel épouvantable despotisme ! tout le monde y fait ce qu'il veut* [9].

Lorsque le flot des événements eut porté, à la tête de l'Etat, durant la révolution française, des hommes qui avaient adopté la philosophie comme un préjugé,

---

* Depuis quelque temps on nous a répété en France les mêmes absurdités sur les Egyptiens [8]. L'on nous a recommandé l'imitation d'un peuple, victime d'une double servitude, repoussé par ses prêtres du sanctuaire de toutes les connaissances, divisé en castes, dont la dernière était privée de tous les droits de l'état social, retenu dans une éternelle enfance, masse immobile, incapable également et de s'éclairer et de se défendre, et constamment la proye [h] du premier

7. Passage adapté du Livre XVI, 8, p. 438, 439, 440.

8. Benjamin Constant pense surtout à Ferrand dont l'*Esprit de l'histoire* parut à Paris en 1802. Cf. le Livre XVI, 8, n. 2, p. 453-454. Constant est revenu à la charge en 1817, dans le *Mercure de France*, cf. le *Recueil d'articles, 1817-1820*.

9. Passage adapté du Livre XVI, 8, p. 439.

M. Gauchet croit que le mot pourrait être du maréchal de Richelieu.

et la démocratie comme un fanatisme, ces hommes furent saisis pour Rousseau, pour Mably, et pour tous les écrivains de la même école d'une admiration sans bornes [10].

Les subtilités du premier, l'austérité du second, son intolérance, sa haine contre toutes les passions humaines, son avidité de les asservir toutes, ses principes exagérés sur la compétence de la loi, la différence de ce qu'il recommandait à ce qui avait existé, ses déclamations contre les richesses et même contre la propriété, toutes ces choses devaient charmer des hommes échauffés par une victoire récente, et qui, conquérants d'une puissance qu'on appelait loi, étaient bien aises d'étendre cette puissance sur tous les objets. C'était pour eux une autorité précieuse que des écrivains, qui, désintéressés dans la question, et prononçant anathème contre la royauté, avaient, long-temps avant le renversement du trône, rédigé en axiomes toutes les maximes nécessaires pour organiser sous le nom de république le despotisme le plus absolu [12].

Nos réformateurs voulurent donc exercer la force publique, comme ils avaient appris de leurs guides, qu'elle avait été jadis exercée dans les Etats libres de l'antiquité. Ils crurent que tout devait encore céder devant l'autorité collective, et que toutes les restrictions aux droits individuels seraient réparées par la participation au pouvoir social. Ils essayèrent de soumettre les Français à une multitude de lois despotiques qui les froissaient douloureusement dans ce qu'ils avaient de plus cher. Ils proposèrent à un peuple

conquérant qui venait envahir son territoire. Mais il faut reconnaître que ces nouveaux apologistes de l'Egypte sont plus conséquents que les philosophes qui lui ont prodigué les mêmes éloges. Ils ne mettent aucun prix à la liberté, à la dignité de notre nature, à l'activité de l'esprit, au développement des facultés intellectuelles. Ils se font les panégyristes du despotisme, pour en devenir les instruments [11].

10. Cf. notre *Mably et ses contemporains*, pp. 360-363.
11. Passage adapté du Livre XVI, 8, p. 439.
12. Passage adapté, depuis *son autorité, ibid.*, p. 440.

vieilli dans les jouissances le sacrifice de toutes ces
jouissances. Ils firent un devoir de ce qui devait être
volontaire ; ils entourèrent de contrainte jusqu'aux
célébrations de la liberté. Ils s'étonnaient que le
souvenir de plusieurs siècles ne disparût pas aussitôt
devant les décrets d'un jour. La loi étant l'expression
de la volonté générale, devait à leurs yeux l'emporter
sur toute autre puissance, même sur celle de la
mémoire et du temps. L'effet lent et graduel des
impressions de l'enfance, la direction que l'imagination avait reçue par une longue suite d'années leur
paraissaient des actes de révolte. Ils donnaient aux
habitudes le nom de malveillance. On eût dit, que la
malveillance était une puissance magique, qui, par je
ne sais quel miracle, forçait constamment le peuple à
faire le contraire de sa propre volonté. Ils attribuaient
à l'opposition les malheurs de la lutte, comme s'il était
jamais permis à l'autorité de faire des changements qui
provoquent une telle opposition, comme si les difficultés que ces changements rencontrent n'étaient pas à
elles seules la sentence de leurs auteurs [13].

Cependant tous ces efforts pliaient sans cesse sous le
poids de leur propre extravagance. Le plus petit saint,
dans le plus obscur hameau, résistait avec avantage à
toute l'autorité nationale, rangée en bataille contre lui.
Le pouvoir social blessait en tous sens l'indépendance
individuelle, sans en détruire le besoin. La nation ne
trouvait point qu'une part idéale à une souveraineté
abstraite valût ce qu'elle souffrait. On lui répétait
vainement avec Rousseau : les lois de la liberté sont
mille fois plus austères que n'est dur le joug des
tyrans [14]. Il en résultait qu'elle ne voulait pas de ces

13. Passage adapté, depuis *l'on fit un devoir, ibid.*, p. 441.

14. Parlant de la démocratie, Rousseau dit : « C'est surtout dans
cette constitution que le citoyen doit s'armer de force et de
constance, et dire chaque jour de sa vie au fond de son cœur ce que
disait un vertueux Palatin dans la diète de Pologne : *Malo periculo-
sam libertadem quam quietum servitium* », *Contrat social*, III, 4.

lois austères, et comme elle ne connaissait alors le joug des tyrans que par ouï-dire, elle croyait préférer le joug des tyrans ★ 15.

★ La disproportion de toutes ces mesures et de la disposition de la France, fut sentie dès l'origine, et avant même qu'elle fût parvenue au comble, par tous les hommes éclairés. Mais par une singulière méprise, ces hommes concluaient que c'était la nation, et non pas les lois qu'on lui imposait, qu'il fallait changer. « L'Assemblée nationale, disait Chamfort en 1789, a donné au peuple une constitution plus forte que lui. Il faut qu'elle se hâte d'élever la nation à cette hauteur. Les législateurs doivent faire comme ces médecins habiles qui, traitant un malade épuisé, font¹ passer les restaurants à l'aide des stomachiques 16. » Il y a ce malheur dans cette comparaison, que nos législateurs étaient eux-mêmes des malades, qui se disaient des médecins. On ne soutient point une nation à la hauteur à laquelle sa propre disposition ne l'élève pas. Pour la soutenir à ce point, il faut lui faire violence, et par cela même qu'on lui fait violence, elle s'affaisse et tombe à la fin plus bas qu'auparavant 17.

15. Idées et certaines expressions qu'on retrouve dans le Livre XVI, 8, p. 441.

16. Chamfort, *Maximes et Anecdotes*, chap. VIII, DXXVII : « L'Assemblée nationale de 1789 a donné au Peuple français une constitution plus forte que lui. Il faut qu'elle se hâte d'élever la Nation à cette hauteur, par une bonne éducation publique. Les législateurs doivent faire comme ces médecins habiles qui, traitant un malade épuisé, font passer les restaurants à l'aide des stomachiques », Monaco, 1944, éd. calquée sur le vol. IV des *Œuvres* de Chamfort, publiées par [Ginguené], en l'an III.

17. Passage adapté du Livre XVIII, 4, p. 491.

CHAPITRE IX

Des moyens employés pour donner
aux modernes la liberté des anciens

Les erreurs des hommes, qui exercent l'autorité,
n'importe à quel titre, ne sauraient être innocentes,
comme celles des individus. La force est toujours
derrière ces erreurs, prête à leur consacrer ses moyens
terribles.

Les partisans de la liberté antique devinrent furieux
de ce que les modernes ne voulaient pas être libres,
suivant leur méthode. Ils redoublèrent de vexations, le
peuple redoubla de résistance ; et les crimes succédè-
rent aux erreurs.

Pour la tyrannie, dit Machiavel, il faut tout changer[a] ; on peut dire aussi, que, pour tout changer, il
faut la tyrannie[1]. Nos législateurs le sentirent, et ils
proclamèrent que le despotisme était indispensable
pour fonder la liberté.

Il y a des axiomes qui paraissent clairs, parce qu'ils
sont courts. Les hommes rusés les jettent, comme
pâture, à la foule. Les sots s'en emparent, parce qu'ils
leur épargnent la peine de réfléchir, et ils les répètent,
pour se donner l'air de les comprendre. Des proposi-
tions, dont l'absurdité nous étonne, quand elles sont
analysées, se glissent ainsi dans mille têtes, sont
redites par mille bouches, et l'on est réduit sans cesse à
démontrer l'évidence[2].

1. Cf. Machiavel, *Discours sur la première décade de Tite-Live*,
Livre Iᵉʳ, chap. XXVI, in *Œuvres*, la Pléiade.
2. Les deux derniers passages sont adaptés du Livre XVIII, 4,
p. 491. La citation de Machiavel se retrouve dans Mᵐᵉ de Staël, *Des
circonstances actuelles*, p. 382, en note de l'éd. L. Omacini. Cf. aussi
Hofmann, II, p. 491, n. 37.

De ce nombre est l'axiome que nous venons de citer. Il a fait retentir dix ans toutes les tribunes françaises. Que signifie-t-il néanmoins ? La liberté n'est d'un prix inestimable que parce qu'elle donne à notre esprit de la justesse, à notre caractère de la force, à notre âme de l'élévation. Mais ces bienfaits ne tiennent-ils pas à ce que la liberté existe ? Si pour l'introduire, vous avez recours au despotisme, qu'établissez-vous ? de vaines formes. Le fonds vous échappera toujours[3].

Que faut-il dire à une nation, pour qu'elle se pénètre des avantages de la liberté ? Vous étiez opprimés par une minorité privilégiée ; le grand nombre était immolé à l'ambition de quelques-uns ; des lois inégales appuyaient le fort contre le faible. Vous n'aviez que des jouissances précaires, qu'à chaque instant l'arbitraire menaçait de vous enlever. Vous ne contribuiez ni à la confection de vos lois, ni à l'élection de vos magistrats. Tous ces abus vont disparaître, tous vos droits vous seront rendus.

Mais ceux qui prétendent fonder la liberté par le despotisme, que peuvent-ils dire ? Aucun privilège ne pèsera sur les citoyens ; mais tous les jours les hommes suspects seront frappés sans être entendus. La vertu sera la première ou la seule distinction ; mais les plus persécuteurs et les plus violents se créeront un patriciat de tyrannie, maintenu par la terreur. Les lois protégeront les propriétés. Mais l'expropriation sera le partage des individus ou des classes soupçonnées. Le peuple élira ses magistrats ; mais s'il ne les élit dans le sens prescrit d'avance, ses choix seront déclarés nuls. Les opinions seront libres ; mais toute opinion contraire, non seulement au système général, mais aux moindres mesures de circonstance, sera punie comme un attentat[4].

3. Passage adapté, depuis *La liberté n'est d'un prix inestimable*, du Livre XVIII, 4, p. 491.
4. Passages adaptés, *ibid.*, p. 492-493. Pour des rapprochements avec le texte de Mme de Staël, cf. *ibid.*, p. 492, n. 42 et 43.

Tel fut le langage, telle fut la pratique des réformateurs de la France, durant de longues années.

Ils remportèrent des victoires apparentes ; mais ces victoires étaient contraires à l'esprit de l'institution qu'ils voulaient établir ; et comme elles ne persuadaient point les vaincus, elles ne rassuraient point les vainqueurs. Pour former les hommes à la liberté, on les entourait de l'effroi des supplices. On rappelait avec exagération les tentatives qu'une autorité détruite s'était permises contre la pensée, et l'asservissement de la pensée était le caractère distinctif de la nouvelle autorité. On déclamait contre les gouvernements tyranniques, et l'on organisait le plus tyrannique des gouvernements.

On ajournait la liberté, disait-on, jusqu'à ce que les factions se fussent calmées ; mais les factions ne se calment que lorsque la liberté n'est plus ajournée. Les mesures violentes, adoptées comme dictature, en attendant l'esprit public, l'empêchent de naître. On s'agite dans un cercle vicieux. On marque une époque qu'on est certain de ne pas atteindre, car les moyens choisis pour l'atteindre ne lui permettent pas d'arriver. La force rend de plus en plus la force nécessaire. La colère s'accroît par la colère. Les lois se forgent comme des armes ; les codes deviennent des déclarations de guerre, et les amis aveugles de la liberté, qui ont cru l'imposer par le despotisme, soulèvent contre eux toutes les âmes libres, et n'ont pour appuis que les plus vils flatteurs du pouvoir.

Au premier rang des ennemis que nos démagogues avaient à combattre, se trouvaient les classes qui avaient profité de l'organisation sociale abattue, et dont les privilèges, abusifs peut-être, avaient été pourtant des moyens de loisir, de perfectionnement et de lumières. Une grande indépendance de fortune est une garantie contre plusieurs genres de bassesses et de vices. La certitude de se voir respecté est un préservatif contre cette vanité inquiète et ombrageuse, qui partout aperçoit l'insulte, ou suppose le dédain, passion implacable, qui se venge par le mal qu'elle fait de la douleur qu'elle éprouve. L'usage des formes douces et l'habitude des nuances ingénieuses donnent à l'âme une susceptibilité délicate, à l'esprit une rapide flexibilité[5].

Il fallait profiter de ces qualités précieuses. Il fallait entourer l'esprit chevaleresque de barrières, qu'il ne pût franchir, mais lui laisser un noble élan, dans la carrière que la nature rend commune à tous. Les Grecs épargnaient les captifs qui récitaient des vers d'Euripide. La moindre lumière, le moindre germe de la pensée, le moindre sentiment doux, la moindre forme élégante, doivent être soigneusement protégés. Ce sont autant d'éléments indispensables au bonheur social. Il faut les sauver de l'orage. Il le faut, et pour l'intérêt de la justice, et pour celui de la liberté. Car toutes ces choses aboutissent à la liberté, par des routes plus ou moins directes[6].

Nos réformateurs fanatiques confondirent les époques, pour rallumer et entretenir les haines. Comme on était remonté aux Francs et aux Goths, pour consacrer des distinctions oppressives, ils remontèrent aux Francs et aux Goths, pour trouver des prétextes d'oppression en sens inverse. La vanité avait cherché des titres d'honneur dans les archives et dans les chroniques. Une vanité plus âpre et plus vindicative puisa dans les chroniques et dans les archives des actes d'accusation. On ne voulut ni tenir compte des temps, ni distinguer les nuances, ni rassurer les appréhensions, ni pardonner aux prétentions passagères, ni laisser de vains murmures s'éteindre, de puériles menaces s'évaporer. On enregistra les engagements de l'amour-propre. On ajouta aux distinctions qu'on voulait abolir, une distinction nouvelle, la persécution, et en accompagnant leur abolition de rigueurs

5. Passage adapté, depuis *Une grande indépendance de fortune*, du Livre X, 12, p. 228-229.
6. Passage adapté, depuis *Les Grecs épargnaient*, du Livre XVIII, 5, p. 496. Rapprochement avec le texte de Mme de Staël, *ibid.*, n. 48.

injustes, on leur ménagea l'espoir assuré de ressusciter avec la justice[7].

Dans toutes les luttes violentes, les intérêts accourent sur les pas des opinions exaltées, comme les oiseaux de proye[b] suivent les armées prêtes à combattre. La haine, la vengeance, la cupidité, l'ingratitude, parodièrent effrontément les plus nobles exemples, parce qu'on en avait recommandé maladroitement l'imitation. L'ami perfide, le débiteur infidèle, le délateur obscur, le juge prévaricateur, trouvèrent leur apologie écrite d'avance dans la langue convenue. Le patriotisme devint l'excuse bannale[c] préparée pour tous les délits[8]. Les grands sacrifices, les actes de dévouement, les victoires remportées sur les penchants naturels par le républicanisme austère de l'antiquité, servirent de prétexte au déchaînement effréné des passions égoïstes. Parce que, jadis, des pères inexorables, mais justes, avaient condamné leurs fils coupables, leurs modernes copistes livrèrent aux bourreaux leurs ennemis innocents[9]. La vie la plus obscure, l'existence la plus immobile, le nom le plus ignoré, furent d'impuissantes sauvegardes. L'inaction parut un crime, les affections domestiques un oubli de la patrie, le bonheur un désir suspect. La foule, corrompue à la fois par le péril et par l'exemple, répétait en tremblant le symbole commandé et s'épouvantait du bruit de sa propre voix. Chacun fesoit[d] nombre et s'effrayait du nombre qu'il contribuait à augmenter. Ainsi se répandit sur la France, cet inexplicable vertige qu'on a nommé le règne de la terreur[10]. Qui peut être surpris, de ce que le peuple s'est détourné du but vers lequel on voulait le conduire par une semblable route ?

Non seulement les extrêmes se touchent, mais ils se suivent. Une exagération produit toujours l'exagéra-

---

7. Passage adapté du Livre X, 12, p. 228.
8. Les deux dernières phrases sont adaptées du Livre XVIII, 5, p. 499.
9. Passage adapté du Livre XVI, 8, p. 438.
10. Phrase adaptée du Livre XVIII, 5, p. 499.

tion contraire*. Lorsque de certaines idées se sont associées à de certains mots, l'on a beau démontrer que cette association est abusive, ces mots reproduits rappellent longtemps les mêmes idées. C'est au nom de la liberté qu'on nous a donné des prisons, des échaffauds[e], des vexations innombrables. Ce nom, signal de mille mesures odieuses et tyranniques, a dû réveiller la haine et l'effroi.

Mais a-t-on raison d'en conclure que les modernes sont disposés à se résigner au despotisme ? quelle a été la cause de leur résistance obstinée à ce qu'on leur offrait comme liberté ? Leur volonté ferme de ne sacrifier ni leur repos, ni leurs habitudes, ni leurs jouissances. Or, si le despotisme est l'ennemi le plus irréconciliable de tout repos et de toutes jouissances, n'en résulte-t-il pas, qu'en croïant[f] abhorrer la liberté, les modernes n'ont abhorré que le despotisme ?

---

* « Tout ce qui tend à restreindre les droits du roi, disait M. de Clermont-Tonnerre en 1790[12], est accueilli avec transport, parce qu'on se rappelle les abus de la royauté. Il viendra peut-être un temps, où tout ce qui tendra à restreindre les droits du peuple sera accueilli avec le même fanatisme, parce que l'on aura non moins fortement senti les dangers de l'anarchie[11]. »

11. Clermont-Tonnerre, *Recueil d'opinions*, Paris, 1791, t. II, p. 232, repris des *Additions* aux *Principes*, p. 517, n. 6. Benjamin Constant le cite encore dans ses *Principes* de 1815 et dans ses articles (cf. le *Recueil d'articles, 1817-1820*).

12. Clermont-Tonnerre (Stanislas-Marie-Adélaïde, comte de) (1757-1792), colonel au régiment de Royal-Navarre, élu, le 6 mai 1789, député de la noblesse aux Etats généraux, se réunit au tiers état, vota l'abolition des privilèges (nuit du 4-Août), l'établissement des deux Chambres et du veto royal, fonda avec Malouet le club monarchique ; il fut massacré le 10 août 1792.

CHAPITRE X

L'aversion des modernes
pour cette prétendue liberté implique-t-elle
en eux l'amour du despotisme ?

Je n'entends nullement par despotisme les gouvernements où les pouvoirs ne sont pas expressément
limités, mais où il y a pourtant des intermédiaires, où
une tradition de liberté et de justice contient les agents
de l'administration, où l'autorité ménage les habitudes, où l'indépendance des tribunaux est respectée.
Ces gouvernements peuvent être imparfaits. Ils le sont
d'autant plus que les garanties qu'ils établissent sont
moins assurées ; mais ils ne sont pas purement despotiques.

J'entends par despotisme un gouvernement où la
volonté du maître est la seule loi, où les corporations,
s'il en existe, ne sont que ses organes, où ce maître se
considère comme le seul propriétaire de son empire, et
ne voit dans ses sujets que des usufruitiers, où la
liberté peut être ravie aux citoyens, sans que l'autorité
daigne expliquer ses motifs, et sans qu'on en puisse
réclamer la connaissance, où les tribunaux sont subordonnés aux caprices du pouvoir, où leurs sentences
peuvent être annullées[a], où les absous sont traduits
devant de nouveaux juges, instruits par l'exemple de
leurs prédécesseurs, qu'ils ne sont là que pour
condamner.

Il y a vingt ans qu'aucun gouvernement pareil
n'existait en Europe. Il en existe un maintenant, c'est
celui de France. J'écarte ici tout ce qui tient à ses
conséquences pratiques. J'en traiterai plus loin. Je ne

parle à présent que du principe, et j'affirme que ce principe est le même que celui du gouvernement, que les modernes ont détesté, quand il arborait les étendarts[b] de la liberté. Ce principe, c'est l'arbitraire. L'unique différence, c'est qu'au lieu de s'exercer au nom de tous, il s'exerce au nom d'un seul. Est-ce une raison pour qu'il soit plus supportable, et pour que les hommes se réconcilient plus volontiers avec lui ?

CHAPITRE XI

SOPHISME EN FAVEUR DE L'ARBITRAIRE
EXERCÉ PAR UN SEUL HOMME

Oui, disent ses apologistes, l'arbitraire, concentré dans une seule main, n'est pas dangereux, comme lorsque des factieux se le disputent ; l'intérêt d'un seul homme, investi d'un pouvoir immense, est toujours le même que celui du peuple *. Laissons de côté pour le moment les lumières que nous fournit l'expérience. Analysons l'assertion en elle-même.

L'intérêt du dépositaire d'une autorité sans bornes est-il nécessairement conforme à celui de ses sujets ? Je vois bien que ces deux intérêts se rencontrent aux extrémités de la ligne qu'ils parcourent ; mais ne se séparent-ils pas au milieu ? En fait d'impôts, de guerres, de mesures de police, l'intervalle est vaste entre ce qui est juste, c'est-à-dire indispensable, et ce qui serait évidemment dangereux pour le maître même. Si le pouvoir est illimité, celui qui l'exerce, en le supposant raisonnable, ne dépassera pas ce dernier terme, mais il excédera souvent le premier. Or l'excéder est déjà un mal.

Secondement, admettons cet intérêt identique. La

---

* La souveraine justice de Dieu, dit un écrivain français [1], tient à sa souveraine puissance, et il en conclut que la souveraine puissance est toujours la souveraine justice. Pour completter [a] le raisonnement, il aurait dû affirmer que le dépositaire de cette puissance sera toujours semblable à Dieu.

1. Ferrand, *Esprit de l'histoire*, 2e éd., I, 445, cité par Constant.

garantie qu'il nous procure est-elle infaillible ? On dit tous les jours que l'intérêt bien entendu de chacun l'invite à respecter les règles de la justice ; on fait néanmoins des lois contre ceux qui les violent ; tant il est constaté que les hommes s'écartent fréquemment de leur intérêt bien entendu [*][2] !

Enfin, le gouvernement, quelle que soit sa forme, réside-t-il de fait dans le possesseur de l'autorité suprême ? Le pouvoir ne se subdivise-t-il pas ? ne se partage-t-il point entre des milliers de subalternes ? l'intérêt de ces innombrables gouvernants est-il alors le même que celui des gouvernés ? non sans doute. Chacun d'eux a tout près de lui quelque égal ou quelque inférieur dont les pertes l'enrichiraient, dont l'humiliation flatterait sa vanité, dont l'éloignement le délivrerait d'un rival, d'un surveillant incommode [3].

Pour défendre le système qu'on veut établir, ce n'est pas l'identité de l'intérêt, c'est l'universalité du désintéressement qu'il faut démontrer.

En haut de la hiérarchie politique, un homme sans passions, sans caprices, inaccessible à la séduction, à la haine, à la faveur, à la colère, à la jalousie, actif, vigilant, tolérant pour toutes les opinions, n'attachant aucun amour-propre à persévérer dans les erreurs qu'il aurait commises, dévoré du désir du bien, et sachant néanmoins résister à l'impatience et respecter les droits du temps ; plus bas, dans la gradation des pouvoirs, des ministres doués des mêmes vertus, existant dans la dépendance sans être serviles, au milieu de l'arbitraire, sans être tentés de s'y prêter par crainte ou d'en abuser par égoïsme, enfin, partout, dans les fonctions inférieures, même réunion de

* Il est insensé de croire, dit Spinoza, que celui-là seul ne sera pas entraîné par ses passions, dont la situation est telle qu'il est entouré des tentations les plus fortes, et qu'il a plus de facilité et moins de danger à leur céder [4].

2. La dernière phrase est adaptée du Livre XVII, 3, p. 468.
3. Passage adapté, depuis *Le pouvoir ne se subdivise*, *ibid.*, p. 466.
4. Passage reproduit d'une note de Benjamin Constant, *ibid.*, Livre XVII, p. 471.

qualités rares, même amour de la justice, même oubli de soi, telles sont les hypothèses nécessaires ; les regardez-vous comme probables [5] ?

Si cet enchaînement de vertus surnaturelles se trouve rompu dans un seul anneau, tout est en péril. Vainement les deux moitiés ainsi séparées resteront irréprochables ; la vérité ne remontera plus avec exactitude jusqu'au faîte du pouvoir ; la justice ne descendra plus, entière et pure, dans les rangs obscurs du peuple. Une seule transmission infidèle suffit pour tromper l'autorité et pour l'armer contre l'innocence.

Lorsqu'on vante le despotisme, l'on croit toujours n'avoir de rapports qu'avec le despote ; mais on en a d'inévitables avec tous les agents subalternes. Il ne s'agit plus d'attribuer à un seul homme des facultés distinguées et une équité à toute épreuve. Il faut supposer l'existence de cent ou deux cent mille créatures angéliques, au-dessus de toutes les faiblesses et de tous les vices de l'humanité [6].

On abuse donc les Français, lorsqu'on leur dit, l'intérêt du maître est d'accord avec le vôtre. Tenez-vous tranquilles ; l'arbitraire ne vous atteindra pas. Il ne frappe que les imprudents qui le provoquent. Celui qui se résigne et se tait se trouve partout à l'abri.

Rassuré par ce vain sophisme, ce n'est pas contre les oppresseurs qu'on s'élève, c'est aux opprimés qu'on cherche des torts. Nul ne sait être courageux, même par prudence. On ouvre à la tyrannie un libre passage, se flattant d'être ménagé. Chacun marche les yeux baissés dans l'étroit sentier qui doit le conduire en sûreté vers la tombe. Mais quand l'arbitraire est toléré, il se dissémine de manière que le citoyen le plus inconnu peut tout à coup le rencontrer armé contre lui.

Quelles que soient les espérances des âmes pusillanimes, heureusement pour la moralité de l'espèce

5. Passage adapté du Livre XVII, 3, p. 467.
6. Les idées des deux derniers passages se retrouvent dans le Livre V, 3, p. 98.

humaine, il ne suffit pas de se tenir à l'écart et de laisser frapper les autres. Mille liens nous unissent à nos semblables, et l'égoïsme le plus inquiet ne parvient pas à les briser tous. Vous vous croyez invulnérable dans votre obscurité volontaire ; mais vous avez un fils, la jeunesse l'entraîne ; un frère, moins prudent que vous, se permet un murmure ; un ancien ennemi, qu'autrefois vous avez blessé, a su conquérir quelque influence. Votre maison d'Albe charme les regards d'un prétorien. Que ferez-vous alors ? après avoir, avec amertume, blâmé toute réclamation, rejeté toute plainte, vous plaindrez-vous à votre tour ? Vous êtes condamné d'avance, et par votre propre conscience, et par cette opinion publique avilie, que vous avez contribué vous-même à former. Céderez-vous sans résistance ? mais vous permettra-t-on de céder ? n'écartera-t-on pas, ne poursuivra-t-on point un objet importun, monument d'une injustice ? Des innocents ont disparu, vous les avez jugés coupables[7]. Vous avez donc frayé la route où vous marchez à votre tour.

---

7. Ce chapitre a été également inspiré par les *Réactions politiques* de Benjamin Constant, Paris, 1799, chap. IX.

CHAPITRE XII

DES EFFETS DE L'ARBITRAIRE
SUR LES DIVERSES PARTIES DE L'EXISTENCE HUMAINE

L'arbitraire, soit qu'il s'exerce au nom d'un seul ou au nom de tous, poursuit l'homme dans tous ses moyens de repos et de bonheur.

Il détruit la morale, car il n'y a point de morale sans sécurité; il n'y a point d'affections douces, sans la certitude que les objets de ces affections reposent à l'abri, sous la sauvegarde de leur innocence. Lorsque l'arbitraire frappe sans scrupule les hommes qui lui sont suspects, ce n'est pas seulement un individu qu'il persécute, c'est la nation entière qu'il indigne d'abord, et qu'il dégrade ensuite[1]. Les hommes tendent toujours à s'affranchir de la douleur. Quand ce qu'ils aiment est menacé, ils s'en détachent ou le défendent. Les mœurs, dit M. de Paw[2], se corrompent subitement dans les villes attaquées de la peste. On s'y vole l'un l'autre en mourant. L'arbitraire est au moral ce que la peste est au physique. Chacun repousse le compagnon d'infortune qui voudrait s'attacher à lui. Chacun abjure les liens de sa vie passée. Il s'isole pour se défendre, et ne voit dans la faiblesse ou l'amitié qui l'implorent qu'un obstacle à sa sûreté. Une seule chose conserve son prix. Ce n'est pas l'opinion publique. Il n'existe plus ni gloire pour les puissants, ni respect

---

1. Phrase adaptée du Livre V, 4, p. 99.
2. Cf. Cornelius de Pauw, *Recherches sur les Grecs*, Berlin, 1787-1788, t. I, pp. 174-175.

pour les victimes. Ce n'est pas la justice, ses lois sont méconnues et ses formes profanées. C'est la richesse. Elle peut désarmer la tyrannie; elle peut séduire quelques-uns de ses agents, appaiser[a] la proscription, faciliter la fuite, répandre quelques jouissances passagères sur une vie toujours menacée. On amasse pour jouir. On jouit pour oublier des dangers inévitables. On oppose au malheur d'autrui la dureté, au sien propre l'insouciance. On voit couler le sang à côté des fêtes. On étouffe la sympathie en stoïcien farouche; on se précipite dans le plaisir en sybarite voluptueux[3].

Lorsqu'un peuple contemple froidement une succession d'actes tyranniques, lorsqu'il voit sans murmure les prisons s'encombrer, se multiplier les lettres d'exil, croit-on qu'il suffise, au milieu de ce détestable exemple, de quelques phrases bannales[b], pour ranimer les sentiments honnêtes et généreux? L'on parle de la nécessité de la puissance paternelle; mais le premier devoir d'un fils est de défendre son père opprimé; et lorsque vous enlevez un père du milieu de ses enfants, lorsque vous forcez ces derniers à garder un lâche silence, que devient l'effet de vos maximes et de vos codes, de vos déclamations et de vos lois? L'on rend hommage à la sainteté du mariage; mais sur une dénonciation ténébreuse, sur un simple soupçon, par une mesure qu'on appelle de police, on sépare un époux de sa femme, une femme de son mari! pense-t-on que l'amour conjugal s'éteigne et renaisse tour à tour, comme il convient à l'autorité? L'on vante les liens domestiques; mais la sanction des liens domestiques, c'est la liberté individuelle, l'espoir fondé de vivre ensemble, de vivre libre, dans l'azyle[c] que la justice garantit aux citoyens. Si les liens domestiques existaient, les pères, les enfants, les époux, les femmes, les amis, les proches de ceux que l'arbitraire opprime se soumettraient-ils à cet arbitraire? On parle

---

3. Passage adapté, depuis *Chacun repousse*, du Livre XVIII, 5, pp. 499-500. Rapprochement avec le texte de Mme de Staël, *ibid.*, p. 499.

de crédit, de commerce, d'industrie; mais celui qu'on arrête a des créanciers, dont la fortune s'appuye[d] sur la sienne, des associés intéressés à ses entreprises. L'effet de sa détention n'est pas seulement la perte momentanée de sa liberté, mais l'interruption de ses spéculations, peut-être sa ruine. Cette ruine s'étend à tous les co-partageants de ses intérêts. Elle s'étend plus loin encore; elle frappe toutes les opinions, elle ébranle toutes les sécurités. Lorsqu'un individu souffre sans avoir été reconnu coupable, tout ce qui n'est pas dépourvu d'intelligence se croit menacé, et avec raison, car la garantie est détruite. L'on se tait, parce qu'on a peur; mais toutes les transactions s'en ressentent. La terre tremble et l'on ne marche qu'avec effroi*[4].

Tout se tient dans nos associations nombreuses, au milieu de nos relations si compliquées. Les injustices qu'on nomme partielles sont d'intarissables sources de malheur public. Il n'est pas donné au pouvoir de les

* Une des grandes erreurs de la nation française, c'est de n'avoir jamais attaché suffisamment d'importance à la liberté individuelle. On se plaint de l'arbitraire, quand on est frappé par lui, mais plutôt comme d'une erreur que comme d'une injustice; et peu d'hommes, dans la longue série de nos oppressions diverses, se sont donnés le facile mérite de réclamer pour des individus d'un parti différent du leur. Je ne sai[e] quel écrivain[5] a déjà remarqué que M. de Montesquieu, qui défend avec force les droits de la propriété particulière, contre l'intérêt même de l'Etat, traite avec beaucoup moins de chaleur la question de la liberté des individus[6], comme si les personnes étaient moins sacrées que les biens. Il y a une cause toute simple, pour que, chez un peuple distrait et égoïste, les droits de la liberté individuelle soient moins bien protégés que ceux de la propriété. L'homme auquel on enlève sa liberté est désarmé par ce fait même, au lieu que l'homme qu'on dépouille de sa propriété conserve sa liberté pour la réclamer. Ainsi, la liberté n'est jamais défendue que par les amis de l'opprimé; la propriété l'est par l'opprimé lui-même. On conçoit que la vivacité des réclamations soit différente dans les deux cas[7].

4. Passage adapté du Livre V, 4, pp. 99-100.
5. Sans doute, Benjamin Constant lui-même.
6. Cf. Montesquieu, *Esprit des lois*, XXVI, 15.
7. Note adaptée du Livre V, 1, p. 93-94.

circonscrire dans une sphère déterminée. On ne saurait faire la part de l'iniquité. Une seule loi barbare décide de la législation tout entière. Aucune loi juste ne demeure inviolable, auprès d'une seule mesure qui soit illégale. On ne peut refuser la liberté aux uns, et l'accorder aux autres. Supposez un seul acte de rigueur contre des hommes qui ne soient pas convaincus, toute liberté devient impossible. Celle de la presse ? on s'en servira pour émouvoir le peuple en faveur de victimes peut-être innocentes. La liberté individuelle ? Ceux que vous poursuivez s'en prévaudront pour vous échapper. La liberté d'industrie ? Elle fournira des ressources aux proscrits. Il faudra donc les gêner toutes, les anéantir également. Les hommes voudraient transiger avec la justice, sortir de son cercle pour un jour, pour un obstacle, et rentrer ensuite dans l'ordre. Ils voudraient la garantie de la règle et le succès de l'exception. La nature s'y oppose ; son système est complet et régulier. Une seule déviation le détruit, comme, dans un calcul arithmétique, l'erreur d'un chiffre ou de mille fausse de même le résultat [8].

---

8. Passage adapté du Livre XVII, 4, pp. 491-495. Rapprochement avec le texte de Mme de Staël, *ibid.*, p. 495.

CHAPITRE XIII

Des effets de l'arbitraire
sur les progrès intellectuels

L'homme n'a pas uniquement besoin de repos,
d'industrie, de bonheur domestique, de vertus privées. La nature lui a donné aussi des facultés, sinon
plus nobles, du moins plus brillantes. Ces facultés
plus que toutes les autres sont menacées par l'arbitraire ; après avoir essayé de les plier à son usage, irrité
qu'il est de leur résistance, il finit par les étouffer.

Il y a, dit Condillac, *deux sortes de barbarie, l'une qui
précède les siècles éclairés, l'autre qui leur succède*[1]. La
première est un état désirable, si vous la comparez
avec la seconde. Mais c'est seulement vers la seconde
que l'arbitraire peut aujourd'hui ramener les peuples ;
et par là même leur dégradation est plus rapide, car ce
qui avilit les hommes, ce n'est point de ne pas avoir
une faculté, c'est de l'abdiquer[2].

Je suppose une nation éclairée, enrichie des travaux
de plusieurs générations studieuses, possédant des
chefs-d'œuvre de tout genre, aïant[a] fait d'immenses
progrès dans les sciences et dans les arts. Si l'autorité
mettait des entraves à la manifestation de la pensée, et
à l'activité de l'esprit, cette nation pourrait vivre
quelque temps sur ses capitaux anciens, pour ainsi

---

1. Condillac, *Introduction à l'étude de l'histoire*, in *Cours d'étude pour l'instruction du prince de Parme*, 1755, *Œuvres philosophiques*, Paris, 1748, p. 9.
2. La phrase, depuis *ce qui avilit*, est adaptée du Livre VII, 5, p. 143.

dire, sur ses lumières acquises; mais rien ne se renouvellerait dans ses idées; le principe reproducteur serait desséché. Durant quelques années, la vanité suppléerait à l'amour des lumières. Des sophistes, se rappelant l'éclat et la considération que donnaient auparavant les travaux littéraires, se livreraient à des travaux du même genre en apparence. Ils combattraient avec des écrits le bien que des écrits auraient fait, et tant qu'il resterait quelque trace des principes libéraux, il y aurait dans la littérature une espèce de mouvement, une sorte de lutte contre ces écrits et ces principes. Mais ce mouvement serait un héritage de la liberté détruite. A mesure qu'on en ferait disparaître les derniers vestiges, les dernières traditions, il y aurait moins de succès et moins de profit à continuer des attaques, chaque jour plus superflues. Quand tout aurait disparu, le combat finirait, parce que les combattants n'apercevraient plus d'adversaires, et les vainqueurs, comme les vaincus garderaient le silence. Qui sait si l'autorité ne jugerait pas utile de l'imposer? Elle ne voudrait pas que l'on réveillât des souvenirs éteints, qu'on agitât des questions délaissées. Elle pèserait sur ses acolytes trop zélés, comme autrefois sur ses ennemis. Elle défendrait d'écrire même dans son sens, sur les intérêts de l'espèce humaine, comme je ne sai^e quel gouvernement dévot avait interdit de parler de Dieu en bien ou en mal. On déclarerait sur quelles questions l'esprit humain pourrait s'exercer. On lui permettrait de s'ébattre, avec subordination toutefois, dans l'enceinte qui lui serait concédée. Mais anathème à lui, s'il franchit cette enceinte, si, n'abjurant pas sa céleste origine, il se livre à des spéculations défendues, s'il ose penser que sa destination la plus noble n'est pas la décoration ingénieuse de sujets frivoles, la louange adroite, la déclamation sonore, sur des objets indifférents, mais que le ciel et sa nature l'ont constitué tribunal éternel, où tout s'analyse, où tout s'examine, où tout se juge en dernier ressort. Ainsi la carrière de la pensée proprement dite, serait définitivement fermée. La génération éclairée disparaîtrait graduellement. La génération suivante, ne voyant dans les occupations intellectuelles aucun avantage, y voyant même des dangers, s'en détacherait sans retour.

En vain direz-vous que l'esprit humain pourrait briller encore dans la littérature légère, qu'il pourrait se livrer aux sciences exactes et naturelles, qu'il pourrait s'adonner aux arts. La nature, en créant l'homme, n'a pas consulté l'autorité. Elle a voulu que toutes nos facultés eussent entre elles une liaison intime, et qu'aucune ne pût être limitée, sans que les autres s'en ressentissent. L'indépendance de la pensée est aussi nécessaire, même à la littérature légère, aux sciences et aux arts que l'air à la vie physique. L'on pourrait aussi bien faire travailler des hommes sous une pompe pneumatique, en disant qu'on n'exige pas d'eux qu'ils respirent, mais qu'ils remuent les bras et les jambes, que maintenir l'activité de l'esprit sur un sujet donné, en l'empêchant de s'exercer sur les objets importants qui lui rendent son énergie, parce qu'ils lui rappellent sa dignité. Les littérateurs ainsi garrottés font d'abord des panégyriques; mais ils deviennent peu à peu incapables même de louer, et la littérature finit par se perdre dans les anagrammes et les acrostiches. Les savants ne sont plus que les dépositaires de découvertes anciennes, qui se détériorent et se dégradent entre des mains chargées de fers. La source du talent se tarit chez les artistes, avec l'espoir de la gloire qui ne se nourrit que de liberté, et par une relation mystérieuse, mais incontestable, entre des choses que l'on croyait pouvoir s'isoler, ils n'ont plus la faculté de représenter noblement la figure humaine, lorsque l'âme humaine est avilie.

Et ce ne serait pas tout encore. Bientôt le commerce, les professions et les métiers les plus nécessaires se ressentiraient de cette apathie. Le commerce n'est pas à lui seul un mobile d'activité suffisant. L'on s'exagère l'influence de l'intérêt personnel. L'intérêt personnel a besoin pour agir de l'existence de l'opinion. L'homme dont l'opinion languit étouffée, n'est pas longtemps excité, même par son intérêt. Une sorte de stupeur s'empare de lui ; et comme la paralysie s'étend d'une portion du corps à l'autre, elle s'étend aussi de l'une à l'autre de nos facultés.

L'intérêt, séparé de l'opinion, est borné dans ses besoins, et facile à contenter dans ses jouissances. Il travaille juste ce qu'il faut pour le présent, mais ne prépare rien pour l'avenir. Ainsi les gouvernements qui veulent tuer l'opinion, et croyent[b] encourager l'intérêt, se trouvent, par une opération double et maladroite, les avoir tués tous les deux.

Il y a sans doute un intérêt qui ne s'éteint pas sous l'arbitraire ; mais ce n'est pas celui qui porte l'homme au travail. C'est celui qui le porte à mendier, à piller, à s'enrichir des faveurs de la puissance et des dépouilles de la faiblesse. Cet intérêt n'a rien de commun avec le mobile nécessaire aux classes laborieuses. Il donne aux alentours des despotes une grande activité ; mais il ne peut servir de levier ni aux efforts de l'industrie, ni aux spéculations du commerce[c].

L'indépendance intellectuelle a de l'influence même sur les succès militaires. L'on n'aperçoit pas au premier coup d'œil la relation qui existe entre l'esprit public d'une nation et la discipline ou la valeur d'une armée. Cette relation pourtant est constante et nécessaire. On aime de nos jours à ne considérer les soldats que comme des instruments dociles qu'il suffit de savoir habilement employer. Cela n'est que trop vrai à certains égards. Il faut néanmoins que ces soldats ayent[d] la conscience qu'il existe derrière eux une certaine opinion publique. Elle les anime presque sans qu'ils la connaissent. Elle ressemble à cette musique, au son de laquelle ces mêmes soldats s'avancent à l'ennemi. Nul n'y prête une attention suivie, mais tous sont remués, encouragés, entraînés par elle[3]. Ce fut avec l'esprit public de la Prusse, autant qu'avec ses légions, que le grand Frédéric repoussa l'Europe

---

3. Les passages précédents sont adaptés du Livre VII, 5, p. 143.

coalisée. Cet esprit public s'était formé de l'indépendance que ce monarque avait laissée toujours au développement des facultés intellectuelles[4]. Durant la guerre de sept ans, il éprouva de fréquents revers. Sa capitale fut prise, ses armées furent dispersées ; mais il y avait je ne sai^e quelle élasticité qui se communiquait de lui à son peuple et de son peuple à lui. Les vœux de ses sujets réagissaient sur ses défenseurs. Ils les appuyaient d'une sorte d'atmosphère d'opinion qui les soutenait et doublait leurs forces *[5].

Je ne me déguise point, en écrivant ces lignes, qu'une classe d'écrivains n'y verra qu'un sujet de moquerie[6]. Ils veulent à toute force qu'il n'y ait rien de moral dans le gouvernement de l'espèce humaine ; ils mettent ce qu'ils ont de facultés à prouver l'inutilité et l'impuissance de ces facultés. Ils constituent l'état social avec un petit nombre d'éléments bien simples, des préjugés pour tromper les hommes, des supplices pour les effrayer, de l'avidité pour les corrompre, de la frivolité pour les dégrader, de l'arbitraire pour les conduire, et il le faut bien, des connaissances positives et des sciences exactes, pour servir plus adroitement cet arbitraire. Je ne puis croire que ce soit le terme de quarante siècles de travaux[7].

La pensée est le principe de tout. Elle s'applique à

---

* Ces considérations que j'écrivais, il y a huit ans, m'ont fourni depuis lors une preuve bien frappante du triomphe assuré des principes vrais. Cette Prusse, que je présentais comme exemple de la force morale d'une nation éclairée, a paru tout à coup avoir perdu son énergie et toutes ses vertus belliqueuses. Les amis, auxquels j'avais communiqué mon ouvrage, me demandaient, après la bataille de Iéna, ce qu'étaient devenus les rapports de l'esprit public avec les victoires. Quelques années se sont écoulées, et la Prusse s'est relevée de sa chute ; elle s'est placée au premier rang des nations ; elle a conquis des droits à la reconnaissance des générations futures, au respect et à l'enthousiasme de tous les amis de l'humanité.

4. Phrases adaptées du Livre VII, 4, pp. 140-141.
5. Phrases adaptées, *ibid.*, p. 141.
6. Passage adapté, *ibid.*, p. 141.
7. Passage adapté du Livre XVI, 7, p. 436.

l'industrie, à l'art militaire, à toutes les sciences, à tous les arts, elle leur fait faire des progrès, puis en analysant ces progrès, elle étend son propre horizon. Si l'arbitraire veut la restreindre, la morale en sera moins saine *, les connaissances de fait moins exactes, les sciences moins actives dans leur développement, l'art militaire moins avancé, l'industrie moins enrichie par des découvertes [8].

L'existence humaine, attaquée dans ses parties les plus nobles, sent bientôt le poison s'étendre jusqu'aux parties les plus éloignées. Vous croyez n'avoir fait que la borner dans quelque liberté superflue, ou lui retrancher quelque pompe inutile. Votre arme empoisonnée l'a blessée au cœur [9].

L'on nous parle souvent, je le sais[e], d'un cercle prétendu que parcourt l'esprit humain, et qui, dit-on, ramène, par une fatalité inévitable, l'ignorance après les lumières, la barbarie après la civilisation. Mais, par malheur pour ce système, le despotisme s'est toujours glissé entre ces époques, de manière qu'il est difficile de ne pas l'accuser d'entrer pour quelque chose dans cette révolution [11].

La véritable cause de ces vicissitudes dans l'histoire des peuples, c'est que l'intelligence de l'homme ne peut rester stationnaire ; si vous ne l'arrêtez pas, elle avance ; si vous l'arrêtez, elle recule. Si vous la découragez sur elle-même, elle ne s'exercera plus sur aucun objet qu'avec langueur. On dirait qu'indignée de se voir exclue de la sphère qui lui est propre, elle veut se venger, par un noble suicide, de l'humiliation qui lui est infligée [12].

---

* Le voyage de Barrow en Chine [10] peut servir à montrer ce que devient pour la morale, comme pour tout le reste, un peuple frappé d'immobilité, par l'autorité qui le régit.

8. Passage adapté du Livre VII, 5, p. 147.
9. Passage adapté, *ibid.*
10. John Barrow, *Voyage en Chine, formant le complément du voyage de Lord Maccartney*, trad. par J. Castéra, Paris, 1805, 3 vol.
11. Passage adapté du Livre VII, 5, pp. 147-148.
12. Passage adapté, depuis *Si vous le découragez, ibid.*, p. 148.

Il n'est pas au pouvoir de l'autorité d'assoupir ou de réveiller les peuples, suivant ses convenances ou ses fantaisies momentanées. La vie n'est pas une chose qu'on ôte et qu'on rende tour à tour.

Que si le gouvernement voulait suppléer par son activité propre à l'activité naturelle de l'opinion enchaînée, comme dans les places assiégées, on fait piaffer entre des colonnes les chevaux qu'on tient renfermés, il se chargerait d'une tâche difficile.

D'abord une agitation toute artificielle est chère à entretenir. Lorsque chacun est libre, chacun s'intéresse et s'amuse de ce qu'il fait, de ce qu'il dit, de ce qu'il écrit. Mais lorsque la grande masse d'une nation est réduite au rôle de spectateurs forcés au silence, il faut, pour que ces spectateurs applaudissent ou seulement pour qu'ils regardent, que les entrepreneurs du spectacle réveillent leur curiosité par des coups de théâtre et des changements de scène.

Cette agitation factice est en même temps plutôt apparente que réelle [13]. Tout marche, mais par le commandement et par la menace. Tout est moins facile, parce que rien n'est volontaire. Le gouvernement est obéi plutôt que secondé. A la moindre interruption, tous les rouages cesseraient d'agir. C'est une partie d'échecs, la main du pouvoir la dirige. Aucune pièce ne résiste ; mais si le bras s'arrêtait un instant, elles resteraient toutes immobiles [14].

Enfin la léthargie d'une nation où il n'y a pas d'opinion publique se communique à son gouvernement, quoi qu'il fasse. N'ayant pu la tenir éveillée, il finit par s'endormir avec elle. Ainsi donc tout se tait, tout s'affaisse, tout dégénère, tout se dégrade, chez une nation dont la pensée est esclave, et tôt ou tard un tel empire offre le spectacle de ces plaines de l'Egypte, où l'on voit une immense pyramide peser sur une poussière aride, et régner sur de silencieux f déserts. Cette marche, que nous retraçons ici, ce n'est point de

---

13. Les passages précédents sont adaptés, *ibid.*, pp. 148-149.
14. Passage adapté, depuis *Tout marche, ibid.*, p. 149.

la théorie, c'est de l'histoire[15]. C'est l'histoire de l'empire grec, de cet empire, héritier de celui de Rome, investi d'une grande portion de sa force, et de toutes ses lumières, de cet empire, où le pouvoir arbitraire s'établit, avec toutes les données les plus favorables à sa stabilité et qui dépérit et tomba, parce que l'arbitraire, sous toutes les formes, doit dépérir et tomber[16]. Cette histoire sera celle de la France, de ce pays privilégié par la nature et le sort, si le despotisme y persévère dans l'oppression sourde qu'il a longtemps déguisée sous le vain éclat des triomphes extérieurs *.

Ajoutons une considération dernière qui n'est pas sans importance. L'arbitraire, en atteignant la pensée, ferme au talent sa plus belle carrière. Mais il ne saurait empêcher que des hommes de talent ne prennent naissance. Il faudra bien que leur activité s'exerce. Qu'arrivera-t-il ? Qu'ils se diviseront en deux classes. Les uns, fidèles à leur destination primitive, attaqueront l'autorité. Les autres se précipiteront dans l'égoïsme, et feront servir leurs facultés supérieures à l'accumulation de tous les moyens de jouissances, seul dédommagement qui leur soit laissé. Ainsi l'arbitrai-

---

* Si j'avais voulu multiplier les preuves, j'aurais pu parler encore de la Chine. Le gouvernement de cette contrée est parvenu à dominer la pensée et à la rendre un pur instrument. Les sciences n'y sont cultivées que par ses ordres, sous sa direction et sous son empire. Nul n'ose se frayer une route nouvelle, ni s'écarter en aucun sens des opinions commandées. Aussi la Chine a-t-elle été perpétuellement conquise par des étrangers, moins nombreux que les Chinois. Pour arrêter le développement de l'esprit, il a fallu briser en eux le ressort qui leur aurait servi à se défendre et à défendre leur gouvernement. Les chefs des peuples ignorants, dit Bentham (*Principes de législation* III. 21[17]), ont toujours fini par être les victimes de leur politique étroite et pusillanime. Ces nations vieillies dans l'enfance, sous des tuteurs qui prolongent leur imbécillité pour les gouverner plus aisément ont toujours offert au premier agresseur une proye[g] facile[18].

15. Passage adapté, *ibid.*
16. Passage adapté, *ibid.*
17. Jérémie Bentham, *Traités de législation civile et pénale*, Paris, 1802, 3 vol.
18. Note adaptée du Livre VII, 4, p. 142.

re [h] aura fait deux parts des hommes d'esprit. Les uns
seront séditieux, les autres corrompus. On les punira,
mais d'un crime inévitable. Si leur ambition avait
trouvé le champ libre pour ses espérances et ses efforts
honorables, les uns seraient encore paisibles, les autres
encore vertueux. Ils n'ont cherché la route coupable
qu'après avoir été repoussés des routes naturelles
qu'ils avaient droit de parcourir ; je dis qu'ils en
avaient le droit, car l'illustration, la renommée, la
gloire appartiennent à l'espèce humaine. Nul ne peut
légitimement les dérober à ses égaux et flétrir la vie en
la dépouillant de tout ce qui la rend brillante [19].

C'était une belle conception de la nature d'avoir
placé la récompense de l'homme hors de lui, d'avoir
allumé dans son cœur cette flamme indéfinissable de la
gloire, qui, se nourrissant de nobles espérances,
source de toutes les actions grandes, préservatif contre
tous les vices, lien des générations entre elles et de
l'homme avec l'univers, repousse les désirs grossiers,
et dédaigne les plaisirs sordides. Malheur à qui
l'éteint, cette flamme sacrée. Il remplit dans ce monde
le rôle du mauvais principe ; il courbe de sa main de
fer notre front vers la terre, tandis que le ciel nous a
créés pour marcher la tête haute et pour contempler
les astres [20].

19. Passage adapté du Livre VII, 7, pp. 150-151.
20. Passage adapté du Livre VII, 5, pp. 149-150.

CHAPITRE XIV

DE LA RELIGION SOUS L'ARBITRAIRE

On dirait, que sous les formes de gouvernement les plus tyranniques, un refuge reste ouvert à l'homme ; c'est la religion. Il y peut déposer ses douleurs secrètes ; il peut y placer sa dernière espérance, et nulle autorité ne paraît assez adroite, assez déliée, pour le poursuivre dans cet azyle[a]. L'arbitraire[b] l'y poursuit néanmoins. Tout ce qui est indépendant l'effarouche, parce que tout ce qui est libre le menace.

Le despotisme voulait[c] autrefois commander aux croyances religieuses, et pensait pouvoir en faire à son gré un devoir ou un crime. De nos jours, mieux instruit par l'expérience, il ne dirige plus contre la religion des persécutions directes, mais il est à l'affût de ce qui peut l'avilir.

Tantôt il la recommande comme nécessaire seulement au peuple, sachant bien que le peuple averti par un infaillible instinct de ce qui se passe sur sa tête, ne respectera pas ce que ses supérieurs dédaignent, et que chacun, par imitation, ou par amour-propre, repoussera la religion un degré plus bas. Tantôt, la pliant à ses caprices, la tyrannie s'en fait une esclave. Ce n'est plus cette puissance divine, qui descend du ciel pour étonner ou réformer la terre. Humble dépendante, organe timide, elle se prosterne aux genoux du pouvoir, observe ses gestes, demande ses ordres, flatte qui la méprise, et n'enseigne aux nations ses vérités éternelles que sous le bon plaisir de l'autorité. Ses ministres bégayent[d] aux pieds de ses autels asservis des paroles mutilées. Ils n'osent faire retentir les voûtes antiques des accents du courage et de la conscience, et loin d'entretenir, comme Bossuet, les grands de ce monde, du Dieu sévère qui juge les rois, ils cherchent avec terreur, dans les regards dédaigneux du maître, comment ils doivent parler de leur Dieu. Heureux encore, s'ils n'étaient pas forcés d'appuyer de la sanction religieuse des lois inhumaines et des décrets spoliateurs. O honte! on les a vus commander au nom d'une religion de paix les invasions et les massacres, souiller la sublimité des livres saints par les sophismes de la politique, travestir leurs prédications en manifestes, bénir le ciel des succès du crime, et blasphémer la volonté divine, en l'accusant de complicité.

Et ne croyez pas que tant de servilité les sauve des insultes. L'homme que rien n'arrête est saisi quelquefois d'un soudain délire, par cela seul qu'aucune résistance ne le rappelle à la raison. Commode, portant dans une cérémonie la statue d'Anubis, s'avisa tout à coup de transformer ce simulacre en massue, et d'en assommer le prêtre égyptien qui l'accompagnait *. C'est un emblème assez fidèle de ce qui se passe sous nos yeux, de cette assistance hautaine et capricieuse qui se fait un secret triomphe de maltraiter ce qu'elle protège et d'avilir ce qu'elle vient d'ordonner.

La religion ne peut résister à tant de dégradations et à tant d'outrages. Les yeux fatigués se détournent de ses pompes. Les âmes flétries se détachent de ses espérances.

Il en faut convenir; chez un peuple éclairé, le despotisme est l'argument le plus fort contre la réalité d'une providence. Nous disons, chez un peuple éclairé, car des peuples encore ignorants peuvent être

---

* Lamprid[1], in *Commodo*, cap. 9.

1. Ætius Lampridus.

opprimés, sans que leur conviction religieuse en soit diminuée. Mais lorsqu'une fois l'esprit humain est entré dans la route du raisonnement, et que l'incrédulité a pris naissance, le spectacle de la tyrannie semble appuyer d'une terrible évidence les assertions de cette incrédulité.

Elle disait à l'homme, qu'aucun être juste ne veillait sur ses destinées, et ses destinées sont en effet abandonnées aux caprices des plus féroces et des plus vils des humains. Elle disait que ces récompenses de la vertu, ces châtiments du crime, promesses d'une croyance déchue, n'étaient que les illusions vaines d'imaginations faibles et timides ; et c'est le crime qui est récompensé, c'est la vertu qui est proscrite. Elle disait que ce qu'il y avait de mieux à faire, durant cette vie d'un jour, durant cette apparition bizarre, sans passé comme sans avenir, et tellement courte qu'elle paraît à peine réelle, c'était de profiter de chaque moment, afin de fermer les yeux sur l'abyme[e] qui nous attend pour nous engloutir. L'arbitraire[f] prêche la même doctrine par chacun de ses actes. Il invite l'homme à la volupté, par les périls dont il l'entoure. Il faut saisir chaque heure, incertain qu'on est de l'heure qui suit. Une foi bien vive serait nécessaire pour espérer, sous le règne visible de la cruauté et de la folie, le règne invisible de la sagesse et de la bonté.

Cette foi vive et inébranlable ne saurait être le partage d'un vieux peuple. Les classes éclairées, au contraire, cherchent dans l'impiété un misérable dédommagement de leur servitude. En bravant, avec l'apparence de l'audace, un pouvoir qu'elles ne craignent plus, elles se croient[g] moins méprisables dans leur bassesse envers le pouvoir qu'elles redoutent, et l'on dirait que la certitude qu'il n'existe pas d'autre monde leur est une consolation des opprobres de celui-ci.

On vante cependant les lumières du siècle, et la destruction de la puissance spirituelle, et la cessation de toute lutte entre l'Eglise et l'Etat. Pour moi, je le déclare, s'il faut opter, je préfère le joug religieux au despotisme politique. Sous le premier, il y a du moins conviction dans les esclaves, et les tyrans seuls sont corrompus ; mais quand l'oppression est séparée de toute idée religieuse, les esclaves sont aussi dépravés, aussi abjects que leurs maîtres.

Nous devons plaindre, mais nous pouvons estimer une nation courbée sous le faix de la superstition et de l'ignorance. Cette nation conserve de la bonne foi dans ses erreurs. Un sentiment de devoir la conduit encore. Elle peut avoir des vertus, bien que ces vertus soient mal dirigées. Mais des serviteurs incrédules, rampant avec docilité, s'agitant avec zèle, reniant les dieux et tremblant devant un homme, n'aïant[h] pour mobile que la crainte, n'aïant[h] pour motif que le salaire que leur jette, du haut de son trône, celui qui les opprime, une race qui, dans sa dégénération volontaire, n'a pas une illusion qui la relève, pas une erreur qui l'excuse, une telle race est tombée du rang que la Providence avait assigné à l'espèce humaine ; et les facultés qui lui restent, et l'intelligence qu'elle déploye[i], ne sont pour elle et pour le monde qu'un malheur et une honte de plus[2].

2. Les *Principes* manuscrits consacrent tout un livre à la religion, Livre VII, *De la liberté religieuse*, pp. 157-178.

CHAPITRE XV

QUE LES HOMMES
NE SAURAIENT SE RÉSIGNER VOLONTAIREMENT
A L'ARBITRAIRE SOUS AUCUNE FORME

Si tels sont les effets de l'arbitraire, quelque forme qu'il revête, les hommes ne peuvent s'y résigner volontairement. Ils ne peuvent donc se résigner volontairement au despotisme, qui est une forme de l'arbitraire, comme ce qu'on avait nommé liberté en France en était une autre. Encore, en disant que cette prétendue liberté était une autre forme de l'arbitraire que le despotisme, j'accorde plus que je ne devrais. C'était le despotisme, sous un autre nom.

C'est bien à tort que ceux qui ont décrit le gouvernement révolutionnaire de la France l'ont appelé anarchie, c'est-à-dire absence de gouvernement. Certes, dans le gouvernement révolutionnaire [1], dans le tribunal révolutionnaire [2], dans la loi des suspects [3], il n'y avait point absence de gouvernement,

1. Le gouvernement révolutionnaire tel qu'il fut défini et voté par la Convention, le 10 octobre 1793, consistait dans un Comité de salut public, créé en avril 1793, divisé en douze commissions exécutives, et un Comité de sûreté générale, chargé de surveiller les suspects et de diriger la police et la justice révolutionnaires.

2. Les membres de ce tribunal et ses jurés étaient nommés par la Convention et ses jugements sans appel étaient immédiatement exécutés.

3. La loi des suspects, votée le 17 septembre 1793, permit au pouvoir de procéder à l'arrestation sans formes judiciaires de tous les adversaires présumés de la Révolution.

mais présence continue et universelle d'un gouvernement atroce[4].

Il est si vrai que cette prétendue anarchie n'était que
du despotisme, que le maître actuel des Français imite
toutes les mesures dont elle lui fournit des exemples,
et a conservé toutes les lois qu'elle a promulguées[5]. Il a
toujours éludé l'abrogation de ces lois qu'il avait
souvent promise. Il s'est donné parfois le mérite de
suspendre leur exécution, mais il s'en est réservé
l'usage, et tout en niant qu'il en fût l'auteur, il s'en est
porté légataire. C'est un arsenal d'armes empoison-
nées qu'il quitte et qu'il reprend à son gré. Ces lois
planent sur toutes les têtes, comme enveloppées d'un
nuage, et demeurent en embuscade, pour reparaître
au premier signal.

Tandis que j'écris ces mots, je reçois le décret du
27 décembre 1813 et j'y lis ces trois articles : « « 4. Nos
commissaires extraordinaires sont autorisés à ordonner toutes les mesures de haute police qu'exigeraient
les circonstances et le maintien de l'ordre public.
5. Ils sont pareillement autorisés à former des
commissions militaires, et à traduire devant elles ou
devant les cours spéciales toutes personnes prévenues
de favoriser l'ennemi, d'être d'intelligence avec lui ou
d'attenter à la tranquillité publique. 6. Ils pourront
faire des proclamations et prendre des arrêtés. Lesdits
arrêtés seront obligatoires pour tous les citoyens. Les
autorités judiciaires, civiles et militaires seront tenues
de s'y conformer et de les faire exécuter[6]. » Ne sont-ce

---

4. Il est clair que pour éviter toute confusion quant à la nature du
gouvernement révolutionnaire, Benjamin Constant définit l'anarchie non comme absence de gouvernement, mais comme excès
d'arbitraire. Pour sa définition du despotisme et de l'anarchie, cf. le
Livre 1 de ses *Principes* manuscrits, 1, pp. 23-24.
5. Grief que Benjamin Constant reprend à l'encontre de la
Restauration qui puisait dans l'arsenal législatif de l'Empire maintes
lois arbitraires.
6. Décret du 26 décembre 1813, conférant à des sénateurs et
conseillers d'État la qualité de commissaires extraordinaires pour
accélérer la levée des conscrits. L'opposition de Benjamin Constant
à toute forme de tribunal spécial est connue : cf. son Discours, au

pas là les proconsuls de la convention ? Ne retrouvons-
nous pas dans ce décret les pouvoirs illimités, et les
tribunaux révolutionnaires ? Si le gouvernement de
Robespierre eût été de l'anarchie, celui de Napoléon
serait de l'anarchie. Mais non. Le gouvernement de
Napoléon est du despotisme, et il faut reconnaître que
celui de Robespierre n'était autre chose que du
despotisme.

L'anarchie et le despotisme ont ceci de semblable,
qu'ils détruisent la garantie et foulent aux pieds les
formes ; mais le despotisme réclame pour lui ces
formes qu'il a brisées et enchaîne les victimes qu'il
veut immoler. L'anarchie et le despotisme réintrodui-
sent dans l'état social l'état sauvage ; mais l'anarchie y
remet tous les hommes ; le despotisme s'y remet lui
seul, et frappe ses esclaves, garrottés des fers dont il
s'est débarassé[7].

Il n'est donc point vrai qu'aujourd'hui, plus qu'autrefois, l'homme soit disposé à se résigner au despotisme. Une nation fatiguée par des convulsions de
douze années a pu tomber de lassitude, et s'assoupir
un instant sous une tyrannie accablante, comme le
voyageur épuisé peut s'endormir dans une forêt,
malgré les brigands qui l'infestent. Mais cette stupeur
passagère ne peut être prise pour un état stable.

Ceux qui disent qu'ils veulent le despotisme disent
qu'ils veulent être opprimés, ou qu'ils veulent être
oppresseurs. Dans le premier cas, ils ne s'entendent
pas ; dans le second, ils ne veulent pas qu'on les
entende.

Voulez-vous juger du despotisme pour les différentes classes ? Pour les hommes éclairés, pensez à la
mort de Traséas[8], de Sénèque[9], pour le peuple, à

Tribunat, sur le projet de loi concernant l'établissement de tribunaux spéciaux, le 25 janvier 1801, in Benjamin Constant, *Ecrits et
discours politiques*, éd. par O. Pozzo di Borgo, vol. I.
7. Passage adapté du Livre 1, 2, p. 24-25.
8. Thrasea Paetus (Publius Clodius) (mort en 56), connu pour sa
droiture et ses aspirations républicaines, fut condamné par Néron et
choisit une mort volontaire.
9. Sénèque se suicida en 65.

l'incendie de Rome[10], à la dévastation des provinces ; pour le maître même, à la mort de Néron[11], à celle de Vitellius[12].

J'ai cru ces développements nécessaires, avant d'examiner si l'usurpation pouvait se maintenir par le despotisme. Ceux qui, aujourd'hui, lui indiquent ce moyen, comme une ressource assurée, nous entretiennent perpétuellement du désir, du vœu des peuples, et de leur amour pour un pouvoir sans bornes qui les comprime, les enchaîne, les préserve de leurs propres erreurs, et les empêche de se faire du mal, sauf à leur en faire lui-même et lui seul. On dirait qu'il suffit de proclamer bien franchement que ce n'est pas au nom de la liberté qu'on nous foule aux pieds, pour que nous nous laissions fouler aux pieds avec joye[a]. J'ai voulu réfuter ces assertions absurdes ou perfides, et montrer quel abus de mots leur a servi de baze[b].

Maintenant qu'on doit être convaincu que le genre humain, malgré la dernière et malheureuse expérience qu'il a faite d'une liberté fausse, n'en est pas, en réalité, plus favorablement disposé pour le despotisme, je vais rechercher, si, en réunissant tous les moyens de la tyrannie, l'usurpation peut échapper à ses nombreux ennemis et conjurer les périls multipliés qui l'entourent.

10. Néron fit brûler Rome en 64.
11. Condamné par le Sénat, Néron se suicida en 68.
12. Vitellius, successeur de Galba, assassiné par les prétoriens, fut, à son tour, tué la même année.

CHAPITRE XVI

DU DESPOTISME COMME MOYEN DE DURÉE
POUR L'USURPATION *

Pour que l'usurpation puisse se maintenir par le
despotisme, il faut que le despotisme lui-même puisse
se maintenir. Or je demande chez quel peuple civilisé
de l'Europe moderne le despotisme s'est maintenu.
J'ai déjà dit ce que j'entendais par despotisme, et en
consultant l'histoire, je vois que tous les gouvernements qui s'en sont rapprochés ont creusé sous leurs
pas un abyme[a] où ils ont toujours fini par tomber. Le
pouvoir absolu s'est toujours écroulé, au moment où
de longs efforts, couronnés par le succès, l'avaient

* En publiant les considérations suivantes sur le despotisme, je
crois rendre aux gouvernements actuels de l'Europe, celui de
France toujours excepté, l'hommage le plus digne d'eux. Notre
époque, marquée d'ailleurs encore par beaucoup de souffrances, et
durant laquelle l'humanité a reçu des blessures qui seront longues à
cicatriser, est heureuse au moins en un point important. Les rois et
les peuples sont tellement réunis par l'intérêt, par la raison, par la
morale, je dirais presque par une reconnaissance mutuelle des
services qu'ils se sont rendus, qu'il est impossible aux hommes
pervers de les séparer. Les premiers mettent une gloire magnanime
à reconnaître les droits des seconds et à leur en assurer la jouissance.
Ceux-ci savent qu'ils ne gagnent rien à des secousses violentes, et
que les institutions consacrées par le temps sont préférables à toutes
les autres, précisément parce que le temps qui les a consacrées les
modifie. Si l'on profite habilement, c'est-à-dire, avec loyauté et avec
justice (car c'est la véritable habileté politique), de cette double
conviction, il n'y aura de longtemps ni révolutions ni despotisme à
craindre, et les maux que nous avons subis seront de la sorte
amplement compensés.

délivré de tout obstacle, et semblaient lui promettre une durée paisible[1].

En Angleterre, ce pouvoir s'établit sous Henri VIII[2]. Elisabeth[3] le consolide. On admire l'autorité sans bornes de cette reine. On l'admire d'autant plus qu'elle n'en use que modérément. Mais son successeur[4] est condamné sans cesse à lutter contre la nation qu'on croyait asservie, et le fils[5] de ce successeur, illustre victime, empreint par sa mort sur la révolution britannique une tache de sang dont un siècle et demi de liberté et de gloire peut à peine nous consoler[6].

Louis XIV, dans ses mémoires[7], détaille avec complaisance tout ce qu'il avait fait pour détruire l'autorité des parlements, du clergé, de tous les corps intermédiaires. Il se félicite de l'accroissement de sa puissance devenue illimitée. Il s'en fait un mérite envers les rois qui doivent le remplacer sur le trône. Il écrivait vers l'an 1666. Cent vingt-trois ans après, la monarchie française était renversée*[8].

* On trouve un plaisant oubli des faits dans un des partisans les plus zélés du pouvoir absolu, mais qui du moins a le rare mérite d'avoir été l'adversaire courageux de l'usurpation. « Le royaume de France, dit M. Ferrand[b] (Esp. de l'hist. III, 448.), rassemblait sous l'autorité unique de Louis XIV tous les moyens de force et de prospérité... Sa grandeur avait été longtemps retardée par tous les vices dont un moment de barbarie l'avait surchargé, et dont il avait fallu près de sept siècles pour emporter entièrement la rouille. Mais cette rouille était dissipée. Tous les ressorts venaient de recevoir une dernière trempe. Leur action était rendue plus libre, leur jeu plus prompt et plus sûr. Ils n'étaient plus arrêtés par une multitude de

1. Phrases adaptées, depuis *et en consultant l'histoire*, du Livre XVII, 3, p. 468.

2. Roi d'Angleterre de 1509 à 1547.

3. Reine d'Angleterre de 1558 à 1623.

4. Jacques Ier, roi de 1603 à 1623.

5. Charles Ier, mort sur l'échafaud en 1649.

6. Passage adapté du Livre XVII, 3, p. 469.

7. Benjamin Constant cite à plusieurs reprises les *Mémoires* de Louis XIV (cf. le *Recueil d'articles, 1817-1820*, les *Mélanges de littérature et de politique*, 1829, et ses *Réflexions sur la tragédie*, 1829). Il a consulté les *Mémoires* dans l'éd. de J.-L.-M. de Gain-Montagnac, vol. I, pp. 13-19. Cf. M. Hofmann, p. 469, n. 17.

8. Passage adapté du Livre XVII, 3, p. 468-469.

La raison de cette marche inévitable des choses est simple et manifeste. Les institutions qui servent de barrières au pouvoir lui servent en même temps d'appuis. Elles le guident dans sa route ; elles le soutiennent dans ses efforts ; elles le modèrent dans ses accès de violence et l'encouragent dans ses moments d'apathie. Elles réunissent autour de lui les intérêts des diverses classes. Lors même qu'il lutte contre elles, elles lui imposent de certains ménagements, qui rendent ses fautes moins dangereuses. Quand[c] ces institutions sont détruites, le pouvoir, ne trouvant rien qui le dirige, rien qui le contienne, commence à marcher au hazard[d]. Son allure devient inégale et vagabonde. Comme il n'a plus aucune règle fixe, il avance, il recule, il s'agite, il ne sait jamais s'il en fait assez, s'il n'en fait pas trop. Tantôt il s'emporte et rien ne le calme ; tantôt il s'affaisse, et rien ne le ranime. Il s'est défait de ses alliés en croyant se débarrasser de ses adversaires. L'arbitraire qu'il exerce est une sorte de responsabilité mêlée de remords qui le trouble et le tourmente.

On a dit souvent que la prospérité des Etats libres était passagère. Celle du pouvoir absolu l'est bien plus encore. Il n'y a pas un Etat despotique qui ait subsisté dans toute sa force aussi longtemps que la liberté anglaise.

Le despotisme a trois chances : ou il révolte le peuple, et le peuple le renverse ; ou il énerve le peuple, et alors, si les étrangers l'attaquent, il est renversé par

mouvements étrangers. Il n'y en avait plus qu'un qui imprimait l'impulsion à tout le reste[9]. » Eh bien ! que résulte-t-il de tout cela ? De ce ressort unique et puissant, de cette autorité sans bornes ? Un règne brillant, puis un règne honteux, puis un règne faible, puis une révolution[10].

9. Benjamin Constant cite ici l'*Esprit de l'histoire* de Ferrand, Paris, 1803, 2ᵉ éd. Cf. Hofmann, p. 468, n. 16.
10. Note adaptée du Livre XVII, 3, p. 468.

les étrangers *, ou si les étrangers ne l'attaquent pas, il dépérit lui-même plus lentement, mais d'une manière plus honteuse et non moins certaine [13].

Tout confirme cette maxime de Montesquieu, qu'à mesure que le pouvoir devient immense, la sûreté diminue ** [14].

Non, disent les amis du despotisme; quand les gouvernements s'écroulent, c'est toujours la faute de leur faiblesse. Qu'ils surveillent, qu'ils sévissent, qu'ils enchaînent, qu'ils frappent, sans se laisser entraver par de vaines formes.

A l'appui de cette doctrine, on cite deux ou trois exemples de mesures violentes et illégales, qui ont paru sauver les gouvernements qui les employaient. Mais pour faire valoir ces exemples, on se renferme adroitement dans le cercle d'un petit nombre d'années. Si l'on regardait plus loin, l'on verrait que par ces mesures, ces gouvernements, loin de s'affermir, se sont perdus.

Ce sujet est d'une extrême importance, parce que les gouvernements réguliers eux-mêmes se laissent quelquefois séduire par cette théorie. On me pardonnera donc, si, dans une courte digression, j'en fais ressortir et le danger et la fausseté.

---

* La conquête des Gaules, remarque Filangieri [11], coûta dix ans de fatigues, de travaux, et de négociations à César, et ne coûta pour ainsi dire qu'un jour à Clovis. Cependant les Gaulois qui résistaient à César étaient sûrement moins disciplinés que ceux qui combattaient contre Clovis et qui avaient été dressés à la tactique romaine. Clovis, âgé de quinze à seize ans, n'était certainement pas plus grand capitaine que César. Mais César avait affaire à un peuple libre, Clovis à un peuple esclave [12].

** Esp. des Lois, ch. 7 [15].

11. Gaëtano Filangieri, *La Science de la législation*, Paris, 1789-1791, 7 vol., vol. II, p. 105, n. 1; Hofmann, p. 446, n. 43.

12. Passage adapté du Livre VII, 5, p. 146.

13. Passage adapté du Livre XVII, 3, p. 469.

14. Passage adapté, *ibid.*, p. 470.

15. *Esprit des lois*, VII, 7; éd. de la Pléiade, vol. II, pp. 355-356.

CHAPITRE XVII

DE L'EFFET DES MESURES ILLÉGALES
ET DESPOTIQUES
DANS LES GOUVERNEMENTS RÉGULIERS EUX-MÊMES

Quand un gouvernement régulier se permet l'emploi de l'arbitraire, il sacrifie le but de son existence aux mesures qu'il prend pour la conserver. Pourquoi veut-on que l'autorité réprime ceux qui attaqueraient nos propriétés, notre liberté, ou notre vie ? Pour que ces jouissances nous soient assurées. Mais si notre fortune peut être détruite, notre liberté menacée, notre vie troublée par l'arbitraire, quel bien retirons-nous de la protection de l'autorité ? Pourquoi veut-on qu'elle punisse ceux qui conspireraient contre la constitution de l'Etat ? Parce que l'on craint que ces conspirateurs ne substituent une puissance oppressive à une organisation légale et modérée. Mais si l'autorité exerce elle-même cette puissance oppressive, quel avantage conserve-t-elle ? Un avantage de fait, pendant quelque temps peut-être. Les mesures arbitraires d'un gouvernement consolidé sont toujours moins multipliées que celles des factions qui ont encore à établir leur puissance. Mais cet avantage même se perd en raison de l'usage de l'arbitraire [1]. Ses moyens une fois admis, on les trouve tellement courts, tellement commodes, qu'on ne veut plus en employer d'autres. Présenté d'abord comme une ressource extrême, dans des circonstances infiniment rares, l'arbitraire devient la solution de tous les problèmes,

1. Passage adapté du Livre VI, 1, p. 109.

et la pratique de chaque jour[2]. Alors non seulement le nombre des ennemis de l'autorité s'augmente avec celui des victimes, mais sa défiance s'accroît, hors de toute proportion avec le nombre de ses ennemis. Une atteinte portée à la liberté en appelle d'autres, et le pouvoir, entré dans cette route, finit par se mettre de pair avec les factions[3].

On parle bien à l'aise de l'utilité des mesures illégales, et de cette rapidité extra-judiciaire, qui ne laissant pas aux séditieux le temps de se reconnaître raffermit l'ordre, et maintient la paix. Mais consultons les faits, puisqu'on nous les cite, et jugeons le système, par les preuves mêmes que l'on allègue en sa faveur[4].

Les Gracques, nous dit-on, mettaient en danger la république romaine. Toutes les formes étaient impuissantes ; le sénat recourut deux fois à la loi terrible de la nécessité, et la république fut sauvée. La république fut sauvée ! c'est-à-dire que de cette époque, il faut dater sa perte[a]. Tous les droits furent méconnus ; toute constitution renversée. Le peuple n'avait demandé que l'égalité des privilèges. Il jura le châtiment des meurtriers de ses défenseurs[5], et le féroce Marius[6] vint présider à sa vengeance[7].

L'ambition des Guises agitait le règne de Henri III. Il semblait impossible de juger les Guises. Henri III fit assassiner l'un d'eux[8]. Son règne en devint-il plus tranquille ? Vingt années de guerres civiles déchirèrent l'empire français, et peut-être le bon Henri IV porta-t-il, quarante ans plus tard, la peine du dernier Valois[9].

2. Passage adapté du Livre V, 5, p. 101.
3. Passage adapté du Livre VI, 1, p. 109.
4. Passage adapté, *ibid.*, p. 106.
5. Tiberius Gracchus, tribun en 133 av. J.-C., fut tué en 132 ; Caïus Gracchus, tribun en 124, fut assassiné en 121.
6. Marius, défenseur du parti populaire, lutta contre Sylla, défenseur de l'aristocratie.
7. Passage adapté du Livre VI, 1, p. 105.
8. Le duc de Guise fut assassiné en décembre 1588.
9. Henri III, le dernier des Valois, et Henri IV, le premier des Bourbons, furent assassinés, respectivement, en 1589 et 1610.

Dans les crises de cette nature, les coupables que l'on immole ne sont jamais qu'en petit nombre. D'autres se taisent, se cachent, attendent ; ils profitent de l'indignation que la violence a refoulée dans les âmes ; ils profitent de la consternation que l'apparence de l'injustice répand dans l'esprit des hommes scrupuleux. Le pouvoir, en s'affranchissant des lois, a perdu son caractère distinctif et son heureuse prééminence. Lorsque les factieux l'attaquent avec des armes pareilles aux siennes, la foule des citoyens peut être partagée, car il lui semble qu'elle n'a que le choix entre deux factions [10].

On nous objecte l'intérêt de l'Etat, les dangers de la lenteur, le salut public. N'avons-nous pas entendu suffisamment ces mêmes paroles sous le système le plus exécrable ? ne s'useront-elles jamais ? Si vous admettez ces prétextes imposants, ces mots spécieux, chaque parti verra l'intérêt de l'Etat dans la destruction de ses ennemis, les dangers de la lenteur dans une heure d'examen, le salut public dans une condamnation sans jugement et sans preuves [11].

Sans doute, il y a pour les sociétés politiques des moments de danger que toute la prudence humaine a peine à conjurer. Mais ce n'est point par la violence, par la suppression de la justice, ce n'est point ainsi que ces dangers s'évitent. C'est au contraire, en adhérant, plus scrupuleusement que jamais, aux lois établies, aux formes tutélaires, aux garanties préservatrices. Deux avantages résultent de cette courageuse persistance dans ce qui est légal. Les gouvernements laissent à leurs ennemis l'odieux de la violation des lois les plus saintes ; et de plus ils conquièrent par le calme et la sécurité qu'ils témoignent, la confiance de cette masse timide qui resterait au moins indécise, si des mesures extraordinaires prouvaient dans les dépositaires de l'autorité, le sentiment d'un péril pressant [12].

10. Passage adapté du Livre VI, 1, p. 106.
11. Passage adapté, *ibid.*
12. Passage adapté, *ibid.*, pp. 106-107.

Tout gouvernement modéré, tout gouvernement qui s'appuye [b] sur la régularité et sur la justice, se perd par toute interruption de la justice, par toute déviation de la régularité. Comme il est dans sa nature de s'adoucir tôt ou tard, ses ennemis attendent cette époque, pour se prévaloir des souvenirs armés contre lui. La violence a paru le sauver un instant ; mais elle a rendu sa chute plus inévitable. Car en le délivrant de quelques adversaires, elle a généralisé la haine que ces adversaires lui portaient [13].

Soïez [c] justes, dirai-je toujours aux hommes investis de la puissance. Soyez justes, quoi qu'il arrive ; car si vous ne pouviez gouverner avec la justice, avec l'injustice même, vous ne gouverneriez pas plus heureusement [14].

Durant notre longue et triste révolution, beaucoup d'hommes s'obstinaient à voir les causes des événements du jour dans les actes de la veille [15]. Lorsque la violence, après avoir produit une stupeur momentanée, était suivie d'une réaction qui en détruisait l'effet, ils attribuaient cette réaction à la suppression des mesures violentes, à trop de parcimonie dans les proscriptions, au relâchement de l'autorité*. Mais il est dans la nature des décrets iniques de tomber en désuétude. Il est dans la nature de l'autorité de s'adoucir même à son insu. Les précautions, devenues

---

* Les auteurs des dragonades fesaient [d] le même raisonnement sous Louis XIV. Lors de l'insurrection des Cévennes, dit Rhulières [e] (Eclaircissements sur la révocation de l'édit de Nantes II, 278 [16]), le parti, qui avait sollicité la persécution de religionnaires, prétendait que la révolte des camizards [f] n'avait pour cause que le relâchement des mesures de rigueur. Si l'oppression avait continué, disaient-ils, il n'y aurait point eu de soulèvement. Si l'oppression n'avait point commencé, disaient ceux qui s'étaient opposés à ces violences, il n'y aurait point eu de mécontents [17].

13. Passage adapté, *ibid.*, pp. 107-108.
14. Certaines phrases de ce passage sont adaptées, *ibid.*, p. 107.
15. Phrase adaptée, *ibid.*, p. 108.
16. R*h*ulières au lieu de Rul*h*ière, graphie courante chez B. Constant.
17. Note reproduite des notes du Livre VI, note D., p. 123.

odieuses, se négligent. L'opinion pèse malgré son
silence ; la puissance fléchit. Mais comme elle fléchit
de faiblesse, elle ne se concilie pas les cœurs ; les
trames se renouent, les haines se développent ; les
innocents frappés par l'arbitraire reparaissent plus
forts. Les coupables qu'on a condamnés sans les
entendre semblent innocents, et le mal qu'on a retardé
de quelques heures revient plus terrible, aggravé du
mal qu'on a fait[18].

Il n'y a point d'excuses pour des moyens qui servent
également à toutes les intentions et à tous les buts, et
qui, invoqués par les hommes honnêtes contre les
brigands, se retrouvent dans la bouche des brigands,
avec l'autorité des hommes honnêtes, avec la même
apologie de la nécessité, avec le même prétexte du
salut public. La loi de Valérius Publicola[19], qui
permettait de tuer sans formalité quiconque aspirerait
à la tyrannie, servit alternativement aux fureurs
aristocratiques et populaires, et perdit la république
romaine[20].

La manie de presque tous les hommes, c'est de se
montrer au-dessus de ce qu'ils sont. La manie des
écrivains, c'est de se montrer des hommes d'État. En
conséquence, tous les grands développements de force
extra-judiciaire, tous les recours aux mesures illégales
dans les circonstances périlleuses, ont été, de siècle en
siècle, racontés avec respect et décrits avec complaisance. L'auteur, paisiblement assis à son bureau,
lance de tous côtés l'arbitraire, cherche à mettre dans
son style la rapidité qu'il recommande dans les
mesures, se croit, pour un moment, revêtu du pouvoir, parce qu'il en prêche l'abus, réchauffe sa vie
spéculative de toutes les démonstrations de force et de
puissance dont il décore ses phrases, se donne ainsi

18. Passage adapté, depuis *mais il est dans la nature*, du Livre VI,
1, p. 108.
19. Valerius Publicola, censé avoir été l'un des premiers consuls
en 509 av. J.-C., est un personnage dont l'historicité est fondée sur
la relation de Valerius Antias qui se disait son descendant.
20. Loi citée in Livre VI, 1, p. 109.

quelque chose du plaisir de l'autorité, répète à tue-tête les grands mots de salut du peuple, de loi suprême, d'intérêt public, est en admiration de sa profondeur, et s'émerveille de son énergie. Pauvre imbécile[g] ! Il parle à des hommes qui ne demandent pas mieux que de l'écouter, et qui, à la première occasion, feront sur lui-même l'expérience de sa théorie[21].

Cette vanité, qui a faussé le jugement de tant d'écrivains, a eu plus d'inconvénients qu'on ne pense, pendant nos dissensions[h] civiles. Tous les esprits médiocres, conquérants passagers d'une portion de l'autorité, étaient remplis de toutes ces maximes, d'autant plus agréables à la sottise qu'elles lui servent à trancher les nœuds qu'elle ne peut délier. Ils ne rêvaient que mesures de salut public, grandes mesures, coups d'Etat. Ils se croyaient des génies extraordinaires, parce qu'ils s'écartaient à chaque pas des moyens ordinaires. Ils se proclamaient des têtes vastes, parce que la justice leur paraissait une chose étroite[22]. A chaque crime politique qu'ils commettaient, on les entendait s'écrier : *nous avons encore une fois sauvé la patrie*. Certes, nous devons en être suffisamment convaincus ; c'est une patrie bientôt perdue, qu'une patrie sauvée ainsi chaque jour[23].

---

21. Passage adapté du Livre VI, 1, pp. 109-110.

22. Passage adapté, *ibid.*, p. 110.

23. Tout au long de sa carrière, Benjamin Constant a vigoureusement combattu les tentatives d'enfreindre la constitution pour le salut de celle-ci et au nom des circonstances. Cf. M. Gauchet, pp. 637-638, qui rapporte une longue note, surajoutée en 1818 aux *Réflexions sur les constitutions*.

CHAPITRE XVIII

RÉSULTATS DES CONSIDÉRATIONS CI-DESSUS
RELATIVEMENT À LA DURÉE DU DESPOTISME

Si, même dans les gouvernements réguliers qui ne
réunissent pas, comme le despotisme, tous les intérêts
des hommes contre eux, les mesures illégales, loin
d'être favorables à leur durée, la compromettent et la
menacent, il est clair que le despotisme qui se
compose tout entier de mesures pareilles, ne peut
renfermer en lui-même aucun germe de stabilité. Il vit
au jour le jour, tombant à coups de hache sur
l'innocent et sur le coupable, tremblant devant ses
complices qu'il enrégimente, qu'il flatte et qu'il
enrichit, et se maintenant par l'arbitraire, jusqu'à ce
que l'arbitraire, saisi par un autre, le renverse lui-
même de la main de ses suppôts * [1].

* Il est curieux de contempler la succession des principaux actes
arbitraires, qui ont marqué les quatre premières années du gouvernement de Napoléon, depuis l'usurpation à St. Cloud [2], usurpation
que l'Europe a excusée, parce qu'elle la croïait [a] nécessaire, mais qui
n'est venue que lorsque les troubles intérieurs qu'elle s'est faite un
mérite d'appaiser [b], avaient cessé par le seul usage du pouvoir
constitutionnel. Voiez [c] d'abord, immédiatement après cette usurpation, la déportation sans jugement de trente à quarante citoyens [3],

1. Passage adapté, depuis *Il vit au jour le jour*, du Livre VI, I,
p. 107.
2. Le coup d'Etat du 18 brumaire (9 novembre 1799) ne fut
achevé que le 10.
3. Un prétendu complot jacobin fut le prétexte du coup d'Etat,
en conséquence, 56 jacobins, dont 20 députés, furent désignés pour
la Guyane et l'île de Ré, beaucoup d'autres arrêtés.

Etouffer dans le sang l'opinion mécontente est la maxime favorite de certains profonds politiques. Mais on n'étouffe pas l'opinion. Le sang coule, mais elle

ensuite une autre déportation de cent trente qu'on a envoyés périr sur les côtes de l'Afrique[4], puis l'établissement des tribunaux spéciaux[5], tout en laissant subsister les commissions militaires, puis l'élimination du Tribunat[6], et la destruction de ce qui restait du système représentatif, puis la proscription de Moreau, le meurtre du duc d'Enghien, l'assassinat de Pichegru, etc.[7]. Je ne parle pas des actes partiels, qui sont innombrables. Remarquez que ces années peuvent être considérées comme les plus paisibles de ce gouvernement et qu'il avait l'intérêt le plus pressant à se donner toutes les apparences de la régularité. Il faut que l'usurpation et le despotisme soient condamnés par leur nature à des mesures pareilles, puisque cet intérêt manifeste n'a pu en préserver un usurpateur, très rusé, très calme, malgré des fureurs qui ne sont que des moyens, assez spirituel, si l'on appelle esprit la connaissance de la partie ignoble du cœur, indifférent au bien et au mal, et qui, dans son impartialité, aurait peut-être préféré le premier comme plus sûr, enfin qui avait étudié tous les principes de la tyrannie, et dont l'amour-propre eût été flatté de déployer une sorte de modération comme preuve de dextérité.

4. L'attentat de Noël contre Bonaparte, en route vers l'Opéra, fit 22 morts et quelque 50 blessés; on attribua d'abord l'attentat aux jacobins, d'où arrestations et déportations de 130 révolutionnaires, puis aux royalistes.

5. C'est après cet attentat qu'on institua les *tribunaux d'exception contre le brigandage;* Benjamin Constant s'est élevé au Tribunat contre cette juridiction d'exception.

6. Après avoir supprimé, dès janvier 1800, 60 journaux, Bonaparte attendait le premier renouvellement des conseils, au début de 1802, pour se débarrasser de l'opposition, dont Benjamin Constant : au lieu de faire désigner par le sort le cinquième sortant du Tribunat, il confia la tâche au Sénat, qui fit inclure dans sa liste tous les opposants notoires; le Tribunat devint désormais une annexe du Conseil d'Etat, délibérant comme lui à huis clos.

7. La conspiration royaliste qui a su gagner Moreau fut découverte au début de 1804; Cadoudal, Pichegru et d'autres complices furent arrêtés : Cadoudal et sept complices furent guillotinés, Pichegru fut trouvé étranglé dans sa cellule; Moreau acquitté, fut condamné, sur l'exigence de Bonaparte, à la prison, peine commuée par la suite au bannissement; on pensait que les conspirateurs attendaient l'arrivée d'un prince de la famille royale : entraîné par Talleyrand et Fouché, Bonaparte fit enlever de nuit le duc d'Enghien d'Ettenheim, le fit conduire à Vincennes, condamner à mort et exécuter (20-21 mars 1804). On consultera sur toutes ces mesures arbitraires, G. Lefebvre, *Napoléon.*

surnage, revient à la charge, et triomphe. Plus elle est comprimée, plus elle est terrible. Elle pénètre dans les esprits avec l'air qu'on respire. Elle devient le sentiment habituel, l'idée fixe de chacun. L'on ne se rassemble pas pour conspirer, mais tous ceux qui se rencontrent, conspirent[8].

Quelque avili que l'extérieur d'une nation nous paraisse, les affections généreuses se réfugieront toujours dans quelques âmes solitaires, et c'est là qu'indignées elles fermenteront en silence. Les voûtes des assemblées peuvent retentir de déclamations furieuses ; l'écho des palais, d'expressions de mépris pour la race humaine. Les flatteurs du peuple peuvent l'irriter contre la pitié ; les flatteurs des tyrans leur dénoncer le courage. Mais aucun siècle ne sera jamais tellement déshérité par le ciel, qu'il présente le genre humain tout entier, tel qu'il le faudrait pour l'arbitraire[d]. La haine de l'oppression, soit au nom d'un seul, soit au nom de tous, s'est transmise d'âge en âge. L'avenir ne trahira pas cette belle cause. Il restera toujours de ces hommes pour qui la justice est une passion, la défense du faible un besoin. La nature a voulu cette succession ; nul n'a jamais pu l'interrompre, nul ne l'interrompra jamais. Ces hommes céderont toujours à cette impulsion magnanime. Beaucoup souffriront, beaucoup périront peut-être ; mais la terre, à laquelle ira se mêler leur cendre, sera soulevée par cette cendre, et s'entrouvrira tôt ou tard[9].

---

8. Passage adapté du Livre XVIII, 3, p. 486.
9. Passage adapté du Livre V, 4, p. 100-101.

paraisse, les affections comprimées se réfugieront toujours dans quelques âmes solitaires, et c'est là qu'indignées, silencieuses, elles garderont les saintes dépôts des

CHAPITRE XIX

CAUSES QUI RENDENT LE DESPOTISME
PARTICULIÈREMENT IMPOSSIBLE
A NOTRE ÉPOQUE DE LA CIVILISATION

Les raisonnements qu'on vient de lire sont d'une
nature générale et s'appliquent à tous les peuples
civilisés, et à toutes les époques. Mais plusieurs autres
causes, qui sont particulières à l'état de la civilisation
moderne, mettent de nos jours de nouveaux obstacles
au despotisme.

Ces causes sont, en grande partie, les mêmes qui ont
substitué la tendance pacifique à la tendance guerrière, les mêmes qui ont rendu impossible la transplantation de la liberté des anciens chez les modernes.

L'espèce humaine étant inébranlablement attachée
à son repos et à ses jouissances, réagira toujours,
individuellement et collectivement, contre toute autorité, qui voudra les troubler. De ce que nous sommes,
comme je l'ai dit, beaucoup moins passionnés pour la
liberté politique que ne l'étaient les anciens, il peut
s'ensuivre que nous négligions les garanties qui se
trouvent dans les formes ; mais de ce que nous tenons
beaucoup plus à la liberté individuelle, il s'ensuit aussi
que dès que le fonds sera attaqué, nous le défendrons
de tous nos moyens. Or, nous avons pour le défendre
des moyens que les anciens n'avaient pas.

J'ai montré, que le commerce rend l'action de
l'arbitraire sur notre existence plus vexatoire qu'autrefois, parce que nos spéculations étant plus variées,

l'arbitraire doit se multiplier pour les atteindre ; mais le commerce rend en même temps l'action de l'arbitraire plus facile à éluder, parce qu'il change la nature de la propriété, qui devient, par ce changement, presque insaisissable.

Le commerce donne à la propriété une qualité nouvelle, la circulation. Sans circulation, la propriété n'est qu'un usufruit. L'autorité peut toujours influer sur l'usufruit ; car elle peut enlever la jouissance. Mais la circulation met un obstacle invisible et invincible à cette action du pouvoir social [1].

Les effets du commerce s'étendent encore plus loin. Non seulement il affranchit les individus, mais en créant le crédit, il rend l'autorité dépendante [2].

L'argent, dit un auteur français [3], est l'arme la plus dangereuse du despotisme, mais il est en même temps son frein le plus puissant. Le crédit est soumis à l'opinion. La force est inutile. L'argent se cache ou s'enfuit. Toutes les opérations de l'État sont suspendues. Le crédit n'avait pas la même influence chez les anciens. Leurs gouvernements étaient plus forts que les particuliers. Les particuliers sont plus forts que les pouvoirs politiques de nos jours [4]. La richesse est une puissance plus disponible dans tous les instants, plus applicable à tous les intérêts, et par conséquent bien plus réelle et mieux obéie. Le pouvoir menace, la richesse récompense ; on échappe au pouvoir en le trompant ; pour obtenir les faveurs de la richesse, il faut la servir ; celle-ci doit l'emporter [5].

Par une suite des mêmes causes, l'existence individuelle est moins englobée dans l'existence politique. Les individus transplantent au loin leurs trésors ; ils portent avec eux toutes les jouissances de la vie privée. Le commerce a rapproché les nations, et leur a donné

1. Les passages précédents sont adaptés du Livre XVI, 4, p. 425-426.

2. Idée qu'on retrouve *ibid.*, p. 426.

3. Ganilh, cf. *infra*, n. 9.

4. Idée qu'on retrouve *ibid.*, Livre XVI, 4, p. 426.

5. Passage adapté du Livre X, 16, p. 241.

des mœurs et des habitudes à peu près pareilles. Les chefs peuvent être ennemis ; les peuples sont compatriotes. L'expatriation, qui chez les anciens, était un supplice, est facile aux modernes, et loin de leur être pénible, elle leur est souvent agréable∗[6]. Reste au despotisme l'expédient de prohiber l'expatriation. Mais pour l'empêcher, il ne suffit pas de l'interdire. On n'en quitte que plus volontiers les pays d'où il est défendu de sortir. Il faut donc poursuivre ceux qui se sont expatriés. Il faut obliger les Etats voisins, et ensuite les Etats éloignés à les repousser. Le despotisme revient ainsi au système d'asservissement, de conquête, et de monarchie universelle. C'est vouloir, comme on voit, remédier à une impossibilité par une autre.

Ce que j'affirme ici vient de se vérifier sous nos yeux mêmes. Le despotisme de France a poursuivi la liberté de climat en climat. Il a réussi, pour un temps, à l'étouffer, dans toutes les contrées où il pénétrait. Mais la liberté se réfugiant toujours d'une région dans l'autre, il a été contraint de la suivre si loin qu'il a

---

∗ Quand Cicéron disait : pro qua patria mori, et cui nos totos dedere, et in qua nostro omnia ponere, et quasi consecrare debemus[7], c'est que la patrie contenait alors tout ce qu'un homme avait de plus cher. Perdre sa patrie, c'était perdre sa femme, ses enfants, ses amis, toutes ses affections, et presque toute communication et toute jouissance sociale. L'époque de ce patriotisme est passée. Ce que nous aimons dans la patrie comme dans la liberté, c'est la propriété de nos biens, la sécurité, la possibilité du repos, de l'activité, de la gloire, de mille genres de bonheur. Le mot de patrie rappelle à notre pensée plutôt la réunion de ces biens que l'idée topographique d'un pays particulier. Lorsqu'on nous les enlève chez nous, nous les allons chercher au-dehors.

6. Passage adapté, depuis Les individus, du Livre XVI, 4, p. 427.

7. Parlant de deux patries, le lieu de naissance et la respublica, Cicéron dit que pour elle [la respublica] nous devons savoir mourir, nous devons nous donner à elle tout entiers. Tout ce qui est nôtre lui appartient ; il faut tout lui sacrifier, Des lois, II, 2, 5. Cf. Gauchet, p. 640, n. 1.

enfin trouvé sa propre perte. Le génie de l'espèce humaine l'attendait aux bornes du monde, pour rendre son retour plus honteux, et son châtiment plus mémorable*.

* J'aime à rendre justice au courage et aux lumières d'un de mes collègues[8] qui a imprimé, il y a quelques années, sous la tyrannie, la vérité que je développe ici, mais en l'appuyant de preuves d'un genre différent de celles que j'allègue, et qui ne pouvaient se publier alors. « Dans l'état actuel de la civilisation, et dans le système commercial sous lequel nous vivons, tout pouvoir public doit être limité, et un pouvoir absolu ne peut subsister. » Ganilh. Hist. du Revenu public. I. 419[9].

8. Au Tribunat.

9. *Histoire du revenu public*, Paris, 1806, 2 vol.

Ganilh (Charles) (1758-1836), avocat au Parlement de Paris, l'un des sept membres, en 1789, du Comité de sûreté siégeant à l'Hôtel de Ville, il devint quelque peu suspect sous le régime révolutionnaire, fut emprisonné, et ne regagna sa liberté qu'après le 9 thermidor ; nommé membre du Tribunat en l'an VIII, il fit de l'opposition comme Benjamin Constant et, comme lui, il en fut éliminé en l'an X ; il ne servit pas l'Empire ; il fut élu député sous la Restauration en 1815, 1816 et 1819 ; il était réputé pour ses travaux d'économie politique.

CHAPITRE XX

QUE L'USURPATION, NE POUVANT SE MAINTENIR PAR
LE DESPOTISME, PUISQUE LE DESPOTISME LUI-MÊME
NE PEUT SE MAINTENIR AUJOURD'HUI, IL N'EXISTE
AUCUNE CHANCE DE DURÉE POUR L'USURPATION

Si le despotisme est impossible de nos jours, vouloir
soutenir l'usurpation par le despotisme, c'est prêter à
une chose qui doit s'écrouler, un appui qui doit
s'écrouler de même.

Un gouvernement régulier se met dans une situation périlleuse, quand il aspire au despotisme; il a
cependant pour lui l'habitude. Voyez combien de
temps il fallut au long parlement pour s'affranchir de
cette vénération, compagne de toute puissance
ancienne et consacrée, qu'elle soit républicaine ou
qu'elle soit monarchique. Croyez-vous que les corporations qui existent sous un usurpateur éprouveraient
à briser son joug ce même obstacle moral, ce même
scrupule de conscience? Ces corporations ont beau
être esclaves. Plus elles sont asservies, plus elles se
montrent furieuses, quand un événement vient les
délivrer. Elles veulent expier leur longue servitude.
Les sénateurs qui avaient voté des fêtes publiques
pour célébrer la mort d'Agrippine, et félicité Néron
du meurtre de sa mère, le condamnèrent à être battu
de verges, et précipité dans le Tibre[1].

Les difficultés qu'un gouvernement régulier rencontre à devenir despotique, participent de sa régularité; elles s'opposent à ses succès, mais elles dimi-

1. Passage adapté, depuis *Ces corporations*, du Livre XV, 5,
p. 402.

nuent les périls que ses tentatives attirent sur lui-même. L'usurpation ne rencontre pas des résistances aussi méthodiques. Son triomphe momentané en est plus complet ; mais les résistances qui se déployent[a] enfin sont plus désordonnées ; c'est le chaos contre le chaos.

Quand un gouvernement régulier, après avoir essayé des empiétements, revient à la pratique de la modération et de la justice, tout le monde lui en sait gré. Il retourne vers un point déjà connu, qui rassure les esprits par les souvenirs qu'il rappelle. Un usurpateur, qui renoncerait à ses entreprises, ne prouverait que de la faiblesse. Le terme où il s'arrêterait serait aussi vague que le terme qu'il aurait voulu atteindre. Il serait plus méprisé, sans être moins haï.

L'usurpation ne peut donc subsister, ni sans le despotisme, car tous les intérêts s'élèvent contre elle, ni par le despotisme, car le despotisme ne peut subsister. La durée de l'usurpation est donc impossible.

Sans doute, le spectacle que la France nous offre, paraît propre à décourager toute espérance. Nous y voyons l'usurpation triomphante, armée de tous les souvenirs effrayants, héritière de toutes les théories criminelles, se croyant justifiée par tout ce qui s'est fait avant elle, forte de tous les attentats, de toutes les erreurs du passé, affichant le mépris des hommes, le dédain pour la raison. Autour d'elle se sont réunis tous les désirs ignobles, tous les calculs adroits, toutes les dégradations raffinées. Les passions, qui, durant la violence des révolutions, se sont montrées si funestes, se reproduisent sous d'autres formes. La peur et la vanité parodiaient jadis l'esprit de parti, dans ses fureurs les plus implacables. Elles surpassent maintenant, dans leurs démonstrations insensées, la plus abjecte servilité. L'amour-propre, qui survit à tout, place encore un succès dans la bassesse, où l'effroi cherche un azyle[b]. La cupidité paraît à découvert, offrant son opprobre comme garantie à la tyrannie. Le sophisme s'empresse à ses pieds, l'étonne de son zèle, la devance de ses cris, obscurcissant toutes les idées, et nommant séditieuse la voix qui veut le confondre. L'esprit vient offrir ses services, l'esprit, qui, séparé de la conscience, est le plus vil des instruments. Les apostats de toutes les opinions accourent en foule, n'ayant conservé de leurs doctrines passées que l'habitude des moyens coupables. Des transfuges habiles, illustres par la tradition du vice, se glissent de la prospérité de la veille à la prospérité du jour. La religion est le porte-voix de l'autorité, le raisonnement le commentaire de la force. Les préjugés de tous les âges, les injustices de tous les pays, sont rassemblés comme matériaux du nouvel ordre social. L'on remonte vers des siècles reculés, l'on parcourt des contrées lointaines, pour composer de mille traits épars une servitude bien complète qu'on puisse donner pour modèle. La parole déshonorée vole de bouche en bouche, ne partant d'aucune source réelle, ne portant nulle part la conviction, bruit importun, oiseux et ridicule, qui ne laisse à la vérité et à la justice aucune expression qui ne soit souillée[2].

Un pareil état est plus désastreux que la révolution la plus orageuse. On peut détester quelquefois les tribuns séditieux de Rome ; mais on est oppressé du mépris qu'on éprouve pour le sénat sous les Césars. On peut trouver durs et coupables les ennemis de Charles I. Mais un dégoût profond nous saisit pour les créatures de Cromwell[3].

Lorsque les portions ignorantes de la société commettent des crimes, les classes éclairées restent intactes. Elles sont préservées de la contagion par le malheur ; et comme la force des choses remet tôt ou tard le pouvoir entre leurs mains, elles ramènent facilement l'opinion qui est plutôt égarée que corrompue. Mais lorsque ces classes elles-mêmes, désavouant

2. Passages reproduits, depuis *Les passions*, du Livre XVIII, 6, p. 501-502.
3. Il s'agit de la longue lutte menée par le Parlement contre Charles 1er et de ceux qui ont frayé la voie au Protectorat de Cromwell, en 1653.

leurs principes anciens, déposent leur pudeur accoutumée, et s'autorisent d'exécrables exemples, quel espoir reste-t-il ? Où trouver un germe d'honneur, un élément de vertu ? tout n'est que fange, sang et poussière.

Destinée cruelle à toutes les époques pour les amis de l'humanité ! Méconnus, soupçonnés, entourés d'hommes incapables de croire au courage, à la conviction désintéressée, tourmentés tour à tour, par le sentiment de l'indignation, quand les oppresseurs sont les plus forts, et par celui de la pitié, quand ces oppresseurs sont devenus victimes, ils ont toujours erré sur la terre, en butte à tous les partis, et seuls au milieu des générations, tantôt furieuses, tantôt dépravées.

En eux repose toutefois l'espoir de la race humaine. Nous leur devons cette grande correspondance des siècles qui dépose en lettres ineffaçables contre tous les sophismes que renouvellent tous les tyrans. Par elle, Socrate a survécu aux persécutions d'une populace aveugle, et Cicéron [4] n'est pas mort tout entier sous les proscriptions de l'infâme Octave. Que leurs successeurs ne se découragent pas ! Qu'ils élèvent de nouveau leur voix ! Ils n'ont rien à se faire pardonner. Ils n'ont besoin ni d'expiations ni de désaveux. Ils possèdent intact le trésor d'une réputation pure. Qu'ils osent exprimer l'amour des idées généreuses. Elles ne réfléchissent point sur eux un jour accusateur [5] ! Ce ne sont point des temps sans compensation que ceux où le despotisme, dédaignant une hypocrisie qu'il croit inutile, arbore ses propres couleurs, et déploye [c] avec insolence des étendarts [d] dès longtemps connus. Combien il vaut mieux souffrir de l'oppression de ses ennemis que rougir des excès de ses alliés ! On rencontre alors l'approbation de tout ce qu'il y a de vertueux sur la terre. On plaide une noble cause, en

---

4. Cicéron, l'homme du parti républicain et du Sénat ; il fut assassiné en 43.
5. Passages adaptés du Livre XVIII, 6, p. 502-503.

présence du monde et secondé par les vœux de tous les hommes de bien[6].

Jamais un peuple ne se détache de ce qui est véritablement la liberté. Dire qu'il s'en détache, c'est dire qu'il aime l'humiliation, la douleur, le dénuement et la misère ; c'est prétendre qu'il se résigne sans peine à être séparé des objets de son amour, interrompu dans ses travaux, dépouillé de ses biens, tourmenté dans ses opinions, et dans ses plus secrètes pensées, traîné dans les cachots et sur l'échaffaud[e]. Car c'est contre ces choses que les garanties de la liberté sont instituées, c'est pour être préservé de ces fléaux que l'on invoque la liberté. Ce sont ces fléaux que le peuple craint, qu'il maudit, qu'il déteste. En quelque lieu, sous quelque dénomination qu'il les rencontre, il s'épouvante, il recule. Ce qu'il abhorrait dans ce que ses oppresseurs appelaient la liberté, c'était l'esclavage. Aujourd'hui l'esclavage s'est montré à lui, sous son vrai nom, sous ses véritables formes. Croit-on qu'il le déteste moins[7] ?

Missionnaires de la vérité, si la route est interceptée, redoublez de zèle, redoublez d'efforts. Que la lumière perce de toutes parts ; obscurcie, qu'elle reparaisse, repoussée, qu'elle revienne. Qu'elle se reproduise, se multiplie, se transforme. Qu'elle soit infatigable comme la persécution. Que les uns marchent avec courage, que les autres se glissent avec adresse. Que la vérité se répande, pénètre, tantôt retentissante, et tantôt répétée tout bas. Que toutes les raisons se coalisent, que toutes les espérances se raniment, que tous travaillent, que tous servent, que tous attendent[8].

La tyrannie, l'immoralité, l'injustice sont tellement contre nature qu'il ne faut qu'un effort, une voix courageuse pour retirer l'homme de cet abyme[f]. Il revient à la morale par le malheur qui résulte de l'oubli

6. Passage reproduit, *ibid.*, p. 505.
7. Passage adapté, depuis *Dire qu'il s'en détache*, *ibid.*, p. 504.
8. Passage adapté, *ibid.*, p. 505.

de la morale. Il revient à la liberté par le malheur qui
résulte de l'oubli de la liberté. La cause d'aucune
nation n'est désespérée. L'Angleterre, durant ses
guerres civiles, offrit des exemples d'inhumanité.
Cette même Angleterre parut n'être revenue de son
délire, que pour tomber dans la servitude. Elle a
toutefois repris sa place parmi les peuples sages,
vertueux et libres, et de nos jours nous l'avons vue, et
leur modèle [9] et leur espoir.

9. Passage adapté, *ibid.*, p. 505-506.

POSTFACE[1]

Durant l'impression de cet ouvrage, commencée au mois de novembre dernier, les événements, qui se sont succédés[a] rapidement, ont appuyé de preuves si évidentes les vérités que je voulais établir, que je n'ai pu m'empêcher de faire usage des exemples qu'ils me fournissaient, malgré mon premier désir de me réduire, le plus qu'il serait possible, à des principes généraux.

Celui, qui, depuis douze années, se proclamait destiné à conquérir le monde a fait amende honorable de ses prétentions. Ses discours, ses démarches, chacun de ses actes, sont des arguments plus victorieux contre le système des conquêtes, que tous ceux que j'avais pu rassembler. En même temps, sa conduite, si peu semblable à celle des souverains légitimes qui ont été en butte aux mêmes adversités, ajoute une différence bien frappante à toutes celles que j'ai fait ressortir, comme séparant l'usurpation d'avec la monarchie ou la république. Voyez Venise[2], lors de la ligue de Cambray[b], ou la Hollande menacée par Louis XIV. Quelle confiance dans le peuple, quelle tranquille intrépidité dans les magistrats ! c'est que ces gouvernements étaient légitimes. Voyez[c]

1. Titre ajouté par nous.
2. Venise fut attaquée en 1509 par la Ligue de Cambrai, le pape, l'empereur et Louis XII.

Louis XIV dans sa vieillesse. Il a toute l'Europe à combattre ; il est affaibli par les outrages du temps. Son orgueil reconnaît la nécessité de capituler avec la fortune. Son langage toutefois est plein de dignité. En dépit des périls, il a fixé le terme au-delà duquel il ne reculera pas. Sa noblesse dans le malheur devient presque une excuse des fautes que la prospérité lui avait fait commettre ; et comme il arrive toujours, de même que ses erreurs avaient été punies, sa grandeur d'âme est récompensée. Une paix honorable sauve son trône et son peuple. De nos jours, le roi de Prusse perd une partie de ses Etats ; il ne peut soutenir une lutte inégale ; il se résigne au sort, mais il conserve au sein des revers la fermeté d'un homme et l'attitude d'un roi. L'Europe l'estime, ses sujets le plaignent et le chérissent ; de toutes parts des vœux secrets s'unissent aux siens, et dès qu'il en donne le signal, une nation généreuse accourt pour le venger. Que dirons-nous de cet autre exemple, plus grand encore, unique dans les annales des peuples ? Ce ne sont pas quelques provinces frontières occupées par l'ennemi. C'est l'étranger pénétrant au cœur d'un vaste empire. Entendez-vous un seul cri de découragement ? démê-lez-vous un seul geste de faiblesse ? L'agresseur avance, tout se tait. Il menace, rien ne fléchit. Il plante ses drapeaux sur les tours de la capitale, et cette capitale en cendres est la réponse qu'il obtient.

Lui au contraire, avant même que son territoire ne soit envahi, est frappé d'un trouble qu'il ne peut dissimuler. A peine ses limites sont-elles touchées, qu'il jette au loin toutes ses conquêtes. Il exige l'abdication d'un de ses frères, il consacre l'expulsion d'un autre. Sans qu'on le lui demande, il déclare qu'il renonce à tout [3].

D'où vient cette différence ? Tandis que les rois, même vaincus, n'abjurent point leur dignité, pour-quoi le vainqueur de la terre cède-t-il au premier

3. Sur la campagne de 1813, cf. G. Lefebvre, *Napoléon*, Livre VI, 1.

échec ? c'est que ces rois savaient que la baze [d] de leur
trône reposait dans le cœur de leurs sujets. Mais un
usurpateur siège avec effroi sur un trône illégitime,
comme sur une pyramide solitaire. Aucun assentiment
ne l'appuye [e]. Il a tout réduit en poussière, et cette
poussière mobile laisse arriver à lui les vents déchaî-
nés. Les cris de sa famille, nous dit-il, déchirent son
cœur. N'étaient-ils pas de cette famille, ceux qui
périssaient en Russie dans la triple agonie des blessures, du froid et de la famine ? Mais, tandis qu'ils
expiraient, désertés par leur chef, ce chef se croyait [f] en
sûreté. Maintenant, le danger qu'il partage lui donne
une sensibilité subite.

La peur est un mauvais conseiller, là surtout, où il
n'y a pas de conscience. Il n'y a dans l'adversité,
comme dans le bonheur, de mesure que dans la
morale. Où la morale ne gouverne pas, le bonheur se
perd par la démence, l'adversité par l'avilissement.

Quel effet doit produire sur une nation courageuse
cette aveugle frayeur, cette pusillanimité soudaine,
sans exemple encore au milieu de nos orages ? Car ces
révolutionnaires, justement condamnés pour tant
d'excès, avaient du moins senti que leur vie était
solidaire de leur cause, et qu'il ne fallait pas provoquer
l'Europe quand on n'osait pas lui résister. Certes, la
France gémissait depuis douze ans sous une lourde et
cruelle tyrannie. Les droits les plus saints étaient
violés, toutes les libertés étaient envahies. Mais il y
avait une sorte de gloire. L'orgueil national trouvait
(c'était un tort) un certain dédommagement à n'être
opprimé que par un chef invincible. Aujourd'hui, que
reste-t-il ? plus de prestige, plus de triomphes, un
empire mutilé, l'exécration du monde, un trône dont
les pompes sont ternies, dont les trophées sont
abattus, et qui n'a pour tout entourage que les ombres
errantes du duc d'Enghien, de Pichegru, de tant
d'autres, qui furent égorgés pour le fonder. Fiers
défenseurs de la monarchie, supporterez-vous que
l'oriflamme de St. Louis soit remplacé par un éten-
dart [g] sanglant de crimes et dépouillé de succès ? et

vous qui désiriez une république, que dites-vous d'un maître qui a trompé vos espérances, et flétri les lauriers dont l'ombrage voilait vos dissensions [h] civiles, et fesait [i] admirer jusqu'à vos erreurs ?

APPENDICE A

Préface
DE LA TROISIÈME ÉDITION

Cet ouvrage a été écrit en Allemagne au mois de novembre 1813, et publié au mois de janvier ; il a été réimprimé en Angleterre au commencement de mars. L'édition actuelle n'a subi que peu de changements ; non que je n'aie senti qu'il y avait beaucoup à perfectionner ; mais un ouvrage de circonstance doit, le plus qu'il est possible, demeurer tel qu'il a paru dans la circonstance.

Il n'y aura d'ailleurs, je le crois, aucun lecteur qui ne sente que, si j'avais composé cet ouvrage en France, ou dans le moment actuel, je me serais exprimé différemment sur plus d'un objet. A l'horreur que m'inspirait le gouvernement de Buonaparte se joignait, j'en conviens, une certaine impatience contre la nation qui portait son joug. Je savais mieux qu'un autre combien ce joug était odieux à cette nation ; je souffrais de lui voir profaner le courage, et verser son sang pour se maintenir dans la servitude ; je souffrais plus encore de ce que les hommages qu'elle prodiguait à son tyran paraissaient aux étrangers une preuve qu'elle méritait son sort ; je m'irritais de ce qu'elle agissait de la sorte, en opposition, non seulement avec son intérêt, mais avec sa nature et avec cette délicatesse et ce sentiment exquis d'honneur et de convenance qui la distinguent si éminemment ; je trouvais qu'elle se calomniait elle-même, et il était inutile de la justifier. Quand nous l'essayions, tristes réfugiés sur la terre étrangère, un article du *Moniteur* venait foudroyer nos impuissantes explications ; il faut avoir éprouvé cette souffrance pour la concevoir, et alors on pardonnera facilement quelques expressions d'amertume échappées à une douleur qui était d'autant plus vive qu'on était plus jaloux de l'honneur du nom français.

Paris, ce 22 avril 1814.

APPENDICE B

AVERTISSEMENT
POUR LA QUATRIÈME ÉDITION

Des hommes, dont l'opinion est pour moi d'une grande autorité, m'ont paru s'être mépris sur quelques-unes de mes assertions. En conséquence, j'ai ajouté à la fin de cette édition, des développements, que la crainte de ne pas obtenir une attention suivie, au milieu du bouleversement de toute l'Europe, m'avait précédemment engagé à supprimer.

APPENDICE C

CHAPITRES AJOUTÉS A CETTE ÉDITION

CHAPITRE PREMIER

DES INNOVATIONS, DES RÉFORMES, DE L'UNIFORMITÉ ET DE LA STABILITÉ DES INSTITUTIONS

L'on a paru croire qu'en recommandant le respect pour le passé, je blâmais toutes les innovations, sans rien accorder au progrès des idées et sans reconnaître la nécessité des changements inévitables que le temps introduit dans les opinions, et doit en conséquence introduire aussi dans les institutions humaines. J'avais excepté néanmoins de ce respect pour le passé toutes les institutions injustes ; j'avais reconnu qu'aucune prescription ne légitimait l'injustice ; mais il est très vrai que, lorsqu'il ne s'agit que d'imperfections, lorsque les changements qu'on veut opérer ne sont point réclamés par l'équité rigoureuse, mais seulement motivés par l'utilité qu'on leur suppose, je pense qu'il ne faut procéder aux innovations qu'avec beaucoup de lenteur et de réserve.

Quand l'autorité dit à l'opinion, comme Séide à Mahomet,

.........J'ai devancé ton ordre,

l'opinion lui répond, comme Mahomet à Séide,

.........Il eût fallu l'attendre[1] ;

et si l'autorité refuse le délai, l'opinion se venge[2].

Les hommes qui veulent la devancer tombent, à leur insu peut-être, dans une étrange contradiction.

---

1. Voltaire, *Mahomet*, II, 3.
2. Citation qu'on retrouve dans le Livre XV, 7, p. 407.

Pour justifier leurs tentatives prématurées, ils disent qu'il ne faut point dérober à la génération présente les bienfaits de leur nouveau système ; et quand la génération présente se plaint d'être victime de ce système, ils excusent ce sacrifice, au nom de l'intérêt des races futures [3].

Une amélioration, une réforme, l'abolition d'un abus, toutes ces choses ne sont salutaires que lorsqu'elles suivent le vœu national. Elles deviennent funestes, lorsqu'elles le précèdent. Ce ne sont plus des perfectionnements, mais des actes de tyrannie. Ce n'est pas à la rapidité des améliorations, mais à l'accord des institutions avec les idées, qu'il est raisonnable d'attacher de l'importance [4]. Si vous méprisez cette règle, vous ne saurez où vous arrêter. Tous les abus se tiennent, plusieurs sont liés intimement à des parties essentielles de l'édifice social. Si l'opinion ne les en a séparés d'avance, vous ébranlerez tout l'édifice en les attaquant.

On peut objecter qu'il est difficile de connaître avec exactitude l'état et le vœu de l'opinion ; que l'on ne saurait compter les suffrages ; que ce n'est souvent qu'après l'adoption d'une mesure qui semblait populaire que l'opposition se manifeste, et qu'il est alors trop tard pour reculer.

Je réponds, en premier lieu, que si vous laissez à l'opinion la faculté de s'exprimer librement, vous la connaîtrez sans peine. Ne la provoquez pas ; ne l'excitez point par des espérances, en lui indiquant le sens dans lequel vous désirez qu'elle se prononce. Car, pour complaire à la puissance, la flatterie prendrait alors la forme de l'opinion. Placez un monarque irréligieux à la tête d'un peuple dévot, le plus souple de ses courtisans sera le plus incrédule. Replacez une cour bigote à la tête d'un peuple éclairé, les athées de cette cour reprendront la haire et la discipline. Mais que l'autorité reste muette, les individus parleront ; du

3. Passage adapté du Livre XVIII, 4, p. 490.
4. Passage adapté, *ibid.*, p. 489.

choc des idées naîtra la lumière, et le sentiment général sera bientôt impossible à méconnaître[5]. Vous avez donc ici, pour moyen aussi infaillible que facile, la liberté de la presse ; cette liberté à laquelle il faut toujours revenir ; cette liberté nécessaire aux gouvernements, non moins qu'aux peuples ; cette liberté, dont la violation est, sous ce rapport, un crime d'Etat.

En second lieu, l'opinion modifie insensiblement dans la pratique les lois et les institutions qui la contrarient. Laissez-lui faire ce travail[6]. Le temps, dit Bacon[7], est le grand réformateur. Ne refusez pas son assistance. Qu'il marche devant vous, il applanira[a] votre route. Si ce que vous instituez n'a pas été préparé par lui, vous commanderez vainement. Il ne sera pas plus difficile à vos successeurs d'abroger vos lois, qu'il ne vous l'a été d'en abroger d'autres, et il ne restera de vos lois abrogées que le mal qu'elles auront fait[8].

Je promène mes regards sur l'Europe, dans le XVIIIe siècle. Je prends au hasard les faits qui se présentent. Tous corroborent ce que j'affirme.

Je vois à la mort de Jean V[9], le Portugal plongé dans l'ignorance et courbé sous le joug du sacerdoce. Un homme de génie arrive à la tête de l'Etat. Il ne calcule point que, pour briser ce joug et pour dissiper cette ignorance, il faut avoir un point d'appui dans la disposition nationale. Par une erreur commune aux possesseurs du pouvoir, il cherche ce point d'appui dans l'autorité. En frappant le rocher, il veut en faire jaillir la source vivifiante ; son imprudente précipitation révolte contre lui les esprits les plus dignes de le seconder. L'influence des prêtres s'accroît de la persécution dont ils sont victimes. La noblesse se soulève, d'affreux supplices portent partout la

5. Passages adaptés du Livre XV, 7, p. 411.
6. Phrases adaptées, *ibid.*
7. *Works*, Londres, 1858, t. I, p. 704. Cf. Hofmann, p. 412, n. 70.
8. Passage adapté du Livre XV, 7, p. 412.
9. Roi de Portugal de 1706 à 1750.

consternation ; le ministre est en butte à la haine de toutes les classes. Après vingt ans d'une administration tyrannique, la mort du roi [10] lui ravit son protecteur, il échappe [11] avec peine à l'échafaud, et la nation bénit le moment où, délivrée du gouvernement qui prétendait l'éclairer en dépit d'elle-même, elle peut se reposer de nouveau dans la superstition et dans l'apathie*.

En Autriche, Joseph II [12] succède à Marie-Thérèse. Il croit s'apercevoir que les lumières de ses sujets sont inférieures à celles des peuples circonvoisins. Impatient de faire disparaître une disproportion qui le blesse, il appelle à son aide tous les moyens que lui fournit la puissance, sans négliger ceux que lui promet la liberté. Il prête aux écrivains qui dévoilent les abus, le secours de la force. Mais l'opinion, qui se voit dépassée, reste immobile et indifférente. Des moines obscurs et des privilégiés égoïstes résistent aux projets de l'empereur philosophe. Son administration devient odieuse, parce qu'au nom de l'intérêt du peuple elle contrarie ses habitudes et ses préjugés. Les regrets, qui accompagnent de bonnes intentions déçues, la douleur d'être méconnu, font descendre prématurément Joseph dans la tombe, et ses dernières paroles sont un aveu de son impuissance et une expression de son malheur**[13].

---

* Je ne prétends rien prononcer sur l'état actuel de la nation portugaise ; je ne parle que de la révolution que le marquis de Pombal voulut opérer il y a cinquante ans.

** Joseph II demanda en mourant qu'on gravât sur son tombeau qu'il avait été malheureux dans toutes ses entreprises [14].

10. Joseph Ier (1714-1777), roi de Portugal de 1750 à 1777, confia le pouvoir au marquis de Pombal.

11. Pombal (Sebastão, marquis de) (1699-1782), homme d'Etat portugais, ministre de Joseph Ier, gouverna le Portugal pendant vingt-six ans, énergique, partisan des idées philosophiques, il chassa les jésuites et fortifia le pouvoir royal.

12. Joseph II (1741-1790), succéda en 1780 à Marie-Thérèse.

13. Passage adapté, depuis *Je promène mes regards*, du Livre XV, 7, p. 407-408.

14. Note qu'on retrouve dans le Livre XV, note I, p. 414.

L'histoire de notre assemblée constituante est plus instructive encore. L'opinion semblait réclamer depuis longtemps plusieurs des améliorations que cette assemblée tenta d'opérer. Trop avide de lui complaire, cette réunion d'hommes éclairés, mais impatients, crut ne pouvoir aller trop loin ni trop vite. L'opinion s'effaroucha de cet empressement de ses interprètes. Elle recula, parce qu'ils voulaient l'entraîner. Délicate jusqu'au caprice, elle s'irrite, quand on prend ses velléités pour des ordres. De ce qu'elle se plaît à blâmer, il ne s'ensuit pas toujours qu'elle veuille qu'on détruise. Souvent, comme les rois, qui seraient fâchés que chaque mot qu'ils prononcent fût converti en acte par le zèle de leurs alentours, elle prétend parler, sans que ses paroles tirent à conséquence, afin de pouvoir parler librement. Les décrets les plus populaires de l'assemblée constituante furent désavoués par une portion nombreuse du peuple ; et parmi les voix qui s'élevèrent contre ses décrets, il y en avait beaucoup, sans doute, qui les avaient provoqués jadis. Ce n'est que depuis que l'on a menacé les désapprobateurs de leur ravir le bénéfice des réformes qu'ils avaient amèrement censurées, que l'opinion, n'étant plus blessée dans son indépendance, se rattache d'elle-même à ces réformes, qu'une ardeur sans mesure avait décréditées et flétries.

Contemplez au contraire la Russie, depuis le commencement du règne d'Alexandre : les améliorations sont lentes et graduelles ; le peuple s'éclaire, sans qu'on l'y contraigne ; les lois se perfectionnent dans les détails, sans qu'on imagine d'en bouleverser l'ensemble ; la pratique, en précédant la théorie, prépare les esprits à la recevoir, et le moment s'approche où cette théorie, qui n'est que l'exposition de ce qui doit être, sera d'autant mieux reçue, qu'elle se présentera comme l'explication de ce qui est. Honneur au prince qui, dans sa marche, à la fois prudente et généreuse, favorise tous les progrès naturels, respecte tous les ajournements nécessaires, et sait également se garantir de la défiance qui veut interrompre, et de l'impatience qui veut devancer [15] !

Pour corriger ce qui est abusif, permettez qu'on s'en affranchisse ; permettez, ne contraignez pas. En permettant, vous appelez à votre aide toutes les lumières ; en contraignant, vous armeriez contre vous beaucoup d'intérêts.

Prenons un exemple : il y a deux manières de supprimer les couvents. On peut en ouvrir les portes ; on peut en chasser les habitants. Si vous adoptez le premier moyen, vous faites du bien sans faire aucun mal ; vous brisez des chaînes, et ne violez point d'asiles. Si vous adoptez le second, vous bouleversez des calculs fondés sur la foi publique ; vous insultez à la vieillesse, que vous traînez languissante et désarmée au milieu d'un monde inconnu ; vous portez atteinte à un droit incontestable de tous les individus dans l'état social, au droit de choisir leur genre de vie, de mettre en commun leur propriété, de se réunir pour professer la même doctrine, pour jouir de la même aisance, pour goûter le même repos ; et ces injustices arment contre la réforme que vous commandez l'opinion qui naguère l'appelait de ses vœux, et la sanctionnait de son suffrage [16].

J'applique ces principes à l'uniformité qu'on m'accuse d'avoir censurée trop sévèrement. Je ne veux point nier que, sur quelques points, l'uniformité, dont j'ai montré les inconvénients, n'ait aussi des avantages.

Toutes les institutions sociales ne sont que des formes, adoptées pour le même but, pour le plus grand bonheur, et surtout le plus grand perfectionnement de l'espèce humaine. Il y a toujours une de ces formes qui vaut mieux que toutes les autres. Si on peut l'introduire paisiblement, et obtenir pour elle un

15. Passage résumant le Livre XV, 7, p. 409-410. Sur l'attitude des libéraux à l'égard du tsar et de la Russie, cf. l'*Ecole libérale*, chap. VII, pp. 207-209.

16. Les deux derniers passages sont adaptés du Livre XV, 7, p. 411 et p. 411-412.

assentiment général et volontaire, nul doute que le gain ne soit réel. Mais si, pour l'introduire, il faut de la contrainte, des lois prohibitives, et leurs inséparables compagnes, des lois pénales, le mal l'emportera sur le bien.

Pour aller d'un village à l'autre, la ligne la plus droite est incontestablement la plus courte. Les habitants des deux villages s'épargneraient du temps et de la fatigue, s'ils voulaient tous suivre cette route ; mais si vous ne pouvez la tracer qu'en abattant des maisons, en dévastant des champs ; si, après l'avoir tracée, vous avez besoin de voies de rigueur, pour forcer les passants à ne pas rentrer dans les sentiers pratiqués autrefois ; si des gendarmes sont nécessaires pour arrêter les contrevenants, des prisons pour les recevoir, des geôliers pour les garder, n'y aura-t-il pas plus de temps perdu, plus de fatigue éprouvée ? Si l'autorité peut, sans porter atteinte à la propriété particulière et aux droits individuels, ouvrir un chemin direct, elle fait bien. Mais qu'elle se borne à ouvrir ce chemin, qu'elle ne prohibe point ceux que l'usage a consacrés, bien qu'ils soient plus longs et plus incommodes ; qu'elle laisse l'intérêt combattre la routine ; tôt ou tard l'intérêt sera vainqueur, et le changement que l'on désire, moins chèrement acheté, sera plus complet et plus irrévocable.

Ceci s'applique aux dénominations, aux modes de calculer, aux poids et mesures, en un mot, à toutes les méthodes qui simplifient les opérations journalières, et les transactions des individus entre eux. Ces méthodes en elles-mêmes sont des améliorations ; que l'autorité les adopte, les proclame, et s'en serve ; mais qu'elle ne recherche point si les particuliers tiennent encore à d'anciennes méthodes fautives ; qu'elle ignore les déviations. Si l'amélioration est véritable, c'est-à-dire, si la méthode est en effet plus claire et plus facile, elle ne tardera pas à être adoptée ; et quand elle tarderait un peu, le malheur ne serait pas grand. En employant la force, vous dénaturez la question ; l'homme qui se sent blessé par vos mesures violentes n'examine plus ce que vous lui proposez ; il se révolte du mal que vous lui faites. Il détourne ses regards de votre but qui peut être bon, pour les fixer sur vos moyens qui sont mauvais, et ce que vous voulez établir lui devient odieux.

La question de l'uniformité des lois est encore plus délicate. L'on ne peut donner des lois uniformes à un pays, dont les diverses provinces ont d'anciennes lois qui diffèrent entre elles, qu'en changeant ces dernières. Or, pour remédier à la secousse du changement, il ne suffit pas de déclarer que les lois nouvelles n'auront pas un effet rétroactif ; leur changement n'en place pas moins dans une situation dissemblable, ceux qui ont transigé la veille, et ceux qui transigent le lendemain ; et comme les transactions d'hier sont le fondement de celles d'aujourd'hui, comme les premières n'ont eu lieu souvent, que parce qu'on a présupposé que les secondes reposeraient sur les mêmes bases, il est manifeste que l'innovation trompe les espérances et détruit la sécurité.

Quand je vois le scandale dont M. de Voltaire, et tant d'autres écrivains, ses imitateurs, se prétendent saisis, à l'aspect des coutumes nombreuses et opposées qui coexistaient en France, j'admire dans quelles erreurs l'amour de la symétrie les a fait tomber. « Quoi ! s'écrient-ils, deux portions du même empire sont soumises à des lois différentes, parce qu'une colline ou un ruisseau les séparent ! La justice n'est-elle donc pas la même sur les deux revers de la colline, sur les deux rives du ruisseau ? » Mais les lois ne sont pas la justice, ce sont des formes pour l'administrer ; et si deux peuplades, qui, bien que voisines, ont eu longtemps une existence à part, se trouvent, depuis leur réunion, avoir conservé des formes différentes, la différence ne doit pas être jugée d'après une proximité géographique, ou une dénomination collective, mais d'après l'attachement moral aux lois héréditaires sur lesquelles tous leurs calculs se sont appuyés.

Le pays le plus libre de notre ancien monde, la

Grande-Bretagne * [17], se gouverne par des lois très diversifiées. Il n'y a pas un comté qui n'ait quelque coutume différente de celles qui s'observent dans le comté voisin **. Nulle part, cependant, la propriété n'est plus assurée, les droits des individus plus respectés, la justice plus impartiale ***.

Une telle variété ne saurait, sans doute, servir de modèle en théorie. Il serait absurde de donner à plaisir des lois différentes aux fractions d'un pays entièrement neuf, et qu'on peuplerait d'hommes tout à fait nouveaux (car encore si ces hommes arrivaient dans ce pays avec des souvenirs et des habitudes, il faudrait que les lois qui leur seraient données ne blessassent en rien leurs habitudes et leurs souvenirs). Mais quand on emploie des éléments déjà existants, on doit

* En m'exprimant ainsi, je ne veux point nier que la Suède ne jouisse aussi d'une grande liberté. Je rends volontiers un juste hommage à cette nation généreuse, que nous avons vue, conduite par un grand homme, paraître au premier rang de nos libérateurs, lorsque d'autres peuples, ou leurs gouvernements, semblaient hésiter encore. Je sais qu'en Suède les individus sont garantis de tout acte arbitraire, par des lois équitables, par une représentation indépendante, et par un noble esprit national. Mais je vois dans les derniers décrets de la diète des restrictions à la liberté de la presse ; je vois une espèce de censure confiée, il est vrai, au jugement d'un homme très éclairé. Pour compter la Suède parmi les nations parfaitement libres, j'attends que le décret qui limite la liberté de la presse soit effacé, comme il doit l'être bientôt, du nombre des lois [18].

** *Voyez* Blackstone [19].

*** Cette persistance de l'Angleterre à conserver à chaque province ses anciens usages, prouve, pour le dire en passant, combien on calomnie la véritable liberté, quand on la représente comme dangereuse et désorganisatrice. Il n'y a que les esclaves qui fassent du mal quand ils brisent leurs chaînes ; alors, sans doute, ils en font beaucoup ; et pour comble d'infortune et de honte, ce mal est souvent gratuit ; car, épuisés par leurs excès, ils tendent sans cesse à retourner à la servitude.

17. Sur l'attitude mitigée des libéraux à l'égard de l'Angleterre, cf. l'*Ecole libérale, ibid.*, pp. 180-189.

18. Pour Bernadotte et la Suède, cf. *ibid.*, pp. 206-207.

19. Les *Commentaries on the Laws of England*, 1765-1769, ont été traduits en plusieurs langues et ont exercé une grande influence.

respecter tous les intérêts créés et garantis par les institutions antérieures*.

Les êtres moraux ne peuvent être soumis aux règles de l'arithmétique ou du mécanisme. Le passé jette en eux de profondes racines, qui ne se brisent pas sans douleur ; on leur fait subir, en arrachant ces racines, le supplice de Polydore. Il n'y en a pas une qui ne résiste, et qui, détachée, ne laisse échapper des gouttes de sang.

Pour peu qu'on réfléchisse sur cette doctrine, on se convaincra qu'elle ne favorise nullement ces idées exagérées de stabilité, que des hommes non moins systématiques, non moins obstinés, veulent opposer aux améliorations nécessaires. C'est un autre extrême, ou plutôt c'est la même erreur, différemment appliquée. Ce sont toujours les droits de l'opinion qu'on dispute : les uns ne veulent pas l'attendre ; les autres ne veulent pas marcher avec elle.

Au moment où certaines institutions se sont établies, comme elles étaient proportionnées à l'état des lumières et des mœurs, elles avaient une utilité, une bonté relative. A mesure que l'esprit humain a fait des progrès, ces avantages ont diminué ; les institutions se sont modifiées. Vouloir rétablir ces institutions dans ce qu'on nomme leur pureté primitive serait alors une grande faute ; car cette pureté se trouverait précisément la chose la plus opposée aux idées contemporaines, et la plus propre à faire du mal.

Cette faute est celle de la plupart des gouvernements et de beaucoup de publicistes ; ils voient qu'à

* Remarquez que ceci ne s'applique qu'à ce qui est à faire, et point à ce qui a été fait ; souvent on a eu tort de détruire, mais on aurait tort de rétablir. Il y aurait double inconvénient ; car, au lieu d'une innovation, il y en aurait deux. Ainsi, de ce qu'on a peut-être aboli beaucoup trop légèrement les coutumes partielles des provinces de France, pour soumettre le royaume à un code uniforme, il ne s'ensuit point qu'il faille maintenant abolir ce code pour ressusciter ces coutumes partielles. Le changement qui a eu lieu, bien qu'on l'ait opéré imprudemment, n'en est pas moins devenu du passé ; à ce titre, il doit être respecté, parce que, depuis vingt-cinq ans, les habitudes s'y sont rattachées.

telle époque, telles coutumes, telles lois étaient utiles, et que maintenant elles sont nuisibles. Ils s'imaginent que c'est parce qu'elles ont dégénéré ; c'est, au contraire, parce que l'institution est restée la même, et que les idées ont changé. La cause du mal auquel ils voudraient porter remède n'est pas dans la dégénération de l'une, mais dans la disproportion qui s'est introduite entre elle et les autres ; le remède qu'ils emploient ne peut donc qu'aggraver le mal.

La marche de l'espèce humaine étant graduelle, toute innovation qui lui imprime une secousse violente est dangereuse ; mais cette marche étant en même temps progressive, tout ce qui s'oppose à cette progression est également dangereux. Si l'opposition est efficace, il y a stagnation et bientôt dégradation dans les facultés de l'homme. Si l'opposition est impuissante, il y a lutte, discorde, convulsions et calamités.

L'on a peur des bouleversements, et l'on a raison ; mais on provoque les bouleversements par un attachement aveugle et opiniâtre à des idées de stabilité exagérée, comme par des innovations imprudentes. L'unique moyen de les éviter, c'est de se prêter aux changements insensibles qui s'opèrent dans la nature morale comme dans la nature physique [20]. Malheureusement certains mots nous séduisent, nous surtout, qui, parce que nous avons en général plus d'esprit que d'imagination, étudions avec notre esprit ce qui devrait frapper l'imagination que nous n'avons pas, et nous faisons ensuite un devoir d'en paraître enthousiastes. Le mot de régénération nous a poussés à tout détruire ; le mot de stabilité nous pousserait à tout rétablir. Mais rétablir dans ce cas n'est qu'un autre mode d'innover. L'autorité qui aujourd'hui voudrait rétablir la féodalité, le servage, l'intolérance religieuse, l'inquisition, la torture, cette autorité dirait en vain qu'elle se borne à rappeler des institutions antiques. Ces antiques institutions ne seraient pour

20. Passage adapté du Livre XV, 6, p. 405.

nous que d'absurdes et funestes nouveautés. Elles n'auraient pas même l'avantage qu'elles pouvaient avoir autrefois, celui de maintenir par la stupeur une sorte de repos accablant et lourd. Toutes les forces morales du siècle réagissant contre elles, leur rétablissement serait de peu de durée. Ce rétablissement aurait fait du mal ; le renversement en ferait encore, et ce renversement serait inévitable. Car, renouveler des institutions pareilles, c'est donner une prime à ceux qui veulent bouleverser toutes les institutions.

Obéissez au temps ; faites chaque jour ce que chaque jour appelle ; ne soyez ni obstinés dans le maintien de ce qui s'écroule ni trop pressés dans l'établissement de ce qui semble s'annoncer ; restez fidèles à la justice, qui est de toutes les époques ; respectez la liberté, qui prépare tous les biens ; consentez à ce que beaucoup de choses se développent sans vous, et confiez au passé sa propre défense, à l'avenir son propre accomplissement [21].

---

21. Le lecteur aura noté que ce chapitre surajouté tend à persuader le pouvoir et ses alentours, en juillet 1814, des dangers que comporte tout retour à l'ancien régime et tout essai d'annuler les conquêtes de 1814.

CHAPITRE II

DÉVELOPPEMENTS SUR L'USURPATION

Les idées que j'ai présentées sur l'usurpation ont rencontré deux espèces d'adversaires. Les uns m'ont accusé de voir des gouvernements usurpateurs dans tous ceux qui n'étaient pas fondés sur l'hérédité. Les autres ont refusé de considérer les suites que j'attribue à l'usurpation, comme en étant réellement des conséquences inévitables.

J'aurais prévenu les objections des premiers, si je n'avais laissé dans mon ouvrage une lacune, que je croyais avoir justifiée, en déclarant que je ne remontais point à l'origine des gouvernements. Si j'avais eu à traiter cette question, je n'aurais pu sans doute m'empêcher de reconnaître qu'une autorité qui est établie par une volonté nationale, n'est point entachée d'usurpation. Washington n'était assurément pas un usurpateur. Le prince d'Orange[1] du temps de Philippe II, n'était pas usurpateur[2]. Guillaume III n'était pas un usurpateur. Un usurpateur est celui qui, sans être appuyé du vœu national, s'empare du pouvoir, ou qui, revêtu d'un pouvoir limité, renverse les bornes qui lui sont prescrites.

Je ne disconviens pas qu'il ne soit difficile, pour le spectateur, de déterminer quand un vœu national

1. Guillaume Iᵉʳ, le Taciturne, prince d'Orange (1533-1584), essaya de délivrer la Hollande de l'occupation espagnole, fut assassiné. C'est lui qui fonda la branche d'Orange-Nassau.
2. Cf. *supra*, II, 5, le chapitre supprimé dans les éd. 3 et 4.

existe, et quand il n'existe pas ; et c'est pour cela que je me défie toujours des hommes qui, dans les révolutions, se mettent à la tête des peuples ; c'est pour cela que les nouvelles dynasties m'inspirent une prévention défavorable et presque invincible ; mais la difficulté de démêler la vérité ne change rien à la vérité en elle-même. Quand une nation est forcée à feindre un vœu qu'elle ne forme pas, elle sait très bien que ce vœu n'est pas réel. Quand un homme contraint un peuple à manifester un sentiment contraire à celui qu'il éprouve, cet homme ne se fait pas illusion sur la sincérité de la démonstration qu'il commande. Un peuple sait donc quand c'est un usurpateur qui le gouverne ; un gouvernement sait quand il est usurpateur. Or, c'est cette connaissance que l'usurpation a d'elle-même, et qu'elle démêle dans ceux qui lui obéissent ; c'est cette connaissance, dis-je, qui lui imprime son caractère, et qui entraîne les conséquences que j'ai décrites, et sur lesquelles je reviendrai, en répondant à la seconde classe de mes adversaires.

Ceux avec lesquels je m'explique maintenant doivent reconnaître qu'au fond nous sommes du même avis. J'admets deux sortes de légitimités : l'une positive, qui provient d'une élection libre, l'autre tacite, qui repose sur l'hérédité ; et j'ajoute que l'hérédité est légitime, parce que les habitudes qu'elle fait naître, et les avantages qu'elle procure, la rendent le vœu national. Je n'aime pas du reste à traiter ces questions ; je l'ai dit ailleurs ; elles sont dangereuses, quand elles sont superflues, et s'éclaircissent assez quand il devient nécessaire de les agiter *. Mais, d'un

---

* *Réflexions sur les constitutions et les garanties.* Préface, p. IX [3].

3. On se rappelle que la 3ᵉ éd. de l'*Esprit de conquête* a paru à Paris le 22 avril 1814 ; le 24 mai, sortie de presse des *Réflexions sur les constitutions* ; en juillet, une brochure sur la liberté de la presse ; en juillet encore, la 4ᵉ éd. de l'*Esprit de conquête* et, en août, une autre brochure sur la liberté de la presse. Benjamin Constant s'impose ainsi très vite comme penseur politique : contre l'usurpation, bien entendu, mais contre l'arbitraire monarchique aussi. Les

autre côté, il y a quelque imprudence à reproduire des systèmes que le progrès des lumières a frappés de nullité*. Les publicistes devraient s'instruire par l'exemple de ce Buonaparte même, dont l'histoire est trop récente, pour que les leçons qu'elle nous offre soient déjà perdues. Personne n'a plus travaillé que cet homme à ressusciter le dogme du droit divin. Il s'est fait sacrer par le chef de l'Eglise; toutes les pompes religieuses ont entouré son trône. Il semblait y avoir dans son élévation quelque chose de surnaturel; tous les sophismes de l'esprit se sont mis à son service, à commencer par le catéchisme, et à finir par les harangues académiques. Les productions de mille écrivains se sont remplies de dissertations d'une bassesse naïve sur le devoir d'obéissance implicite et sur le mystère de l'autorité; quel a été le résultat de tous ces efforts? L'heure décisive est venue; et dans cette nation assermentée et endoctrinée depuis douze ans, pas une voix ne s'est élevée, pour rappeler une profession de foi politique, commentée et amplifiée par tant de rhéteurs infatigables, inculquée à une

* Pour se convaincre des dangers dont ces systèmes menacent les souverains, plus encore que les peuples, le lecteur peut consulter l'ouvrage de M. de Lévis, sur l'Angleterre au XIXᵉ siècle, pp. 259-262, et surtout à la page 259 [4].

leçons qu'il inculque, riche de son expérience directoriale, consulaire et impériale ainsi que de ses manuscrits dits de 1810, relèvent d'une conscience aiguë des libertés individuelles comme de la nécessité d'édifier les pouvoirs publics à partir de ces libertés.

4. G. de Lévis, *L'Angleterre au commencement du XIXᵉ siècle*, Paris, 1814. Constant a repris sa critique contre Lévis en 1819, in *Recueil d'articles, 1817-1820*. Tout au long de sa carrière d'opposant, il fut appelé à définir et redéfinir la légitimité moderne face aux prétentions absolutistes des adeptes de l'ancien régime.

Lévis (Gaston-Pierre-Marc, duc de) (1764-1830), ancien membre de la Constituante, il fit partie de l'armée des Princes en 1792, puis de l'expédition de Quiberon où il fut blessé (1795); il rentra d'Angleterre en France après le 18 brumaire; il publia sous l'Empire des maximes, des contes, des écrits politiques; il fut nommé pair de France en 1814, membre du Conseil privé en 1815 et de l'Académie en 1816.

jeunesse docile, et mille fois jurée par un peuple immense, avec toutes les apparences de l'enthousiasme. C'est que les arguments sur lesquels cette profession de foi repose prouvent trop, ou ne prouvent rien. Ils prouvent trop, si on les établit dans toute leur rigueur, car ils invalident alors la légitimité de toute famille qui s'est élevée aux dépens d'une autre. Ils ne prouvent rien, si on les plie aux circonstances, car alors la source de la légitimité ne sera autre que la force, et la force appartient à qui s'en saisit. Enfin, qu'a-t-on besoin de ce genre d'arguments dans une nation où il n'y a pas un seul homme qui ne fasse le vœu sincère de jouir d'une liberté sage sous une dynastie auguste, garant du repos, et préservatif désiré contre toute agitation nouvelle[5] ?

Des deux espèces de légitimité que j'admets, celle qui provient de l'élection est la plus séduisante en théorie ; mais elle a l'inconvénient de pouvoir être contrefaite ; elle l'a été en Angleterre par Cromwell ; elle l'a été en France par Buonaparte.

L'histoire ne nous offre guère que deux exemples, où l'élection portant sur un seul homme, et substituée à l'hérédité, ait eu des résultats favorables*. Le premier exemple est celui des Anglais en 1688, le second, celui des Suédois aujourd'hui ; mais, dans les deux cas, la légitimité, que l'hérédité consacre, est venue à l'appui de l'élection. Le prince que les Suédois ont appelé a été adopté par la famille royale[6] ; et les Anglais ont cherché dans Guillaume III le plus proche parent du roi[7] qu'ils étaient réduits à déposséder. Dans l'un et l'autre cas, il est résulté de cette

---

* Je ne parle pas de l'Amérique, où le pouvoir confié au président est républicain et amovible.

5. Ce n'est pas nécessairement un argument de bon ton : les libéraux sont disposés à accepter bien sincèrement les Bourbons à condition que ceux-ci acceptent les principes d'une monarchie constitutionnelle.

6. Non sans le concours de Napoléon, en 1810, désignant Bernadotte comme prince héritier.

7. Jacques II. Cf. *supra*, II, 5.

combinaison, que le prince élu librement par la nation s'est trouvé fort, à la fois, de sa dignité ancienne et de son titre nouveau. Il a contenté l'imagination par des souvenirs qui la captivaient, et la raison par le suffrage national dont il était appuyé. Il n'a point été condamné à n'employer que des éléments d'une création récente. Il a pu disposer avec confiance de toutes les forces de la nation, parce qu'il ne la dépouillait d'aucune partie de son héritage politique. Les institutions antérieures ne lui ont point été contraires ; il se les est associées, et elles ont concouru à le soutenir.

Ajoutez à cela, que les circonstances ont donné à Guillaume III un autre intérêt que celui qui d'ordinaire anime les princes, et les porte à ne travailler qu'à l'accroissement de leur puissance. Ayant à maintenir la sienne contre un concurrent qui la lui disputait, il a dû faire cause commune avec les amis de la liberté, qui, en lui conservant ses attributions, ne voulaient pas qu'elles fussent agrandies. Ceux qui auraient voulu agrandir la prérogative royale avaient en même temps pour but d'en confier l'exercice à un autre. De là vint que, sous les trois règnes de Guillaume III, de la reine Anne et de Georges Ier, ces monarques furent sur la défensive contre une théorie de despotisme qui aurait tourné contre eux. Ils se virent obligés à faire ressortir les dangers de cette théorie. Si les principes de l'obéissance étaient favorables à la puissance du roi, comme roi, les principes de la liberté étaient favorables à la sûreté du roi, comme individu. La reine Anne se crut intéressée à poursuivre Sacheverel[8], qui avait prêché la doctrine de la soumission implicite et du droit divin. L'influence de la couronne contribua de la sorte, à former l'esprit public à la liberté[9].

8. Sacheverel (Henry) (1674-1724), théologien anglais, accusé par les whigs devant la Chambre des Lords d'avoir prêché contre les principes de 1688.

9. Cf. *supra*, II, 5. Le sens de ce long passage est clair : les Bourbons sont assimilés à Guillaume III, leur sécurité dépend d'une franche adoption de la liberté.

Cependant, voyez, même dans cette partie importante de l'histoire anglaise, qui renferme ses dernières révolutions depuis 1625, la tendance du peuple à préférer la légitimité héréditaire. A peine Cromwell est-il mort, que les Anglais rappellent les Stuarts avec des transports de joie. Ils aiment à leur prouver de l'attachement, à leur témoigner du repentir, à les entourer d'une confiance sans bornes ; et ce n'est qu'après une seconde et terrible expérience, après avoir vu les actes arbitraires reproduits et multipliés, les propriétés envahies, les jugements annulés, les citoyens frappés de sentences illégales, la liberté de la presse foulée aux pieds, en un mot, toutes les promesses enfreintes, toutes les garanties sociales violées, que la nation britannique se détermine à écarter derechef la ligne directe, à se contenter de la légitimité que son vœu confie à un nouveau souverain. C'est bien une preuve que l'hérédité a du charme pour les peuples, et qu'ils sont heureux quand ils peuvent, sans trop d'inconvénients, lui rester fidèles !

Me trouvant, par cette explication, d'accord à ce que je pense, avec ceux qui n'ont censuré mes opinions que parce que je ne les avais développées qu'en partie, il me resterait à répondre à ceux qui me reprochent d'avoir transformé des faits particuliers en règles générales, et d'avoir pris le conquérant et l'usurpateur qui nous opprimait pour le type de tous les usurpateurs et de tous les conquérants. Mais une comparaison détaillée entre Buonaparte et tous ces fléaux de l'espèce humaine serait nécessaire, et cette comparaison, qui exigerait une foule de discussions historiques, ne peut être placée à la fin de cet ouvrage.

L'on ne m'accusera pas de vouloir excuser celui que je n'ai jamais voulu reconnaître. Mais quand on n'attribue ses entreprises, ses crimes et sa chute qu'à une perversité ou à une démence particulière à lui seul, je crois qu'on se trompe. Il me semble au contraire avoir été puissamment modifié, d'un côté par sa position d'usurpateur, et de l'autre par l'esprit de son siècle. Il était même dans sa nature d'être plus

modifié par ces deux causes que tout autre ne l'aurait
été. Ce qui le caractérisait, c'était l'absence de tout
sens moral, c'est-à-dire de toute sympathie, de toute
émotion humaine. Il était le calcul personnifié ; si ce
calcul a produit des résultats désastreusement bizarres, c'est qu'il se composait de deux termes opposés
l'un à l'autre et inconciliables, de l'usurpation qui lui
rendait le despotisme nécessaire, et d'un degré de
civilisation qui rend le despotisme impossible. De là
des contradictions, des incohérences, un mouvement
double et convulsif, que l'on prend à tort pour des
bizarreries individuelles.

Sans doute, un caractère tel que Philopémen [10],
Washington, Kosciusko, n'aurait ni suivi la même
marche, ni commis les mêmes forfaits. C'est que
Philopémen, Washington, Kosciusko n'auraient pas
été des usurpateurs. Mais aussi ce sont des caractères
très rares ; ce sont là les exceptions.

Assurément, Buonaparte est mille fois plus coupable que ces conquérants barbares qui, commandant à
des barbares, n'étaient point en opposition avec leur
siècle. Il a choisi la barbarie, il l'a préférée. Entouré de
lumières, il a voulu ramener la nuit. Il a voulu
transformer en nomades avides et sanguinaires un
peuple doux et policé ; et son crime est dans cette
intention préméditée, dans cet effort opiniâtre, pour
nous ravir l'héritage de toutes les générations éclairées
qui nous ont précédés sur cette terre. Mais pourquoi
lui avons-nous donné le droit de concevoir une telle
pensée ?

Lorsque arrivé solitaire, dans le dénuement et
l'obscurité, jusqu'à l'âge de vingt-quatre ans, il pro-
menait autour de lui son regard avide, pourquoi lui

10. Philopœmen de Mégalopolis (253-183 av. J.-C.), soldat et
homme politique. Il a joué un rôle important dans la Ligue
achéenne, sans avoir peut-être compris que les intérêts de son pays
se trouvaient moins dans la soumission de Sparte que dans la
résistance aux Romains.
    Philopœmen, Washington et Kosciuszko représentent évidem-
ment le type du patriote désintéressé.

montrions-nous un pays où toute idée religieuse était un objet d'ironie ? Lorsqu'il écoutait ce qui se professait dans nos cercles, pourquoi de graves penseurs disaient-ils que l'homme n'avait de mobile que son intérêt ? S'il a démêlé facilement que toutes les interprétations subtiles par lesquelles on veut éluder les résultats, après avoir proclamé le principe, étaient illusoires, c'est que son instinct était sûr, et son coup d'œil rapide. Ne lui ayant jamais prêté les vertus qu'il n'avait pas, je ne suis pas obligé de lui refuser les facultés qu'il avait. S'il n'y a que de l'intérêt dans le cœur de l'homme, il suffit à la tyrannie de l'effrayer ou de le séduire pour le dominer. S'il n'y a que de l'intérêt dans le cœur de l'homme, il n'est point vrai que la morale, c'est-à-dire l'élévation, la noblesse, la résistance à l'injustice soient d'accord avec l'intérêt bien entendu. L'intérêt bien entendu n'est, dans ce cas, vu la certitude de la mort, autre chose que la jouissance, combinée, vu la possibilité d'une vie plus ou moins longue, avec la prudence qui donne aux jouissances une certaine durée. Enfin, lorsque au milieu de la France déchirée, fatiguée de souffrir et de se plaindre, et ne demandant qu'un chef, il s'est offert pour être ce chef, pourquoi la multitude s'est-elle empressée à solliciter de lui l'esclavage ? Quand la foule se complaît à manifester du goût pour la servitude, elle serait par trop exigeante, si elle prétendait que son maître dût s'obstiner à lui donner de la liberté.

Je le sais, la nation se calomniait elle-même, ou se laissait calomnier par des interprètes infidèles. Malgré l'affectation misérable qui parodiait l'incrédulité, tout sentiment religieux n'était pas détruit. En dépit de la fatuité qui se disait égoïste, l'égoïsme ne régnait pas seul ; et, quelles que fussent les acclamations qui faisaient retentir les airs, le vœu national n'était pas la servitude ; mais Buonaparte a dû s'y tromper, lui dont la raison n'était pas éclairée par le sentiment, et dont l'âme n'était pas susceptible d'être exaltée par une généreuse inconséquence. Il a jugé la France d'après ses paroles, le monde d'après la France telle qu'il l'imaginait. Parce que l'usurpation immédiate était facile, il a cru qu'elle pouvait être durable, et, devenu usurpateur, il a fait ce que dans notre siècle l'usurpation condamne tout usurpateur à faire.

Il fallait étouffer dans l'intérieur toute vie intellectuelle ; il a banni la discussion et proscrit la liberté de la presse.

La nation pouvait s'étonner de ce silence ; il y a pourvu par des acclamations arrachées ou payées, qui semblaient un bruit national.

Si la France fût restée en paix, les citoyens tranquilles, les guerriers oisifs auraient observé le despote, l'auraient jugé, se seraient communiqué leurs jugements. La vérité aurait traversé les rangs du peuple. L'usurpation n'aurait pas résisté longtemps à l'influence de la vérité. Buonaparte était donc forcé à distraire l'attention publique par des entreprises belliqueuses. La guerre jetait sur des plages lointaines la portion encore énergique des Français. Elle motivait les vexations de la police contre la portion timide qu'elle ne pouvait chasser au-dehors. Elle frappait les esprits de terreur, et laissait au fond des cœurs un certain espoir que le hasard se chargerait de la délivrance ; espoir agréable à la peur et commode pour l'inertie. Que de fois j'ai entendu des hommes qu'on pressait de résister à la tyrannie, ajourner, en temps de guerre à la paix, en temps de paix à la guerre !

J'ai donc eu raison de dire qu'un usurpateur n'a de ressource que dans des guerres non interrompues ; on me répond : mais si Buonaparte eût été pacifique ? S'il eût été pacifique, il ne se fût pas maintenu douze ans ; la paix eût rétabli les communications entre les divers pays de l'Europe. Ces communications auraient rendu à la pensée des organes. Les ouvrages, imprimés dans l'étranger, se seraient introduits clandestinement. Les Français auraient vu qu'ils n'étaient pas approuvés par la majorité européenne ; le prestige n'aurait pu se soutenir. Buonaparte a si bien senti cette vérité, qu'il a rompu avec l'Angleterre pour écarter les journaux anglais. Ce n'était pas encore assez. Tant qu'une seule contrée restait libre, Buonaparte n'était pas en sûreté. Le commerce, actif, adroit, invisible, infatigable, franchissant toutes les distances, et se glissant, par mille détours, aurait tôt ou tard réintroduit au sein de l'Empire les ennemis qu'il était si important d'en exiler. De là le système continental, et la guerre avec la Russie.

Et remarquez combien il est vrai que cette nécessité de la guerre, pour la durée de l'usurpation, appartient à l'époque. Un siècle et demi plus tôt, Cromwell n'en avait pas eu besoin. Les communications d'un peuple avec l'autre n'étaient ni aussi fréquentes ni aussi faciles. La littérature continentale était presque étrangère aux Anglais. Les écrits dirigés contre leur usurpateur se composaient en langue latine. Il n'y avait pas de journaux qui, arrivant du dehors, lui portassent des coups, que leur répétition constante rendait chaque jour plus dangereux. Cromwell n'était pas forcé à la guerre, pour empêcher que la haine des Anglais ne se fortifiât de l'assentiment étranger, comme il serait arrivé à celle des Français sous Buonaparte, s'il ne les eût séparés du reste du monde. Il fallait à ce dernier la guerre partout, pour faire de ses esclaves

Semotos penitus orbe Gallos [11].

Je pourrais offrir sur tous les points une démonstration analogue, si je voulais analyser toutes les actions de Buonaparte. Plusieurs de ses attentats nous semblent inutiles ; mais la défiance est un élément inséparable de l'usurpation, et les crimes qui peuvent être inutiles en eux-mêmes deviennent par là une nécessité de sa nature. Buonaparte ne pouvait être rassuré ni par l'assentiment tumultueux ni par la soumission silen-

11. Les Gaules à part de la terre entière.

cieuse, et le plus horrible de ses actes [12] a été commis, parce qu'il croyait trouver une monstrueuse sécurité en imposant à ses agents la solidarité d'un grand crime.

Ce que je dis des moyens de l'usurpation, je le dis aussi de sa chute; j'avais affirmé qu'elle doit tomber par l'effet inévitable des guerres qu'elle nécessite. On m'a objecté que si Buonaparte n'eût pas commis telle ou telle faute militaire, il n'aurait pas été renversé; pas cette fois, mais une autre, pas aujourd'hui, mais demain. Il est dans la nature qu'un joueur, qui, chaque jour, court une chance nouvelle, rencontre un jour celle qui doit le ruiner.

On m'a reproché d'avoir affirmé que les conquêtes étaient impossibles, au moment où l'Europe entière était la proie d'une vaste conquête, et que l'usurpation ne pouvait s'affermir dans notre siècle, tandis que l'usurpation était triomphante. Pendant qu'on me faisait cette objection toutes les conquêtes ont été reprises, et l'usurpation est tombée.

J'ai prétendu que la paix était conforme à l'esprit de notre civilisation actuelle, et tous les peuples étaient en guerre; mais ils étaient en guerre par amour pour la paix. C'est au nom de la paix qu'ils se sont soulevés. Aucune contrainte, aucune menace n'a été nécessaire pour les réunir et les conduire, tandis qu'en France, où la nation devait combattre, non pour la paix, mais pour la conquête, des sbirres [a], des gendarmes, des bourreaux réussissaient à peine à forcer les citoyens à prendre les armes.

Il me semble donc que je n'ai point généralisé une idée particulière. Seulement, je n'ai pas adopté une logique en vertu de laquelle toutes les idées générales seraient bannies, car on peut toujours supposer d'autres circonstances que celles qui ont existé, et travestir en accidents les lois de la nature. Je crois, je l'avoue, qu'il est plus important de montrer que les maux infligés par Buonaparte à la France sont venus de ce

12. L'exécution du duc d'Enghien.

que son pouvoir avait dégénéré en usurpation, et de
flétrir ainsi l'usurpation même, qu'il ne peut l'être de
présenter un individu, comme un être à part, créé
pour le mal, et commettant le crime sans nécessité et
sans intérêt. Le premier point de vue nous donne de
grandes leçons pour l'avenir; le second transforme
l'histoire en une étude stérile de phénomènes isolés,
en une énumération d'effets sans causes.

DE LA LIBERTÉ DES ANCIENS
COMPARÉE A CELLE DES MODERNES

Discours prononcé a l'Athénée royal de Paris [1]
Février 1819

Messieurs,

Je me propose de vous soumettre quelques distinctions, encore assez neuves, entre deux genres de liberté, dont les différences sont restées jusqu'à ce jour inaperçues, ou du moins trop peu remarquées. L'une est la liberté dont l'exercice était si cher aux peuples anciens ; l'autre celle dont la jouissance est particulièrement précieuse aux nations modernes [2]. Cette recherche sera intéressante, si je ne me trompe, sous un double rapport.

Premièrement, la confusion de ces deux espèces de

1. L'activité de l'Athénée royal était considérable. Successeur du Lycée de La Harpe, il fut un centre capital pour la diffusion des idées libérales sous la Restauration et bien au-delà de cette époque. Les réputations libérales en histoire, philosophie, lettres et sciences y avaient leurs assises et leurs audiences. Benjamin Constant y fit, en 1818, une série de conférences sur l'*histoire des religions anciennes*, d'autres cours sur la constitution anglaise ; en décembre de la même année, son *Eloge de Romilly ;* en février 1819, sa conférence sur la *liberté de anciens comparée à celle des modernes ;* pour la date de cette conférence, cf. l'*Ecole libérale*, p. 32, n. 8 ; le texte de cette conférence a été recueilli par Benjamin Constant dans son *Cours de politique constitutionnelle* (vol. IV), dans les éd. de Laboulaye de ce *Cours*, dans *Constant* de Carlo Cordié, Milan, 1946, et tout récemment dans l'ouvrage de Gauchet.

2. Cf. *supra*, la seconde partie, chap. 6, 7 et 8, et les *Principes*, éd. Hofmann, II, p. 419 sq.

liberté a été parmi nous, durant des époques trop célèbres de notre révolution, la cause de beaucoup de maux. La France s'est vue fatiguer d'essais inutiles, dont les auteurs, irrités par leur peu de succès, ont essayé de la contraindre à jouir du bien qu'elle ne voulait pas, et lui ont disputé le bien qu'elle voulait.

En second lieu, appelés par notre heureuse révolution (je l'appelle heureuse, malgré ses excès, parce que je fixe mes regards sur ses résultats) à jouir des bienfaits d'un gouvernement représentatif, il est curieux et utile de rechercher pourquoi ce gouvernement, le seul à l'abri duquel nous puissions aujourd'hui trouver quelque liberté et quelque repos, a été presque entièrement inconnu aux nations libres de l'antiquité.

Je sais que l'on a prétendu en démêler des traces chez quelques peuples anciens, dans la république de Lacédémone, par exemple, et chez nos ancêtres les Gaulois ; mais c'est à tort[3].

Le gouvernement de Lacédémone était une aristocratie monacale, et nullement un gouvernement représentatif. La puissance des rois était limitée ; mais elle l'était par les éphores, et non par des hommes investis d'une mission semblable à celle que l'élection confère de nos jours aux défenseurs de nos libertés. Les éphores, sans doute, après avoir été institués par les rois, furent nommés par le peuple. Mais ils n'étaient que cinq. Leur autorité était religieuse autant que politique ; ils avaient part à l'administration même du gouvernement, c'est-à-dire, au pouvoir exécutif ; et par là, leur prérogative, comme celle de presque tous les magistrats populaires dans les anciennes républiques, loin d'être simplement une barrière contre la

---

3. On sait que depuis le XVIᵉ siècle on a cherché à retrouver des antécédents pour la France moderne du côté de Rome et du côté de la Germanie, débat qui a connu un vif éclat au XVIIIᵉ siècle par les ouvrages de Dubos, Boulainvilliers, Montesquieu et Mably, et qui aura un essor autrement important sous la Restauration. Sur l'importance de ce débat, cf. notre *Ecole libérale*, chap. VIII, *Transpositions historiques*.

tyrannie, devenait quelquefois elle-même une tyrannie
insupportable.

Le régime des Gaulois, qui ressemblait assez à celui
qu'un certain parti voudrait nous rendre, était à la fois
théocratique et guerrier. Les prêtres jouissaient d'un
pouvoir sans bornes. La classe militaire, ou la
noblesse, possédait des privilèges bien insolents et
bien oppressifs. Le peuple était sans droits et sans
garanties.

A Rome, les tribuns avaient, jusqu'à un certain
point, une mission représentative. Ils étaient les
organes de ces plébéiens que l'oligarchie, qui, dans
tous les siècles, est la même, avait soumis, en renver-
sant les rois, à un si dur esclavage. Le peuple exerçait
toutefois directement une grande partie des droits
politiques. Il s'assemblait pour voter les lois, pour
juger les patriciens mis en accusation ; il n'y avait donc
que de faibles vestiges du système représentatif à
Rome [4].

Ce système est une découverte des modernes, et
vous verrez, Messieurs, que l'état de l'espèce humaine
dans l'antiquité ne permettait pas à une institution de
cette nature de s'y introduire ou de s'y établir. Les
peuples anciens ne pouvaient ni en sentir la nécessité,
ni en apprécier les avantages. Leur organisation
sociale les conduisait à désirer une liberté toute
différente de celle que ce système nous assure.

C'est à vous démontrer cette vérité que la lecture de
ce soir sera consacrée.

Demandez-vous d'abord, Messieurs, ce que, de nos
jours, un Anglais, un Français, un habitant des Etats-
Unis de l'Amérique, entendent par le mot de liberté.

C'est pour chacun le droit de n'être soumis qu'aux
lois, de ne pouvoir être ni arrêté, ni détenu, ni mis à
mort, ni maltraité d'aucune manière, par l'effet de la
volonté arbitraire d'un ou de plusieurs individus.

---

4. On sent à quel point il y a accord dans l'optique constantienne
entre le point de vue politique et les considérations d'ordre religieux
ou plutôt primauté privilégiée du plan politique.

C'est pour chacun le droit de dire son opinion, de choisir son industrie, et de l'exercer, de disposer de sa propriété, d'en abuser même ; d'aller, de venir sans en obtenir la permission, et sans rendre compte de ses motifs ou de ses démarches. C'est, pour chacun, le droit de se réunir à d'autres individus, soit pour conférer sur ses intérêts, soit pour professer le culte que lui et ses associés préfèrent, soit simplement pour remplir ses jours ou ses heures d'une manière plus conforme à ses inclinations, à ses fantaisies. Enfin, c'est le droit, pour chacun, d'influer sur l'administration du gouvernement, soit par la nomination de tous ou de certains fonctionnaires, soit par des représentations, des pétitions, des demandes, que l'autorité est plus ou moins obligée de prendre en considération. Comparez maintenant à cette liberté celle des anciens.

Celle-ci consistait à exercer collectivement, mais directement, plusieurs parties de la souveraineté tout entière, à délibérer, sur la place publique, de la guerre et de la paix, à conclure avec les étrangers des traités d'alliance, à voter les lois, à prononcer les jugements, à examiner les comptes, les actes, la gestion des magistrats, à les faire comparaître devant tout le peuple, à les mettre en accusation, à les condamner ou à les absoudre ; mais en même temps que c'était là ce que les anciens nommaient liberté, ils admettaient comme compatible avec cette liberté collective l'assujettissement complet de l'individu à l'autorité de l'ensemble. Vous ne trouvez chez eux presque aucune des jouissances que nous venons de voir faisant partie de la liberté chez les modernes. Toutes les actions privées sont soumises à une surveillance sévère. Rien n'est accordé à l'indépendance individuelle, ni sous le rapport des opinions, ni sous celui de l'industrie, ni surtout sous le rapport de la religion. La faculté de choisir son culte, faculté que nous regardons comme l'un de nos droits les plus précieux, aurait paru aux anciens un crime et un sacrilège. Dans les choses qui nous semblent les plus utiles, l'autorité du corps social s'interpose et gêne la volonté des individus. Terpandre[5] ne peut chez les Spartiates ajouter une corde à sa lyre sans que les éphores ne s'offensent. Dans les relations les plus domestiques, l'autorité intervient encore. Le jeune Lacédémonien ne peut visiter librement sa nouvelle épouse. A Rome, les censeurs portent un œil scrutateur dans l'intérieur des familles. Les lois règlent les mœurs, et comme les mœurs tiennent à tout, il n'y a rien que les lois ne règlent.

Ainsi chez les anciens, l'individu, souverain presque habituellement dans les affaires publiques, est esclave dans tous ses rapports privés. Comme citoyen, il décide de la paix et de la guerre; comme particulier, il est circonscrit, observé, réprimé dans tous ses mouvements; comme portion du corps collectif, il interroge, destitue, condamne, dépouille, exile, frappe de mort ses magistrats ou ses supérieurs; comme soumis au corps collectif, il peut à son tour être privé de son état, dépouillé de ses dignités, banni, mis à mort, par la volonté discrétionnaire de l'ensemble dont il fait partie. Chez les modernes, au contraire, l'individu, indépendant dans sa vie privée, n'est même dans les Etats les plus libres, souverain qu'en apparence. Sa souveraineté est restreinte, presque toujours suspendue; et si, à des époques fixes, mais rares, durant lesquelles il est encore entouré de précautions et d'entraves, il exerce cette souveraineté, ce n'est jamais que pour l'abdiquer.

Je dois ici, Messieurs, m'arrêter un instant pour prévenir une objection que l'on pourrait me faire. Il y a dans l'antiquité une république où l'asservissement de l'existence individuelle au corps collectif n'est pas aussi complet que je viens de le décrire. Cette république est la plus célèbre de toutes; vous devinez que je veux parler d'Athènes. J'y reviendrai plus tard, et en convenant de la vérité du fait, je vous en exposerai la cause. Nous verrons pourquoi de tous les

---

5. Né à Lesbos, Terpandre, poète et musicien, vivant vers 675 av. J.-C., séjournait surtout à Sparte. On ne saurait affirmer que les fragments qu'on lui attribue soient authentiques.

Etats anciens, Athènes est celui qui a ressemblé le plus aux modernes. Partout ailleurs, la juridiction sociale était illimitée. Les anciens, comme le dit Condorcet, n'avaient aucune notion des droits individuels. Les hommes n'étaient, pour ainsi dire, que des machines dont la loi réglait les ressorts et dirigeait les rouages [6]. Le même assujettissement caractérisait les beaux siècles de la république romaine ; l'individu s'était en quelque sorte perdu dans la nation, le citoyen dans la cité.

Nous allons actuellement remonter à la source de cette différence essentielle entre les anciens et nous.

Toutes les républiques anciennes étaient renfermées dans des limites étroites. La plus peuplée, la plus puissante, la plus considérable d'entre elles, n'était pas égale en étendue au plus petit des Etats modernes. Par une suite inévitable de leur peu d'étendue, l'esprit de ces républiques était belliqueux, chaque peuple froissait continuellement ses voisins ou était froissé par eux. Poussés ainsi par la nécessité, les uns contre les autres, ils se combattaient ou se menaçaient sans cesse. Ceux qui ne voulaient pas être conquérants ne pouvaient déposer les armes sous peine d'être conquis. Tous achetaient leur sûreté, leur indépendance, leur existence entière, au prix de la guerre. Elle était l'intérêt constant, l'occupation presque habituelle des Etats libres de l'antiquité. Enfin, et par un résultat également nécessaire de cette manière d'être, tous ces Etats avaient des esclaves. Les professions mécaniques, et même, chez quelques nations, les professions industrielles, étaient confiées à des mains chargées de fers.

Le monde moderne nous offre un spectacle complètement opposé. Les moindres Etats de nos jours sont incomparablement plus vastes que Sparte ou que

6. Passage adapté, depuis Les anciens, du Livre XV, I, p. 419. Benjamin Constant donne la référence lui-même, p. 419, note A, Mémoires sur l'instruction publique, publiés dans la Bibliothèque publique, Paris, 2ᵉ année, 1791, t. I, p. 47. Pour la définition de Constant, cf. Gauchet, p. 688, n. 6, Hofmann, p. 378, n. 44.

Rome durant cinq siècles. La division même de l'Europe en plusieurs Etats, est, grâce aux progrès des lumières, plutôt apparente que réelle. Tandis que chaque peuple, autrefois, formait une famille isolée, ennemie née des autres familles, une masse d'hommes existe maintenant sous différents noms, et sous divers modes d'organisation sociale, mais homogène de sa nature. Elle est assez forte pour n'avoir rien à craindre des hordes barbares. Elle est assez éclairée pour que la guerre lui soit à charge. Sa tendance uniforme est vers la paix.

Cette différence en amène une autre. La guerre est antérieure au commerce ; car la guerre et le commerce ne sont que deux moyens différents d'atteindre le même but, celui de posséder ce que l'on désire. Le commerce n'est qu'un hommage rendu à la force du possesseur par l'aspirant à la possession. C'est une tentative pour obtenir de gré à gré ce qu'on n'espère plus conquérir par la violence. Un homme qui serait toujours le plus fort n'aurait jamais l'idée du commerce. C'est l'expérience qui, en lui prouvant que la guerre, c'est-à-dire, l'emploi de sa force contre la force d'autrui, l'expose à diverses résistances et à divers échecs, le porte à recourir au commerce, c'est-à-dire, à un moyen plus doux et plus sûr d'engager l'intérêt d'un autre à consentir à ce qui convient à son intérêt. La guerre est l'impulsion, le commerce est le calcul[7]. Mais par là même il doit venir une époque où le commerce remplace la guerre. Nous sommes arrivés à cette époque.

Je ne veux point dire qu'il n'y ait pas eu chez les anciens des peuples commerçants. Mais ces peuples faisaient en quelque sorte exception à la règle générale. Les bornes d'une lecture ne me permettent pas de vous indiquer tous les obstacles qui s'opposaient alors aux progrès du commerce ; vous les connaissez d'ailleurs aussi bien que moi ; je n'en rapporterai

7. Passage adapté du Livre XVI, 3, p. 425 et qu'on retrouve *supra*, I, 2, p. 87.

qu'un seul. L'ignorance de la boussole forçait les marins de l'antiquité à ne perdre les côtes de vue que le moins qu'il leur était possible. Traverser les Colonnes d'Hercule, c'est-à-dire, passer le détroit de Gibraltar, était considéré comme l'entreprise la plus hardie. Les Phéniciens et les Carthaginois, les plus habiles des navigateurs, ne l'osèrent que fort tard, et leur exemple resta longtemps sans être imité. A Athènes, dont nous parlerons bientôt, l'intérêt maritime était d'environ 60 %, pendant que l'intérêt ordinaire n'était que de douze, tant l'idée d'une navigation lointaine impliquait celle du danger[8].

De plus, si je pouvais me livrer à une digression qui malheureusement serait trop longue, je vous montrerais, Messieurs, par le détail des mœurs, des habitudes, du mode de trafiquer des peuples commerçants de l'antiquité avec les autres peuples, que leur commerce même était, pour ainsi dire, imprégné de l'esprit de l'époque, de l'atmosphère de guerre et d'hostilité qui les entourait. Le commerce alors était un accident heureux; c'est aujourd'hui l'état ordinaire, le but unique, la tendance universelle, la vie véritable des nations. Elles veulent le repos, avec le repos l'aisance, et comme source de l'aisance[9], l'industrie. La guerre est chaque jour un moyen plus inefficace de remplir leurs vœux. Ses chances n'offrent plus ni aux individus, ni aux nations des bénéfices qui égalent les résultats du travail paisible et des échanges réguliers. Chez les anciens, une guerre heureuse ajoutait en esclaves, en tributs, en terres partagées, à la richesse publique et particulière. Chez les modernes, une guerre heureuse coûte infailliblement plus qu'elle ne vaut[10].

Enfin, grâce au commerce, à la religion, aux progrès

8. Passage adapté, depuis *L'ignorance de la boussole*, du Livre XVI, 4, pp. 424-425.

9. Cette phrase est adaptée du Livre XVI, 3, p. 423. On la retrouve *supra, ibid.*

10. Les deux dernières phrases sont adaptées du Livre XVI, 3, p. 423, qu'on retrouve *supra*, I, 2, p. 88.

intellectuels et moraux de l'espèce humaine il n'y a plus d'esclaves chez les nations européennes. Des hommes libres doivent exercer toutes les professions, pourvoir à tous les besoins de la société.

On pressent aisément, Messieurs, le résultat nécessaire de ces différences.

1° L'étendue d'un pays diminue d'autant l'importance politique qui échoit en partage à chaque individu. Le républicain le plus obscur de Rome ou de Sparte était une puissance. Il n'en est pas de même du simple citoyen de la Grande-Bretagne ou des Etats-Unis. Son influence personnelle est un élément imperceptible de la volonté sociale qui imprime au gouvernement sa direction.

En second lieu, l'abolition de l'esclavage a enlevé à la population libre tout le loisir qui résultait pour elle de ce que des esclaves étaient chargés de la plupart des travaux. Sans la population esclave d'Athènes, 20 000 Athéniens n'auraient pas pu délibérer chaque jour sur la place publique.

Troisièmement, le commerce ne laisse pas, comme la guerre, dans la vie de l'homme des intervalles d'inactivité. L'exercice perpétuel des droits politiques, la discussion journalière des affaires de l'Etat, les dissensions [11], les conciliabules, tout le cortège et tout le mouvement des factions, agitations nécessaires, remplissage obligé, si j'ose employer ce terme, dans la vie des peuples libres de l'antiquité, qui auraient langui, sans cette ressource, sous le poids d'une inaction douloureuse, n'offriraient que trouble et que fatigue aux nations modernes, où chaque individu occupé de ses spéculations, de ses entreprises, des jouissances qu'il obtient ou qu'il espère, ne veut en être détourné que momentanément et le moins qu'il est possible.

Enfin, le commerce inspire aux hommes un vif amour pour l'indépendance individuelle. Le commerce subvient à leurs besoins, satisfait à leurs

11. Dissentions à l'origine.

désirs, sans l'intervention de l'autorité. Cette intervention est presque toujours, et je ne sais pourquoi je dis presque, cette intervention est toujours un dérangement et une gêne. Toutes les fois que le pouvoir collectif veut se mêler des spéculations particulières, il vexe les spéculateurs. Toutes les fois que les gouvernements prétendent faire nos affaires, ils les font plus mal et plus dispendieusement que nous.

Je vous ai dit, Messieurs, que je vous reparlerais d'Athènes, dont on pourrait opposer l'exemple a quelques-unes de mes assertions, et dont l'exemple, au contraire, va les confirmer toutes.

Athènes, comme je l'ai déjà reconnu, était, de toutes les républiques grecques, la plus commerçante ; aussi accordait-elle à ses citoyens infiniment plus de liberté individuelle que Rome et que Sparte. Si je pouvais entrer dans des détails historiques, je vous ferais voir que le commerce avait fait disparaître de chez les Athéniens plusieurs des différences qui distinguent les peuples anciens des peuples modernes. L'esprit des commerçants d'Athènes était pareil à celui des commerçants de nos jours. Xénophon nous apprend que, durant la guerre du Péloponnèse, ils sortaient leurs capitaux du continent de l'Attique et les envoyaient dans les îles de l'Archipel. Le commerce avait créé chez eux la circulation. Nous remarquons dans Isocrate des traces de l'usage des lettres de change. Aussi, observez, combien leurs mœurs ressemblent aux nôtres. Dans leurs relations avec les femmes, vous verrez, je cite encore Xénophon, les époux satisfaits quand la paix et une amitié décente règnent dans l'intérieur du ménage, tenir compte à l'épouse trop fragile de la tyrannie de la nature, fermer les yeux sur l'irrésistible pouvoir des passions, pardonner la première faiblesse et oublier la seconde. Dans leurs rapports avec les étrangers, on les verra prodiguer les droits de cité à quiconque se transportant chez eux avec sa famille, établit un métier ou une fabrique ; enfin on sera frappé de leur amour excessif pour l'indépendance individuelle. A Lacédémone, dit un philosophe [12], les citoyens accourent lorsque le magistrat les appelle; mais un Athénien serait au désespoir qu'on le crût dépendant d'un magistrat [13].

Cependant, comme plusieurs des autres circonstances qui décidaient du caractère des nations anciennes existaient aussi à Athènes; comme il y avait une population esclave, et que le territoire était fort resserré, nous y trouvons des vestiges de la liberté propre aux anciens. Le peuple fait les lois, examine la conduite des magistrats, somme Périclès de rendre ses comptes, condamne à mort les généraux qui avaient commandé au combat des Arginuses [14]. En même temps, l'ostracisme, arbitraire légal et vanté par tous les législateurs de l'époque; l'ostracisme, qui nous paraît et doit nous paraître une révoltante iniquité, prouve que l'individu était encore bien plus asservi à la suprématie du corps social à Athènes, qu'il ne l'est de nos jours dans aucun Etat libre de l'Europe.

Il résulte de ce que je viens d'exposer, que nous ne pouvons plus jouir de la liberté des anciens, qui se composait de la participation active et constante au pouvoir collectif. Notre liberté à nous, doit se composer de la jouissance paisible de l'indépendance privée. La part que dans l'antiquité chacun prenait à la souveraineté nationale n'était point, comme de nos jours, une supposition abstraite. La volonté de chacun avait une influence réelle; l'exercice de cette volonté était un plaisir vif et répété. En conséquence, les anciens étaient disposés à faire beaucoup de sacrifices pour la conservation de leurs droits politiques et de leur part dans l'administration de l'Etat. Chacun

12. Xénophon.
13. Passage adapté du Livre XVI, 5, p. 428 et p. 446, n. K. Pour les citations, Benjamin Constant renvoie à Xénophon et Isocrate, pp. 446-447. Il a consulté, de son aveu, Cornelius de Pauw *Recherches philosophiques sur les Grecs, op. cit.*
14. Victoire navale remportée par les Athéniens sur les Lacédémoniens en 406 av. J.-C.

sentant avec orgueil tout ce que valait son suffrage, trouvait, dans cette conscience de son importance personnelle, un ample dédommagement.

Ce dédommagement n'existe plus aujourd'hui pour nous. Perdu dans la multitude, l'individu n'aperçoit presque jamais l'influence qu'il exerce. Jamais sa volonté ne s'empreint sur l'ensemble, rien ne constate à ses propres yeux sa coopération. L'exercice des droits politiques ne nous offre donc plus qu'une partie des jouissances que les anciens y trouvaient, et en même temps les progrès de la civilisation, la tendance commerciale de l'époque, la communication des peuples entre eux, ont multiplié et varié à l'infini les moyens de bonheur particulier.

Il s'ensuit que nous devons être bien plus attachés que les anciens à notre indépendance individuelle ; car les anciens, lorsqu'ils sacrifiaient cette indépendance aux droits politiques, sacrifiaient moins pour obtenir plus ; tandis qu'en faisant le même sacrifice, nous donnerions plus pour obtenir moins.

Le but des anciens était le partage du pouvoir social entre tous les citoyens d'une même patrie ; c'était là ce qu'ils nommaient liberté. Le but des modernes est la sécurité dans les jouissances privées ; et ils nomment liberté les garanties accordées par les institutions à ces jouissances.

J'ai dit en commençant que, faute d'avoir aperçu ces différences, des hommes bien intentionnés d'ailleurs, avaient causé des maux infinis durant notre longue et orageuse révolution. A Dieu ne plaise que je leur adresse des reproches trop sévères ; leur erreur même était excusable. On ne saurait lire les belles pages de l'antiquité, l'on ne se retrace point les actions de ses grands hommes sans ressentir je ne sais quelle émotion d'un genre particulier que ne fait éprouver rien de ce qui est moderne. Les vieux éléments d'une nature antérieure, pour ainsi dire, à la nôtre, semblent se réveiller en nous à ces souvenirs. Il est difficile de ne pas regretter ces temps où les facultés de l'homme se développaient dans une direction tracée d'avance,

mais dans une carrière si vaste, tellement fortes de
leurs propres forces, et avec un tel sentiment d'énergie
et de dignité ; et lorsqu'on se livre à ces regrets, il est
impossible de ne pas vouloir imiter ce qu'on
regrette [15]. Cette impression était profonde, surtout
lorsque nous vivions sous des gouvernements abusifs,
qui, sans être forts, étaient vexatoires, absurdes en
principes, misérables en action ; gouvernements qui
avaient pour ressort l'arbitraire, pour but le rapetisse-
ment de l'espèce humaine, et que certains hommes
osent nous vanter encore aujourd'hui, comme si nous
pouvions oublier jamais que nous avons été témoins et
victimes de leur obstination, de leur impuissance et de
leur renversement. Le but de nos réformateurs fut
noble et généreux. Qui d'entre nous n'a pas senti son
cœur battre d'espérance à l'entrée de la route qu'ils
semblaient ouvrir ? Et malheur encore à présent à qui
n'éprouve pas le besoin de déclarer que reconnaître
quelques erreurs commises par nos premiers guides,
ce n'est pas flétrir leur mémoire ni désavouer des
opinions que les amis de l'humanité ont professées
d'âge en âge.

Mais ces hommes avaient puisé plusieurs de leurs
théories dans les ouvrages de deux philosophes qui ne
s'étaient pas douté eux-mêmes des modifications
apportées par deux mille ans aux dispositions du genre
humain. J'examinerai peut-être une fois le système du
plus illustre de ces philosophes, de Jean-Jacques

15. Passage adapté, depuis *On ne saurait lire*, du Livre XV, I,
pp. 419-420 et qu'on retrouve *supra*, II, I, p. 136, n. 4 Benjamin
Constant appuie ses dires dans les *Principes* manuscrits par des
renvois à des sources : l'esprit commerçant des Athéniens qui
cherchaient à assurer leurs capitaux pendant la guerre, Xénophon,
La République des Athéniens, p. 446, n. I ; début des lettres de
change à Athènes, Isocrate : *Trapésitique*, p. 446, n. J ; l'ambiance
indulgente dans les familles, Xénophon, *Hiéron*, p. 446, n. K ; pour
la modernité des Athéniens, Solon : Samuel Petit, *Recueil des lois
attiques;* Plutarque, pp. 446-447, n. L ; la méfiance des Athéniens
envers leurs magistrats, Xénophon, *La République des Lacédémoniens*, p. 447, n. M ; sur l'antiquité grecque, il a consulté Cornelius
de Pauw.

Rousseau, et je montrerai qu'en transportant dans nos temps modernes une étendue de pouvoir social, de souveraineté collective qui appartenait à d'autres siècles, ce génie sublime qu'animait l'amour le plus pur de la liberté, a fourni néanmoins de funestes prétextes à plus d'un genre de tyrannie[16]. Sans doute, en relevant ce que je considère comme une méprise importante à dévoiler, je serai circonspect dans ma réfutation, et respectueux dans mon blâme. J'éviterai, certes, de me joindre aux détracteurs d'un grand homme. Quand le hasard fait qu'en apparence je me rencontre avec eux sur un seul point, je suis en défiance de moi-même ; et, pour me consoler de paraître un instant de leur avis sur une question unique et partielle, j'ai besoin de désavouer et de flétrir autant qu'il est en moi ces prétendus auxiliaires.

Cependant, l'intérêt de la vérité doit l'emporter sur des considérations que rendent si puissantes l'éclat d'un talent prodigieux et l'autorité d'une immense renommée. Ce n'est d'ailleurs point à Rousseau, comme on le verra, que l'on doit principalement attribuer l'erreur que je vais combattre ; elle appartient bien plus à l'un de ses successeurs, moins éloquent, mais non moins austère et mille fois plus exagéré. Ce dernier, l'abbé de Mably, peut être regardé comme le représentant du système qui, conformément aux maximes de la liberté antique, veut que les citoyens soient complètement assujettis pour que la nation soit souveraine, et que l'individu soit esclave pour que le peuple soit libre.

L'abbé de Mably, comme Rousseau et comme beaucoup d'autres, avait, d'après les anciens, pris l'autorité du corps social pour la liberté, et tous les moyens lui paraissaient bons pour étendre l'action de cette autorité sur cette partie récalcitrante de l'existence humaine, dont il déplorait l'indépendance. Le regret qu'il exprime partout dans ses ouvrages, c'est que la loi ne puisse atteindre que les actions. Il aurait

16. Sur Rousseau et Mably, cf. les Livres I et XVI.

voulu qu'elle atteignît les pensées, les impressions les plus passagères ; qu'elle poursuivît l'homme sans relâche et sans lui laisser un asile où il pût échapper à son pouvoir [17]. A peine apercevait-il, n'importe chez quel peuple, une mesure vexatoire, qu'il pensait avoir fait une découverte et qu'il la proposait pour modèle ; il détestait la liberté individuelle comme on déteste un ennemi personnel, et, dès qu'il rencontrait dans l'histoire une nation qui en était bien complètement privée, n'eût-elle point de liberté politique, il ne pouvait s'empêcher de l'admirer. Il s'extasiait sur les Egyptiens, parce que, disait-il, tout chez eux était réglé par la loi, jusqu'aux délassements, jusqu'aux besoins ; tout pliait sous l'empire du législateur ; tous les moments de la journée étaient remplis par quelque devoir ; l'amour même était sujet à cette intervention respectée, et c'était la loi qui tour à tour ouvrait et fermait la couche nuptiale [18].

Sparte, qui réunissait des formes républicaines au même asservissement des individus, excitait dans l'esprit de ce philosophe un enthousiasme plus vif encore. Ce vaste couvent lui paraissait l'idéal d'une parfaite république. Il avait pour Athènes un profond mépris, et il aurait dit volontiers de cette nation, la première de la Grèce, ce qu'un académicien grand seigneur disait de l'Académie française : « Quel épouvantable despotisme ! tout le monde y fait ce qu'il veut. » Je dois ajouter que ce grand seigneur parlait de l'Académie telle qu'elle était il y a trente ans [19].

Montesquieu, doué d'un esprit plus observateur parce qu'il avait une tête moins ardente, n'est pas tombé tout à fait dans les mêmes erreurs. Il a été frappé des différences que j'ai rapportées, mais il n'en a pas démêlé la cause véritable. Les politiques grecs qui vivaient sous le gouvernement populaire ne recon-

17. Passage adapté, depuis *Le regret qu'il exprime*, du Livre XVI, 8, pp. 439-440, et qu'on retrouve *supra*, II, 8, pp. 171-172.
18. Passage adapté du Livre XVI, 8, pp. 120-121.
19. Passage adapté du Livre XVI, 8, p. 439, et qu'on retrouve *supra*, p. 172, n. 9.

naissaient, dit-il, d'autre force que celle de la vertu. Ceux d'aujourd'hui ne nous parlent que de manufactures, de commerce, de finances, de richesses et de luxe même. Il attribue cette différence à la république et à la monarchie ; il faut l'attribuer à l'esprit opposé des temps anciens et des temps modernes. Citoyens des républiques, sujets des monarchies, tous veulent des jouissances, et nul ne peut, dans l'état actuel des sociétés, ne pas en vouloir. Le peuple le plus attaché de nos jours à sa liberté, avant l'affranchissement de la France, était aussi le peuple le plus attaché à toutes les jouissances de la vie ; et il tenait à sa liberté surtout parce qu'il y voyait la garantie des jouissances qu'il chérissait. Autrefois, là où il y avait liberté, l'on pouvait supporter les privations ; maintenant partout où il y a privations, il faut l'esclavage pour qu'on s'y résigne. Il serait plus possible aujourd'hui de faire d'un peuple d'esclaves un peuple de Spartiates, que de former des Spartiates par la liberté.

Les hommes qui se trouvèrent portés par le flot des événements à la tête de notre révolution, étaient, par une suite nécessaire de l'éducation qu'ils avaient reçue, imbus des opinions antiques, et devenues fausses, qu'avaient mises en honneur les philosophes dont j'ai parlé. La métaphysique de Rousseau, au milieu de laquelle paraissaient tout à coup comme des éclairs des vérités sublimes et des passages d'une éloquence entraînante, l'austérité de Mably, son intolérance, sa haine contre toutes les passions humaines, son avidité de les asservir toutes, ses principes exagérés sur la compétence de la loi, la différence de ce qu'il recommandait et de ce qui avait existé, ses déclamations contre les richesses et même contre la propriété, toutes ces choses devaient charmer des hommes échauffés par une victoire récente, et qui, conquérants de la puissance légale, étaient bien aises d'étendre cette puissance sur tous les objets. C'était pour eux une autorité précieuse que celle de deux écrivains qui, désintéressés dans la question et prononçant anathème contre le despotisme des hommes, avaient rédigé en axiome le texte de la loi. Ils voulurent donc exercer la force publique comme ils avaient appris de leurs guides qu'elle avait été jadis exercée dans les Etats libres. Ils crurent que tout devait encore céder devant la volonté collective et que toutes les restrictions aux droits individuels seraient amplement compensées par la participation au pouvoir social.

Vous savez, Messieurs, ce qui en est résulté. Des institutions libres, appuyées sur la connaissance de l'esprit du siècle, auraient pu subsister. L'édifice renouvelé des anciens s'est écroulé, malgré beaucoup d'efforts et beaucoup d'actes héroïques qui ont droit à l'admiration. C'est que le pouvoir social blessait en tout sens l'indépendance individuelle sans en détruire le besoin. La nation ne trouvait point qu'une part idéale à une souveraineté abstraite valût les sacrifices qu'on lui commandait. On lui répétait vainement avec Rousseau : les lois de la liberté sont mille fois plus austères que n'est dur le joug des tyrans [20]. Elle ne voulait pas de ces lois austères, et dans sa lassitude, elle croyait quelquefois que le joug des tyrans serait préférable. L'expérience est venue et l'a détrompée. Elle a vu que l'arbitraire des hommes était pire encore que les plus mauvaises lois. Mais les lois aussi doivent avoir leurs limites.

Si je suis parvenu, Messieurs, à vous faire partager la conviction que dans mon opinion ces faits doivent produire, vous reconnaîtrez avec moi la vérité des principes suivants.

L'indépendance individuelle est le premier besoin des modernes ; en conséquence, il ne faut jamais leur en demander le sacrifice pour établir la liberté politique.

Il s'ensuit qu'aucune des institutions nombreuses et trop vantées qui, dans les républiques anciennes, gênaient la liberté individuelle, n'est point admissible dans les temps modernes.

_____

20. Citation qu'on retrouve dans le Livre IV, 4, pp. 87-88 et *supra*, II, 8, p. 174, n. 14.

Cette vérité, Messieurs, semble d'abord superflue à établir. Plusieurs gouvernements de nos jours ne paraissent guère enclins à imiter les républiques de l'antiquité. Cependant quelque peu de goût qu'ils aient pour les institutions républicaines, il y a de certains usages républicains pour lesquels ils éprouvent je ne sais quelle affection. Il est fâcheux que ce soit précisément celles qui permettent de bannir, d'exiler, de dépouiller. Je me souviens qu'en 1802, on glissa dans une loi sur les tribunaux spéciaux un article qui introduisait en France l'ostracisme grec ; et Dieu sait combien d'éloquents orateurs, pour faire admettre cet article, qui cependant fut retiré, nous parlèrent de la liberté d'Athènes, et de tous les sacrifices que les individus devaient faire pour conserver cette liberté ! De même, à une époque bien plus récente, lorsque des autorités craintives essayaient d'une main timide de diriger les élections à leur gré, un journal qui n'est pourtant point entaché de républicanisme, proposa de faire revivre la censure romaine pour écarter les candidats dangereux.

Je crois donc ne pas m'engager dans une digression inutile, si, pour appuyer mon assertion, je dis quelques mots de ces deux institutions si vantées.

L'ostracisme d'Athènes reposait sur l'hypothèse que la société a toute autorité sur ses membres. Dans cette hypothèse, il pouvait se justifier, et dans un petit Etat, où l'influence d'un individu fort de son crédit, de sa clientèle[21], de sa gloire, balançait souvent la puissance de la masse, l'ostracisme pouvait avoir une apparence d'utilité. Mais parmi nous, les individus ont des droits que la société doit respecter, et l'influence individuelle est, comme je l'ai déjà observé, tellement perdue dans une multitude d'influences égales ou supérieures, que toute vexation, motivée sur la nécessité de diminuer cette influence, est inutile et par conséquent injuste. Nul n'a le droit d'exiler un citoyen, s'il n'est pas condamné légalement par un

---

21. Graphie courante à l'époque.

tribunal régulier, d'après une loi formelle qui attache la peine de l'exil à l'action dont il est coupable. Nul n'a le droit d'arracher le citoyen à sa patrie, le propriétaire à ses biens, le négociant à son commerce, l'époux à son épouse, le père à ses enfants, l'écrivain à ses méditations studieuses, le vieillard à ses habitudes. Tout exil politique est un attentat politique. Tout exil prononcé par une assemblée pour de prétendus motifs de salut public, est un crime de cette assemblée contre le salut public qui n'est jamais que dans le respect des lois, dans l'observance des formes, et dans le maintien des garanties.

La censure romaine supposait comme l'ostracisme un pouvoir discrétionnaire. Dans une république dont tous les citoyens, maintenus par la pauvreté dans une simplicité extrême de mœurs, habitaient la même ville, n'exerçaient aucune profession qui détournât leur attention des affaires de l'Etat, et se trouvaient ainsi constamment spectateurs et juges de l'usage du pouvoir public, la censure pouvait d'une part avoir plus d'influence ; et de l'autre, l'arbitraire des censeurs était contenu par une espèce de surveillance morale exercée contre eux. Mais aussitôt que l'étendue de la république, la complication des relations sociales et les raffinements de la civilisation, eurent enlevé à cette institution ce qui lui servait à la fois de base et de limite, la censure dégénera même à Rome. Ce n'était donc pas la censure qui avait créé les bonnes mœurs ; c'était la simplicité des mœurs qui constituait la puissance et l'efficacité de la censure [22].

En France, une institution aussi arbitraire que la censure serait à la fois inefficace et intolérable ; dans l'état présent de la société, les mœurs se composent de nuances fines, ondoyantes, insaisissables, qui se déna-

22. Passage adapté, depuis *Mais aussitôt que l'étendue*, du Livre XVI, 8, p. 443. L'insistance de Benjamin Constant sur l'ostracisme et la censure romaine fait écho à la campagne libérale en faveur des bannis exilés par l'ordonnance du 24 juillet 1815 ; cf. notre *Ecole libérale*, chap. V.

tureraient de mille manières, si l'on tentait de leur donner plus de précision. L'opinion seule peut les atteindre ; elle seule peut les juger, parce qu'elle est de même nature. Elle se soulèverait contre toute autorité positive qui voudrait lui donner plus de précision[23]. Si le gouvernement d'un peuple moderne voulait, comme les censeurs de Rome, flétrir un citoyen par une décision discrétionnaire, la nation entière réclamerait contre cet arrêt en ne ratifiant pas les décisions de l'autorité.

Ce que je viens de dire de la transplantation de la censure dans les temps modernes, s'applique à bien d'autres parties de l'organisation sociale, sur lesquelles on nous cite l'antiquité plus fréquemment encore, et avec bien plus d'emphase. Telle est l'éducation, par exemple ; que ne nous dit-on pas sur la nécessité de permettre que le gouvernement s'empare des générations naissantes pour les façonner à son gré, et de quelles citations érudites n'appuie-t-on pas cette théorie ! Les Perses, les Egyptiens, et la Gaule, et la Grèce, et l'Italie, viennent tour à tour figurer à nos regards. Eh ! Messieurs, nous ne sommes ni des Perses, soumis à un despote, ni des Egyptiens subjugués par des prêtres, ni des Gaulois pouvant être sacrifiés par leurs druides, ni enfin des Grecs et des Romains que leur part à l'autorité sociale consolait de l'asservissement privé. Nous sommes des modernes, qui voulons jouir chacun de nos droits, développer chacun nos facultés comme bon nous semble, sans nuire à autrui ; veiller sur le développement de ces facultés dans les enfants que la nature confie à notre affection, d'autant plus éclairée qu'elle est plus vive, et n'ayant besoin de l'autorité que pour tenir d'elle les moyens généraux d'instruction qu'elle peut rassembler, comme les voyageurs acceptent d'elle les grands chemins sans être dirigés par elle dans la route qu'ils veulent suivre. La religion aussi est exposée à ces souvenirs des autres

23. Passage adapté, depuis *dans l'état présent de la société, ibid.*, Livre XVI, 8, p. 443.

siècles. De braves défenseurs de l'unité de doctrine nous citent les lois des anciens contre les dieux étrangers, et appuient les droits de l'église catholique de l'exemple des Athéniens qui firent périr Socrate pour avoir ébranlé le polythéisme, et de celui d'Auguste qui voulait qu'on restât fidèle au culte de ses pères, ce qui fit que, peu de temps après, on livra aux bêtes les premiers chrétiens.

Défions-nous donc, Messieurs, de cette admiration pour certaines réminiscences antiques. Puisque nous vivons dans les temps modernes, je veux la liberté convenable aux temps modernes; et puisque nous vivons sous des monarchies, je supplie humblement ces monarchies de ne pas emprunter aux républiques anciennes des moyens de nous opprimer.

La liberté individuelle, je le répète, voilà la véritable liberté moderne. La liberté politique en est la garantie; la liberté politique est par conséquent indispensable. Mais demander aux peuples de nos jours de sacrifier comme ceux d'autrefois la totalité de leur liberté individuelle à la liberté politique, c'est le plus sûr moyen de les détacher de l'une, et quand on y serait parvenu, on ne tarderait pas à leur ravir l'autre.

Vous voyez, Messieurs, que mes observations ne tendent nullement à diminuer le prix de la liberté politique. Je ne tire point des faits que j'ai remis sous vos yeux les conséquences que quelques hommes en tirent. De ce que les anciens ont été libres, et de ce que nous ne pouvons plus être libres comme les anciens, ils en concluent que nous sommes destinés à être esclaves. Ils voudraient constituer le nouvel état social avec un petit nombre d'éléments qu'ils disent seuls appropriés à la situation du monde actuel. Ces éléments sont des préjugés pour effrayer les hommes, de l'égoïsme pour les corrompre, de la frivolité pour les étourdir, des plaisirs grossiers pour les dégrader, du despotisme pour les conduire; et, il le faut bien, des connaissances positives et des sciences exactes pour servir plus adroitement le despotisme. Il serait bizarre que tel fût le résultat de quarante siècles durant lesquels l'espèce humaine a conquis plus de moyens moraux et physiques; je ne puis le penser. Je tire des différences qui nous distinguent de l'antiquité des conséquences tout opposées. Ce n'est point la garantie qu'il faut affaiblir, c'est la jouissance qu'il faut étendre. Ce n'est point à la liberté politique que je veux renoncer; c'est la liberté civile que je réclame, avec d'autres formes de liberté politique. Les gouvernements n'ont pas plus qu'autrefois le droit de s'arroger un pouvoir illégitime. Mais les gouvernements qui partent d'une source légitime ont de moins qu'autrefois le droit d'exercer sur les individus une suprématie arbitraire. Nous possédons encore aujourd'hui les droits que nous eûmes de tout temps, ces droits éternels à consentir les lois, à délibérer sur nos intérêts, à être partie intégrante du corps social dont nous sommes membres. Mais les gouvernements ont de nouveaux devoirs; les progrès de la civilisation, les changements opérés par les siècles, commandent à l'autorité plus de respect pour les habitudes, pour les affections, pour l'indépendance des individus. Elle doit porter sur tous ces objets une main plus prudente et plus légère [24].

Cette réserve de l'autorité, qui est dans ses devoirs stricts, est également dans ses intérêts bien entendus; car si la liberté qui convient aux modernes est différente de celle qui convenait aux anciens, le despotisme qui était possible chez les anciens n'est plus possible chez les modernes. De ce que nous sommes souvent plus distraits de la liberté politique qu'ils ne pouvaient l'être, et dans notre état ordinaire moins passionnés pour elle, il peut s'ensuivre que nous négligions quelquefois trop, et toujours à tort, les garanties qu'elle nous assure; mais en même temps, comme nous tenons beaucoup plus à la liberté individuelle que les anciens, nous la défendrons, si elle est attaquée, avec beaucoup plus d'adresse et de persis-

24. Passage adapté, depuis *De ce que les anciens*, du Livre XVI, 7, p. 436.

tance ; et nous avons pour la défendre des moyens que les anciens n'avaient pas.

Le commerce rend l'action de l'arbitraire sur notre existence plus vexatoire qu'autrefois, parce que nos spéculations étant plus variées, l'arbitraire doit se multiplier pour les atteindre ; mais le commerce rend aussi l'action de l'arbitraire plus facile à éluder, parce qu'il change la nature de la propriété, qui devient par ce changement presque insaisissable [25].

Le commerce donne à la propriété une qualité nouvelle, la circulation ; sans circulation, la propriété n'est qu'un usufruit ; l'autorité peut toujours influer sur l'usufruit, car elle peut enlever la jouissance ; mais la circulation met un obstacle invisible et invincible à cette action du pouvoir social [26].

Les effets du commerce s'étendent encore plus loin ; non seulement il affranchit les individus, mais en créant le crédit, il rend l'autorité dépendante.

L'argent, dit un auteur français, est l'arme la plus dangereuse du despotisme, mais il est en même temps son frein le plus puissant ; le crédit est soumis à l'opinion ; la force est inutile ; l'argent se cache ou s'enfuit ; toutes les opérations de l'Etat sont suspendues. Le crédit n'avait pas la même influence chez les anciens ; leurs gouvernements étaient plus forts que les particuliers ; les particuliers sont plus forts que les pouvoirs politiques de nos jours ; la richesse est une puissance plus disponible dans tous les instants, plus applicable à tous les intérêts, et par conséquent bien plus réelle et mieux obéie ; le pouvoir menace, la richesse récompense ; on échappe au pouvoir en le trompant ; pour obtenir les faveurs de la richesse, il faut la servir ; celle-ci doit l'emporter.

Par une suite des mêmes causes, l'existence individuelle est moins englobée dans l'existence politique. Les individus transplantent au loin leurs trésors ; ils portent avec eux toutes les jouissances de la vie

---

25. Passage adapté du Livre XVI, 4, pp. 425-426.
26. Passage adapté, *ibid.*, p. 426.

privée ; le commerce a rapproché les nations, et leur a donné des mœurs et des habitudes à peu près pareilles ; les chefs peuvent être ennemis ; les peuples sont compatriotes[27].

Que le pouvoir s'y résigne donc ; il nous faut de la liberté, et nous l'aurons ; mais comme la liberté qu'il nous faut est différente de celle des anciens, il faut à cette liberté une autre organisation que celle qui pourrait convenir à la liberté antique ; dans celle-ci, plus l'homme consacrait de temps et de force à l'exercice de ses droits politiques, plus il se croyait libre ; dans l'espèce de liberté dont nous sommes susceptibles, plus l'exercice de nos droits politiques nous laissera de temps pour nos intérêts privés, plus la liberté nous sera précieuse.

De là vient, Messieurs, la nécessité du système représentatif. Le système représentatif n'est autre chose qu'une organisation à l'aide de laquelle une nation se décharge sur quelques individus de ce qu'elle ne peut ou ne veut pas faire elle-même. Les individus pauvres font eux-mêmes leurs affaires ; les hommes riches prennent des intendants. C'est l'histoire des nations anciennes et des nations modernes. Le système représentatif est une procuration donnée à un certain nombre d'hommes par la masse du peuple, qui veut que ses intérêts soient défendus, et qui néanmoins n'a pas le temps de les défendre toujours lui-même. Mais à moins d'être insensés, les hommes riches qui ont des intendants, examinent avec attention et sévérité si ces intendants font leur devoir, s'ils ne sont ni négligents, ni corruptibles, ni incapables ; et pour juger de la gestion de ces mandataires, les commettants qui ont de la prudence se mettent bien au fait des affaires dont ils leur confient l'administration. De même, les peuples qui, dans le but de jouir de la liberté qui leur convient, recourent au système représentatif, doivent exercer une surveillance active

27. Passages adaptés, *ibid.*, et qu'on retrouve *supra*, II, 19, pp. 222-224.

et constante sur leurs représentants, et se réserver, à des époques qui ne soient pas séparées par de trop longs intervalles, le droit de les écarter s'ils ont trompé leurs vœux, et de révoquer les pouvoirs dont ils auraient abusé.

Car, de ce que la liberté moderne diffère de la liberté antique, il s'ensuit qu'elle est aussi menacée d'un danger d'espèce différente.

Le danger de la liberté antique était qu'attentifs uniquement à s'assurer le partage du pouvoir social, les hommes ne fissent trop bon marché des droits et des jouissances individuelles.

Le danger de la liberté moderne, c'est qu'absorbés dans la jouissance de notre indépendance privée, et dans la poursuite de nos intérêts particuliers, nous ne renoncions trop facilement à notre droit de partage dans le pouvoir politique.

Les dépositaires de l'autorité ne manquent pas de nous y exhorter. Ils sont si disposés à nous épargner toute espèce de peine, excepté celle d'obéir et de payer ! Ils nous diront : quel est au fond le but de vos efforts, le motif de vos travaux, l'objet de toutes vos espérances ? N'est-ce pas le bonheur ? Eh bien, ce bonheur, laissez-nous faire, et nous vous le donnerons. Non. Messieurs, ne laissons pas faire ; quelque touchant que ce soit un intérêt si tendre, prions l'autorité de rester dans ses limites ; qu'elle se borne à être juste. Nous nous chargerons d'être heureux.

Pourrions-nous l'être par des jouissances, si ces jouissances étaient séparées des garanties ? Et où trouverons-nous ces garanties, si nous renoncions à la liberté politique ? Y renoncer, Messieurs, serait une démence semblable à celle d'un homme qui, sous prétexte qu'il n'habite qu'un premier étage, prétendrait bâtir sur le sable un édifice sans fondements.

D'ailleurs, Messieurs, est-il donc si vrai que le bonheur, de quelque genre qu'il puisse être, soit le but unique de l'espèce humaine ? En ce cas, notre carrière serait bien étroite et notre destination bien peu relevée. Il n'est pas un de nous qui, s'il voulait descendre, restreindre ses facultés morales, rabaisser ses désirs, abjurer l'activité, la gloire, les émotions généreuses et profondes, ne pût s'abrutir et être heureux. Non, Messieurs, j'en atteste cette partie meilleure de notre nature, cette noble inquiétude qui nous poursuit et qui nous tourmente, cette ardeur d'étendre nos lumières et de développer nos facultés ; ce n'est pas au bonheur seul, c'est au perfectionnement que notre destin nous appelle ; et la liberté politique est le plus puissant, le plus énergique moyen de perfectionnement que le ciel nous ait donné.

La liberté politique soumettant à tous les citoyens, sans exception, l'examen et l'étude de leurs intérêts les plus sacrés, agrandit leur esprit, anoblit leurs pensées, établit, entre eux tous une sorte d'égalité intellectuelle qui fait la gloire et la puissance d'un peuple.

Aussi, voyez comme une nation grandit à la première institution qui lui rend l'exercice régulier de la liberté politique. Voyez nos concitoyens de toutes les classes, de toutes les professions, sautant de la sphère de leurs travaux habituels et de leur industrie privée, se trouver soudain au niveau des fonctions importantes que la constitution leur confie, choisir avec discernement, résister avec énergie, déconcerter la ruse, braver la menacee, résister noblement à la séduction. Voyez le patriotisme pur, profond et sincère, triomphant dans nos villes et vivifiant jusqu'à nos hameaux, traversant nos ateliers, ranimant nos campagnes, pénétrant du sentiment de nos droits et de la nécessité des garanties l'esprit juste et droit du cultivateur utile et du négociant industrieux, qui, savants dans l'histoire des maux qu'ils ont subis, et non moins éclairés sur les remèdes qu'exigent ces maux, embrassent d'un regard la France entière, et, dispensateurs de la reconnaissance nationale, récompensent par leurs suffrages, après trente années, la fidélité aux principes dans la personne du plus illustre des défenseurs de la liberté*.

* M. de Lafayette, nommé député par la Sarthe.

Loin donc, Messieurs, de renoncer à aucune des deux espèces de liberté dont je vous ai parlé, il faut, je l'ai démontré, apprendre à les combiner l'une avec l'autre. Les institutions, comme le dit le célèbre auteur [28] de l'*Histoire des républiques du Moyen Age*, doivent accomplir les destinées de l'espèce humaine ; elles atteignent d'autant mieux leur but qu'elles élèvent le plus grand nombre possible de citoyens à la plus haute dignité morale [29].

L'œuvre du législateur n'est point complète quand il a seulement rendu le peuple tranquille. Lors même que ce peuple est content, il reste encore beaucoup à faire. Il faut que les institutions achèvent l'éducation morale des citoyens. En respectant leurs droits individuels, en ménageant leur indépendance, en ne troublant point leurs occupations, elles doivent pourtant consacrer leur influence sur la chose publique, les appeler à concourir, par leurs déterminations et par leurs suffrages, à l'exercice du pouvoir, leur garantir un droit de contrôle et de surveillance par la manifestation de leurs opinions, et les formant de la sorte par la pratique à ces fonctions élevées, leur donner à la fois et le désir et la faculté de s'en acquitter.

28. Sismondi.
29. Il ne faudrait pas oublier que Benjamin Constant fut candidat à la Chambre, dans les élections qui allaient avoir lieu incessamment dans la Sarthe. Sur l'élection de La Fayette et de B. Constant, cf. *Benjamin Constant et Goyet de la Sarthe, Correspondance.*

VARIANTES

AVERTISSEMENT

a. L'*Avertissement* est repris dans l'éd. 2, la *Préface* dans l'éd. 2, 3 et 4, la Préface de l'éd. 3 dans l'éd. 4, précédée d'un *Avertissement*.

b. qu'ayant été [...] *des Français,* passage introduit dans la préface de la Iʳᵉ éd. que B. Constant a reproduite en éd. 3 et 4.

PRÉFACE

a. Passage remanié pour les éd. 3 et 4 ; cf. *supra,* l'Avertissement, n. (b).

b. Passage remanié, *ibid. : Il a, du reste, retranché les discussions de pure théorie, pour extraire seulement ce qui lui a paru d'un intérêt immédiat.*

c. Cette préface est datée dans les éd. 3 et 4 : *Hanovre, ce 31 décembre 1813.*

TABLE DES MATIÈRES

a. La *Table des matières* figure dans les éd. 3 et 4 à la fin du volume, précédée dans la dernière par la mention des Avertissements des éd. 4, 3, 1.

b. A l'origine, figuraient les mots, *l'esprit actuel,* corrigés par l'*errata en l'état actuel,* erreur conservée dans l'éd. 2.

c. Chapitre supprimé dans les éd. 3 et 4. Cf. *supra,* l'Introduction.

d. A l'origine figurait le mot, *mesurer,* corrigé par l'*errata.*

e. *Résultats,* éd. 3 et 4.

f. Titre apocryphe surajouté par nous.

DE L'ESPRIT DE CONQUÊTE ET DE L'USURPATION

a. Ed. 4 : *Cette vérité, souvent méconnue, ne l'est jamais sans danger.*

b. *voient,* éd. 3 et 4.

c. *groupent*, éd. 3 et 4.
d. *gand*, dans toutes les éd.

PREMIÈRE PARTIE

CHAPITRE PREMIER

a. *faisait*, éd. 3 et 4.

CHAPITRE II

a. *on* à l'origine, erreur corrigée dans les éd. 2, 3 et 4.
b. *hasardeux*, éd. 3 et 4.
c. *faisait*, éd. 3 et 4.

CHAPITRE III

a. *notre belle France*, éd. 3 et 4.
b. *secrète*, éd. 3 et 4.

CHAPITRE IV

a. *par*, éd. 3 et 4.
b. *abîme*, éd. 3 et 4.
c. *général*, éd. 3 et 4.
d. phrase surajoutée ici dans les éd. 3 et 4 : *Grâces au ciel, les Français, malgré tous les efforts de leur chef, sont restés et resteront toujours loin du terme vers lequel il les entraîne.*
e. *luttent encore victorieusement*, éd. 3 et 4.
f. *que la fureur des conquêtes*, éd. 3 et 4.
g. phrase surajoutée ici dans les éd. 3 et 4 : *Nos armées donnent des preuves d'humanité comme de bravoure, et se concilient souvent l'affection des peuples qu'aujourd'hui, par la faute d'un seul homme, elles sont réduites à repousser, tandis qu'autrefois elles étaient forcées à les vaincre.*
h. *Mais c'est l'esprit national, c'est l'esprit du siècle qui résiste au gouvernement*, éd. 3 et 4.
i. *Si ce gouvernement subsiste, les vertus qui survivront aux efforts de l'autorité seront une sorte d'indiscipline*, éd. 3 et 4.
j. *tiendra*, éd. 3 et 4.
k. *ce régime terrible*, éd. 3 et 4.
l. *prolongera*, éd. 3 et 4.
m. *s'affaibliront*, éd. 3 et 4.
n. *deviendront*, éd. 3 et 4.

CHAPITRE V

a. *hasard*, éd. 3 et 4.

CHAPITRE VI

a. *système de conquête*, éd. 3 et 4.
b. *renouvelées*, éd. 3 et 4.

c. le mot *sénatoriale* ne figure pas dans les éd. 3 et 4.

d. phrase surajoutée ici dans les éd. 3 et 4 : *des hommes illustres sans doute par d'immortels exploits, mais nourris* [...]

e. *lumière*, éd. 3 et 4.

f. *triomphale !* éd. 3 et 4.

g. *natal !* éd. 3 et 4.

Passage surajouté ici dans les éd. 3 et 4 : *La faute, certes, n'en était pas à ces défenseurs. Mille fois, je les ai vus gémir de leur triste obéissance. J'aime à le répéter, leurs vertus résistent plus que la nature humaine ne permet de l'espérer, à l'influence du système guerrier et à l'action d'un gouvernement qui veut les corrompre. Ce gouvernement seul est coupable, et nos armées ont seules le mérite de tout le mal qu'elles ne font pas.*

CHAPITRE VII

a. *Ainsi ces formidables colosses*, éd. 3 et 4.

CHAPITRE VIII

a. *par* à l'origine dans les éd. 1 et 2, coquille corrigée dans les éd. 3 et 4.

b. *base*, éd. 3 et 4.

c. *s'appuie*, éd. 3 et 4.

d. *étendards*, éd. 3 et 4.

e. le mot *vain* ne figure pas dans les éd. 3 et 4.

CHAPITRE IX

a. *sbirre*, dans toutes les éd.

b. *ivresse*, éd. 2, 3 et 4.

c. *gaieté*, éd. 3 et 4.

d. à l'origine, *licentieux*, graphie corrigée dans les éd. 3 et 4.

CHAPITRE X

a. *quelque*, éd. 3 et 4.

b. *hasardeuses*, éd. 3 et 4.

c. *mécanique*, sans virgule, éd. 3 et 4.

d. *enivrant*, éd. 3 et 4.

e. *joie*, éd. 3 et 4.

f. *envoient*, éd. 3 et 4.

CHAPITRE XI

a. *combination* à l'origine, éd. 1 et 2, corrigée dans les éd. suivantes.

b. vers mis en *italique* dans l'éd. 2 et dans un alinéa à part dans les éd. 3 et 4.

CHAPITRE XII

a. Tout l'alinéa cité comme la note sont marqués sur le côté par des guillemets, dans les éd. 3 et 4, habitude courante à l'époque.

   b. Graphie courante à l'époque; *terrain*, éd. 3 et 4.

CHAPITRE XIII

   a. A l'origine, *symmétrie*, dans les éd. 1 et 2, graphie corrigée par la suite.

   b. A l'origine, *soi-disans*, graphie corrigée par la suite.

   c. *aïeux*, éd. 3 et 4.

   d. L'éd. 4 ajoute ici en note :
   Le sens trop absolu qu'on a donné à cette phrase, et la désapprobation qu'on a cru y trouver pour toutes les innovations que le progrès des lumières amène et nécessite, m'ont engagé à ajouter, à la fin de cet ouvrage, un essai sur la stabilité dans les institutions politiques et sociales [cf. l'Appendice C.]. *On verra que, si je repousse les améliorations violentes et forcées, je condamne également le maintien, par la force, de ce que la marche des idées tend à améliorer et à réformer insensiblement.*

   e. la note de l'éd. 4 commence par *J'excepte* [...] *tout ce qui.*

   f. *Ces défauts*, éd. 3 et 4.

   g. *groupent*, éd. 3 et 4.

   h. *s'alarme*, éd. 3 et 4.

   i. *mécanisme*, éd. 3 et 4.

   j. *par exemple*, éd. 3 et 4 ; l'éd. 4 présente un changement : *l'avantage, lorsqu'on veut l'acheter par des vexations, de l'espionnage et des moyens de contrainte* [...]

   k. *on*, à l'origine, éd. 1 et 2.

   l. *apercevoir*, éd. 3 et 4.

   m. *quelqu'utilité*, éd. 3 et 4.

CHAPITRE XIV

   a. *sujétion*, éd. 3 et 4.

   b. Graphie courante à l'époque.

CHAPITRE XV

   a. *voient*, éd. 3 et 4.

   b. *renouveler*, éd. 3 et 4.

   c. *proie*, éd. 3 et 4.

   d. *joie*, éd. 3 et 4.

   e. Graphie courante à l'époque.

SECONDE PARTIE

CHAPITRE PREMIER

   a. Le titre ne figure pas dans la seconde partie des éd. 3 et 4.

   b. Le renvoi et la note ne figurent pas dans les éd. 3 et 4.

   c. Graphie courante à l'époque.

   d. *aïeux*, éd. 3 et 4.

   e. A l'origine, *dissentions*, éd. 1 et 2.

   f. *asile*, éd, 3 et 4.

CHAPITRE II

a. L'éd. 4 renvoie ici à la note suivante :

*Plusieurs objections m'ont été faites sur ma définition de l'usurpation :
et quelques-unes sont fondées en ceci, du moins, que je n'ai pas distingué
assez clairement ce qui doit être considéré comme usurpation, de ce qui ne
mérite ce nom sous aucun rapport. Il en est résulté qu'un écrivain plein de
talent a cru pouvoir opposer, à mes assertions sur les suites funestes de tout
pouvoir usurpé, l'exemple de Guillaume III ; j'ai, en conséquence, ajouté
à la fin de cet ouvrage les développements que ces objections rendaient
nécessaires, et rempli une lacune essentielle que j'avais eu tort de négliger.*

b. Renvoi ici à une note, dans les éd. 3 et 4 :

*Pédarète, en sortant d'une assemblée, dont il avait inutilement sollicité
les suffrages, dit : je rends grâce aux Dieux de ce qu'il y a dans ma patrie
trois cents citoyens meilleurs que moi.*

c. *enivre*, éd. 3 et 4.

d. *aïeux*, éd. 3 et 4.

e. *base*, éd. 2, 3 et 4.

f. *abîme*, éd. 3 et 4.

g. *renouvelés*, éd. 3 et 4.

h. *pas* ne figure pas dans l'éd. 3, probablement par inattention.

i. L'éd. 4 renvoie ici à une note : *Ceci a été écrit six mois avant la
chute de Buonaparte.*

j. L'éd. 3 renvoie ici à une note que l'éd. 4 n'a pas retenue :

*Ce que j'écrivais ici ne s'applique qu'au système que j'examinais alors ;
c'est-à-dire, à l'hypothèse d'un usurpateur détruisant toutes les institutions créées par un seul. La révolution qui vient de s'opérer répond à
plusieurs de mes objections. Pour ce qui regarde la noblesse, par exemple,
la combinaison de l'ancienne et de la nouvelle est une heureuse et libérale
idée. La première donnera à la seconde le lustre de l'antiquité ; et celle-ci,
composée heureusement en grande partie d'hommes couverts de gloire,
apporte en dot l'éclat des triomphes militaires. Dans ce cas, comme dans
presque toutes les difficultés qu'elle avait à combattre, la constitution
actuelle les a surmontées habilement, et a conservé tout ce qui était bon
dans un régime dont l'ensemble d'ailleurs était détestable. Pour juger
mon ouvrage, il ne faut pas oublier qu'il est écrit et publié depuis quatre
mois ; je voyais alors le mal, et je ne pouvais prévoir le bien.*

k. Le passage commençant par *Mais voulez-vous* et se terminant
par *au lieu d'être une parure*, est supprimé dans les éd. 3 et 4.

l. *Mais il y a [...]*, éd. 4.

m. *parlent* dans les éd. 3 et 4, par inattention probablement.

n. *terrains*, éd. 3 et 4.

o. *alignements*, éd. 3 et 4.

p. coquille savoureuse ; *reasonable* dans l'éd. 3, *seasonable* dans
les autres, avec d'autres petits changements relatifs à des lettres
majuscules et minuscules.

q. *hasard*, éd. 3 et 4.

CHAPITRE III

a. *elle le profane*, éd. 3, coquille fort probablement.

b. *envoie*, éd. 3 et 4.

c. à l'origine, *conseulement*, coquille corrigée dans les éd. 3 et 4.

d. *ces prétendues sanctions, ces adresses, ces félicitations monotones, tribut habituel qu'à toutes les époques, les mêmes hommes prodiguent, presque dans les mêmes mots*, éd. 3 et 4.

e. *échafauds*, éd. 3 et 4.

CHAPITRE IV

a. *fidèle* ne figure pas dans les éd. 3 et 4.

b. *hasard*, éd. 3 et 4.

c. *faisait*, éd. 3 et 4.

d. *guère*, éd. 3 et 4.

e. *faisaient*, éd. 3 et 4.

f. *aient*, éd. 3 et 4.

CHAPITRE V

a. *sic*.

CHAPITRE VI

a. *Donnons quelques développements à cette assertion*, éd. 3 et 4.

b. *disons d'abord*, éd. 3 et 4.

c. *Je montrerai que*, ces mots ne figurent pas dans les éd. 3 et 4 ; la phrase y commence : *C'est parce qu'on* [...]

CHAPITRE VII

a. *faisait*, éd. 3 et 4.

b. *était inconnu*, éd. 3 et 4.

c. *sais*, éd. 3 et 4.

CHAPITRE VIII

a. *complètement*, éd. 3 et 4.

b. *quinzième*, éd. 3 et 4.

c. *Les fauteurs du despotisme peuvent tirer un immense avantage des principes de Rousseau*, éd. 3 et 4.

d. *J'en connais un qui, de même que Rousseau* [...], éd. 3 et 4.

e. *l'auteur de ces essais*, mots qui ne figurent pas dans les éd. 3 et 4.

f. *faisant*, éd. 3 et 4.

g. *asile*, éd. 3 et 4.

h. *proie*, éd. 3 et 4.

i. à l'origine, *sont*, coquille corrigée dans les éd. 3 et 4.

CHAPITRE IX

   a. phrase entre guillemets dans les éd. 3 et 4.
   b. *proie*, éd. 3 et 4.
   c. *sic*, dans toutes les éd.
   d. *faisait*, éd. 3 et 4.
   e. *échafaud*, éd. 3 et 4.
   f. *croyant*, éd. 3 et 4.

CHAPITRE X

   a. *annulées*, éd. 3 et 4.
   b. *étendards*, éd. 3 et 4.

CHAPITRE XI

   a. *compléter*, éd. 3 et 4.

CHAPITRE XII

   a. *apaiser*, éd. 3 et 4.
   b. *banales*, éd. 3 et 4.
   c. *l'asile*, éd. 3 et 4.
   d. *s'appuie*, éd. 3 et 4.
   e. *je ne sais*, éd. 3 et 4.

CHAPITRE XIII

   a. *ayant*, éd. 3 et 4.
   b. *croient*, éd. 3 et 4.
   c. à l'origine *du commune*, coquille corrigée dans les éd. 2, 3 et 4.
   d. *aient*, éd. 3 et 4.
   e. *sais*, éd. 3 et 4.
   f. à l'origine, *silentieux*, mot corrigé dans les éd. 3 et 4.
   g. *proie*, éd. 3 et 4.
   h. *le despotisme*, éd. 3 et 4.

CHAPITRE XIV

   a. *asile*, éd. 3 et 4.
   b. *le despotisme*, éd. 3 et 4.
   c. *Il voulait autrefois*, éd. 3 et 4.
   d. *bégaient*, éd. 3 et 4.
   e. *abîme*, éd. 3 et 4.
   f. *Le despotisme*, éd. 3 et 4.
   g. *croient*, éd. 3 et 4.
   h. *n'ayant*, éd. 2, 3 et 4.
   i. *déploie*, éd. 3 et 4.

CHAPITRE XV

   a. *joie*, éd. 3 et 4.
   b. *base*, éd. 3 et 4.

CHAPITRE XVI

a. *abîme*, éd. 3 et 4.
b. *dit-il*, sans mention d'auteur ni renvoi à l'ouvrage dans les éd. 3 et 4.
c. *mais quand*, éd. 3 et 4.
d. *hasard*, éd. 3 et 4.

CHAPITRE XVII

a. *sa chute*, éd. 3 et 4.
b. *s'appuie*, éd. 3 et 4.
c. *soyez*, éd. 3 et 4.
d. *sic*, dans toutes les éd.
e. *sic*, dans toutes les éd.
f. *sic*, dans toutes les éd.
g. *sic*, dans toutes les éd.
h. à l'origine, *dissentions*, mot corrigé dans les éd. 3 et 4.

CHAPITRE XVIII

a. *croyait*, éd. 3 et 4.
b. *d'apaiser*, éd. 3 et 4.
c. *voyez*, éd. 3 et 4.
d. *le despotisme*, éd. 3 et 4.

CHAPITRE XX

a. *se déploient*, éd. 3 et 4.
b. *asile*, éd. 3 et 4.
c. *déploie*, éd. 3 et 4.
d. *étendards*, éd. 3 et 4.
e. *échafaud*, éd. 3 et 4.
f. *abîme*, éd. 3 et 4.

POSTFACE

a. *sic*, dans toutes les éd.
b. *Cambrai*, éd. 3 et 4.
c. *voyez*, éd. 3 et 4.
d. *base*, éd. 3 et 4.
e. *l'appuie*, éd. 3 et 4.
f. *croyait*, éd. 3 et 4.
g. *étendard*, éd. 3 et 4.
h. A l'origine, *dissention* dans les éd. 1 et 2.
i. *faisait*, éd. 3 et 4.

APPENDICE C
Page 243 :
a. *sic*.
Page 263 :
a. *sic*.

BIBLIOGRAPHIE [1]

I. *Manuscrits*

A. *Bibliothèque cantonale et universitaire de Lausanne*

a. Ancien fonds Constant (fonds d'Estournelles de Constant), signalons le manuscrit Co 3259, *Introduction* aux considérations de Benjamin Constant sur l'évolution du polythéisme jusqu'à l'établissement du théisme.

Une partie de ce manuscrit a été publiée par Patrice Thompson, avec introduction et notes :

Deux chapitres inédits de l'Esprit des religions, 1803-1804 : Des rapports de la morale avec les croyances religieuses ; De l'intervention de l'autorité dans ce qui a rapport à la religion, Genève, 1970.

b. Fonds Constant II, légué par le baron Rodolphe de Constant-Rebecque, accessible au public depuis 1974. Signalons les *Principes de politique applicables à tous les gouvernements*, carton 6, contenant 18 cahiers. Les *Principes* manuscrits de 1806 ont été publiés par Etienne Hofmann, *Les « Principes de politique » de Benjamin Constant*, Genève, 1980, 2 vol., vol. II.

Pour les manuscrits de teneur religieuse dans les deux fonds, cf. les bibliographies dans les ouvrages de Pierre Deguise, Patrice Thompson et Etienne Hofmann.

Manuscrits du fonds II de teneur littéraire, cartons 11-13 :

---

1. Le lecteur ne trouvera ici qu'une bibliographie choisie, donnant les indications essentielles pour la politique et nécessaires pour la religion et la littérature.

Les *Journaux intimes*, *Adolphe*, le *Cahier rouge* et *Cécile*. Les *Journaux* ont été publiés intégralement par Alfred Roulin et Charles Roth en 1952 ; *Adolphe* a été publié pour la première fois en 1816, le *Cahier rouge* en 1907 et *Cécile* en 1951 ; ces œuvres ont été reprises par Alfred Roulin in Benjamin Constant, *Œuvres*, la Pléiade, 1957. L'éd. d'*Adolphe* qui fait actuellement autorité est celle fournie par Paul Delbouille, dans la collection des *Textes français*, Société d'éditions « Les Belles Lettres », Paris, 1977.

B. *Bibliothèque nationale de Paris*

Œuvres manuscrites dites de 1810, acquises en 1961 : elles comprennent 7 volumes reliés, *N.A.F.*, 14358-14364, dont voici la Table des matières, suivie de la Table détaillée des *Fragments* et des *Principes de politique*.

Tome I.
a. Articles de biographie, *Adolphe de Nassau*, *Agnès d'Autriche*, *Albert*, duc d'Autriche et empereur, *Albert II*, *Albert III*, *Albert IV*, *Albert V*, *Arnoul*, empereur, *Charles le Gros*, empereur, *Charles IV*, empereur, *Conrad I*, empereur, fol. 2-30.
Ces articles ont été publiés par la *Biographie* Michaud, reproduits par Carlo Cordié et intégralement par nous, in Benjamin Constant, *Recueil d'articles*, *1795-1817*, Genève, 1978.
b. *Adolphe*, fol. 32-84.
c. *Principes de politique*, Livres I-VII, fol. 86-182.

Tome II.
c. *Principes de politique*, Livres VIII-XV, fol. 2-179.

Tome III.
c. *Principes de politique*, Livres XVI-XVIII, fol. 2-66.
d. *De la justice politique par M. Godwin, traduction abrégée*, Livres I-III, fol. 67-145.

Tome IV.
d. *De la justice politique*, Livres IV-VI, fol. 2-189.

Tome V.
d. *De la justice politique*, Livres VII-VIII, fol. 2-23.
Burton R. Pollin a publié la traduction de Benjamin

Constant, *De la justice politique*, avec Introduction, notes et appendices, Laval, 1972.

e. De Godwin, de ses principes, et de son ouvrage sur la Justice politique », fol. 24-30.

Benjamin Constant a publié ce texte, avec changements, dans le *Mercure de France* renouvelé, le 27 avril 1817 (cf. notre Benjamin Constant, *Recueil d'articles, 1817-1820*, Genève, 1972, 2 vol.), puis recueilli, toujours avec modifications, dans ses *Mélanges de littérature et de politique*, Paris, 1829. Burton R. Pollin a reproduit dans son éd. de *De la justice politique*, l'article manuscrit ainsi que l'étude des *Mélanges*, Appendices, A et C.

f. Fragments d'un essai sur la littérature dans ses rapports avec la liberté, fol. 31-51.

Kurt Klooke a publié ces *Fragments*, précédés d'une introduction, dans les *Annales Benjamin Constant*, Genève, 1980, I, pp. 172-200.

Benjamin Constant a développé son texte manuscrit et publié dans le *Mercure de France*, le 13 septembre 1817, son étude, *De la littérature dans ses rapports avec la liberté* (reproduit par nous, in Benjamin Constant, *Recueil d'articles, 1817-1820*), article repris dans les *Mélanges*.

g. Notice sur Corinne, fol. 53-64, publiée par le *Publiciste*, les 12, 14 et 16 mai 1807, sous le titre de *Corinne ou l'Italie* ; ce texte a été réimprimé par nous, in Benjamin Constant, *Recueil d'articles, 1795-1817*, Genève, 1978.

Benjamin Constant a remanié son étude sur *Corinne* pour son chapitre des *Mélanges* consacré à Mme de Staël.

h. De la perfectibilité de l'espèce humaine, fol. 66-83, texte repris dans les *Mélanges*. Pierre Deguise a réimprimé la leçon des *Mélanges*, Lausanne, 1967.

i. Fragments d'un essai sur la perfectibilité, fol. 83-94, réimprimée par Burton R. Pollin, dans son éd. de *De la justice politique*, Appendice B.

j. Lettre à Alex. R[ousselin] sur Julie, fol. 96-107, *lettre* reprise dans les *Mélanges*. La leçon des *Mélanges* a été réimprimée par Alfred Roulin, in Benjamin Constant, *Œuvres*.

k. Esquisse d'un essai sur la littérature du XVIIIe siècle, fol. 109-112. L'esquisse a été reproduite dans *Europe*, 1968, n° 467, précédée d'une étude par Roland Mortier, pp. 5-21.

l. Apologie du parlement anglais sous Cromwell et du Tribunat dans la constitution de l'an 8, avant son épuration, fol. 113-117, texte remanié pour les *Mélanges*.

m. Ferdinand de Brunswick, article publié par la *Biographie* Michaud et réimprimé par nous, in Benjamin Constant, *Recueil d'articles, 1795-1817.*

n. Observations sur un article du Journal de l'Empire du 21 février 1807, fol. 124-127, texte demeuré manuscrit et publié par nous, in Benjamin Constant, *Recueil d'articles, 1795-1817.*

o. De la révolution du Brabant en 1790, fol. 128-139.

p. De la discipline militaire des Romains, fol. 140-148.

q. Histoire de Frédéric le Grand, fol. 149-171.

r. Morceau de Filangieri sur la religion, fol. 172-182.

Tome VI.

s. Fragments d'un ouvrage abandonné sur la possibilité d'une constitution républicaine dans un grand pays, Livre I-VIII, chap. 1-10, fol. 3-205.

Tome VII.

s. Fragments [...], Livre VIII, chap. 11-17, fol. 2-26.

t. Additions à l'ouvrage intitulé « Principes de politique », fol. 28-93.

Benjamin Constant a ajouté des notes à ses *Réflexions sur les constitutions, Réflexions* reproduites, en 1818, dans son *Cours de politique constitutionnelle*, vol. I. Ces notes sont à rapprocher des *Additions*.

Patrice Thompson a publié les *Additions* au chap. I, in *La religion de Benjamin Constant*, Pise, 1978, Annexe II ; Etienne Hofmann, toutes les *Additions*, in « *Principes de politique* », vol. II, p. 511 sq.

u. Additions à l'ouvrage intitulé « Des moyens de constituer une république dans un grand pays », fol. 93-174.

v. Fragments à coordonner, fol. 102-104.

II. *Correspondance*

Des lettres *de, à*, et *autour* de Benjamin Constant se trouvent dans les fonds des Bibliothèques universitaires de Lausanne et Genève, de la Bibliothèque de Neuchâtel, de la Bibliothèque nationale, de l'Institut, d'autres bibliothèques de France, des Archives nationales, en Angleterre, Italie, en Allemagne, dans des archives et collections privées.

En attendant la publication de la *Correspondance générale*, signalons les lettres déjà publiées.

Journal intime de Benjamin Constant et lettres à sa famille et à ses amis, éd. Dora Mélégari, Paris, 1895. Ed. défectueuse.

Lettres de Benjamin Constant à sa famille, éd. Jean-H. Menos, Paris, 1931. Ed. partielle et fautive.

THOMAS, Louis, *Lettres inédites de Benjamin Constant*, *Revue politique et littéraire, revue bleue*, 1914, t. LII, pp. 519-522.

GUILLEMIN, Henri, *Douze lettres autographes de Benjamin Constant*, *La Table Ronde*, 1957, n° 115-116, pp. 7-28.

GUILLEMIN, Henri, *Une correspondance inédite de Benjamin Constant*, *La Table Ronde*, 1959, n° 135, pp. 57-95, et in *Eclaircissements*, Paris, 1961, pp. 121-160.

GUILLEMIN, Henri, *Trois lettres « politiques » de Benjamin Constant*, *Journal de Genève*, 19-20 mai 1962.

Benjamin CONSTANT, *Lettres à Prosper de Barante*, *Revue des Deux Mondes*, 1906, pp. 241-272 et 528-567 ; Deguise Pierre, *Lettres de Prosper de Barante à Benjamin Constant*, in *Annales*, n° 3, pp. 33-88.

Benjamin CONSTANT, *Lettres à Bernadotte, sources et origine de « l'Esprit de conquête »*, éd. Bengt Hasselrot, Genève, 1952.

Benjamin CONSTANT, *Lettres à Böttiger*, éd. F. Baldensperger, *Revue politique et littéraire*, 18 et 25 avril 1908.

Benjamin CONSTANT, Lettres à Mme de Charrière : elles sont publiées in *Œuvres complètes*, éd. critique p. p. J.-O. Candaux, Pierre H. Dubois, Patrice Thompson, J. Vercruysse, Denis M. Wood et C. P. Courtney, Amsterdam, 1979-1984, 10 vol. ; Godet, Philippe, *Mme de Charrière et ses amis* ; Rudler, Gustave, *La Jeunesse de Benjamin Constant* ; Berthoud, Dorette, *Lettres inédites*, *Revue de Paris*, juillet 1964.

Benjamin et Rosalie de CONSTANT, *Correspondance, 1786-1830*, éd. Alfred et Suzanne Roulin, Paris, 1955.

Benjamin CONSTANT, Lettres à J.-J. Coulmann, in J.-J. Coulmann, *Réminiscences*, Paris, 1862-1869, 3 vol. (Slatkine reprints), vol. III.

Benjamin CONSTANT, Lettres à Victor Cousin, in Saint-Hilaire, Barthélemy, *M. Victor Cousin, sa vie et sa correspondance*, Paris, 1895, t. II, pp. 267-279.

Benjamin CONSTANT, Lettres à Fauriel, in Glachant, Victor, *Benjamin Constant sous l'œil du guet*, Paris, 1906.

Benjamin CONSTANT et GOYET de la Sarthe, *Correspondance, 1818-1822*, éd. par nous, Genève, 1973.

Benjamin CONSTANT et Mme de STAËL, Lettres à Hochet,

in Mistler, Jean, *Cent onze lettres inédites à Claude Hochet*, Neuchâtel, 1949.

Benjamin CONSTANT, Lettres à Mme de Krüdener, in Ley, Francis, *Bernardin de Saint-Pierre, Mme de Staël, Chateaubriand, Benjamin Constant et Mme de Krüdener*, Paris, 1967.

L'inconnue d'Adolphe, correspondance de Benjamin Constant et d'Anna Lindsay, éd. la baronne Constant de Rebecque, Paris, 1933.

Une correspondance inédite de Benjamin Constant et Louvet, éd. Gustave Rudler, *Bibliothèque universelle*, 1912, pp. 225-227.

Benjamin CONSTANT, *Lettre inédite à Napoléon* [le 30 avril, 1815], éd. par nous, in *Revue de la Bibliothèque nationale*, mars 1982.

Benjamin CONSTANT, Lettres à Mme Récamier : éd. Louise Colet, Paris, 1864 (Slatkine reprints); éd. [Mme Lenormant], Paris, 1882 ; ajouts par Mistler, Jean, *Benjamin Constant et Mme Récamier, lettres inédites*, in la *Revue des Deux Mondes*, 1950, V, pp. 641-696 ; éd. par nous, Benjamin Constant, *Lettres à Mme Récamier*, 1807-1830, Paris, 1977.

Lettres de Benjamin Constant à Sieyès, éd. par N. King et E. Hofmann, in *Annales*, n° 3, pp. 89-110.

Benjamin CONSTANT, Lettres à Sismondi : *Lettere inedite di Benjamin Constant al Sismondi* a.c.d. Carlo Pellegrini, 1950, Pegaso IV, pp. 641-680, lettres reprises in Pellegrini, Carlo, *Madame de Staël*, Florence, 1938, pp. 206-221, 2e éd., Bologne, 1974 ; King, Norman et Candaux, Jean-Daniel, *La correspondance de Benjamin Constant et de Sismondi, 1801-1830*, in *Annales*, Genève, I, pp. 81-172.

Benjamin CONSTANT, Lettres à Stapfer, in Rudler, Gustave, *Benjamin Constant et Philippe-Albert Stapfer, Mélanges Vianey*, Paris, 1934, pp. 321-333.

Benjamin CONSTANT, Lettres à Charles de Villers, in Isler *Briefe von* [...] Hambourg 1879, pp. 5-59.

Charlotte de HARDENBERG, *Lettres à Benjamin Constant* : in *Revue des Deux Mondes*, t. 21, pp. 66 sq. et in Berthoud, Dorette, *La seconde Madame Constant*.

Lettres de Mme de Staël à Benjamin Constant, publiées par la baronne de Nolde, Paris, 1928.

Lettres de Julie Talma à Benjamin Constant, publiées par la baronne Constant de Rebecque, Paris, 1935.

Le Dr Véron, *Lettres à Benjamin Constant*, éd. par nous, in *Studi francesi*, 1982.

III. Œuvres politiques

De la force du gouvernement actuel de la France et de la nécessité de s'y rallier, 1796.

Des réactions politiques, 1797.

Des effets de la terreur, 1797.

Des suites de la contre-révolution de 1660 en Angleterre, 1799.

Pour les articles que Benjamin Constant a publiés dans la presse, dès son arrivée à Paris en 1795, on consultera notre *Benjamin Constant, Recueil d'articles, 1795-1817*, Genève, 1978.

Pour une partie des discours et écrits politiques de Benjamin Constant, cf. Cordié, Carlo, *Gli scritti politici giovanili di Benjamin Constant, 1796-1797*, Côme, 1944; *Benjamin Constant, Ecrits et discours politiques*, éd. O. Pozzo di Borgo, Paris, 1964, 2 vol., vol. I.

Pour une liste détaillée de ses discours et brochures sous le Directoire et le Consulat, cf. Hofmann, Etienne, *Principes de politique de Benjamin Constant*, vol. I, pp. 95-96 et *n*. 47, 204-205, *n*. 50.

De l'esprit de conquête et de l'usurpation, 1814.

Réflexions sur les constitutions, la distribution des pouvoirs et les garanties dans une monarchie constitutionnelle, 1814.

De la liberté des brochures, des pamphlets et des journaux, considérée sous le rapport de l'intérêt du gouvernement, 1814.

Observations sur le discours de S. E. le ministre de l'Intérieur en faveur du projet de loi sur la liberté de la presse, 1814.

De la responsabilité des ministres, 1815.

Principes de politique applicables à tous les gouvernements représentatifs, 1815.

Mémoire apologétique, présenté à Louis XVIII par Decazes, le 21 juillet 1815, publié par [P.-F. Réal], in *Indiscrétions, 1789-1830*, Paris, 1835, t. II, pp. 152-175.

Le *Mercure de France*, 1817-1818, in notre *Benjamin Constant, Recueil d'articles, 1817-1820*, Genève, 1972, 2 vol.

La *Minerve française*, 1818-1820, in *Recueil d'articles, 1817-1820*.

La *Renommée*, 1819-1820, in *Recueil d'articles, 1817-1820*.

Collection complète des ouvrages publiés sur le gouvernement représentatif et la constitution actuelle de la France, formant une espèce de Cours de politique constitutionnelle, 1818-1820, 4 vol.

Ed. abrégée par J.-P. Pagès, 1836, 2 vol.

Autre éd. abrégée, mais capitale, contenant les textes importants de Benjamin Constant, avec Introduction, notes et commentaires, fournie par Édouard Laboulaye, Paris, 1861 et 1872 (Slatkine reprints).

Mémoires sur les Cent Jours, 1818-1820, texte que Benjamin Constant avait d'abord publié sous forme de lettres dans la *Minerve française*, lettres reproduites in *Recueil d'articles, 1817-1820* ; les *Mémoires* ont été réimprimés par Constant en 1829, y ajoutant une introduction importante, et éd. en 1961, par O. Pozzo di Borgo.

Du triomphe inévitable et prochain des principes constitutionnels en Prusse, d'après un ouvrage imprimé, traduit de l'allemand de M. Koreff, avec un avant-propos et des notes par Benjamin Constant.

Sur l'attribution erronée de cet ouvrage par Constant à Koreff et la polémique à cet égard avec la presse de droite, cf. notre Benjamin Constant, *Recueil d'articles, 1820-1824*, Genève, 1981.

Commentaire sur l'ouvrage de Filangieri, en deux parties, 1820-1822.

Appel aux nations chrétiennes en faveur des Grecs, 1825.

Discours à la Chambre des députés, 1827-1828, 2 vol.

Mémoires dictées à J.-J. Coulmann en 1828, in J.-J. Coulmann, *Réminiscences*, 3 vol. (Slatkine reprints).

Mélanges de littérature et de politique, 1829.

Souvenirs historiques, février-juillet 1830, *Revue de Paris* (Slatkine reprints), t. XI et XVI, 3 articles.

Articles dans la presse : ajouter aux *Recueils* précédents, Benjamin Constant, *Recueil d'articles, 1825-1829* ; *Recueil d'articles, 1829-1830* et *Benjamin Constant publiciste, 1825-1830* : tous ces recueils sont en cours de publication.

Les recueils font état des écrits de circonstance : Alfred Roulin et Olivier Pozzo di Borgo en détaillent une bonne partie dans leurs bibliographies.

IV. *Œuvres d'inspiration religieuse*

Essai sur les mœurs des temps héroïques de la Grèce, tiré de l'Histoire grecque de M. Gillies, Londres-Paris, 1787.

De la religion considérée dans sa source, ses formes et ses développements, 1824-1831, 5 vol.

Christianisme, Encyclopédie moderne, 1825.

Religion, Encyclopédie progressive, 1826.

Du polythéisme romain, considéré dans ses rapports avec la philosophie grecque et la religion chrétienne, éd. M.-J. Matter, 1833, 2 vol.

Pour des articles de teneur religieuse, on consultera les recueils d'articles, *1795-1817, 1817-1820, 1820-1824, 1825-1829, 1829-1830*, et *Benjamin Constant publiciste*, 1825-1830.

V. *Œuvres littéraires*

Les Chevaliers (1779), roman héroïque en cinq chants, texte publié par Gustave Rudler, Paris, 1929.

Wallstein, tragédie, Genève, 1809, éd. Jean-René Derré, Paris, 1965.

Adolphe, Londres, 1816, publié in Benjamin Constant, *Œuvres*, éd. Alfred Roulin, la Pléiade, et par Paul Delbouille, les Belles Lettres, Paris, 1977. On trouvera in Delbouille, Paul, *Genèse, structure et destin d' « Adolphe »*, Paris, 1971, ainsi que dans son édition du texte des références aux éditions d'*Adolphe*.

Le Siège de Soissons, éd. W. Waille, Poligny, 1892.

Le Cahier rouge, Paris, 1907, in Benjamin Constant, *Œuvres*.

Cécile, 1951, éd. Alfred Roulin, in Benjamin Constant, *Œuvres*.

Journaux intimes, éd. Alfred Roulin et Charles Roth, 1952, in Benjamin Constant, *Œuvres*.

[Mémoires de Mme Récamier], publiés partiellement par Ladvocat dans son recueil, *Paris ou le livre des Cent et Un*, Paris, 1832, t. VII ; certains de ces portraits ont été publiés par Louise Colet, dans son introduction aux *Lettres* à Mme Récamier, et par Mme Lenormant, en appendice à son éd. des *Lettres ;* Alfred Roulin a publié une partie de ces *Mémoires*, in Benjamin Constant, *Œuvres*, et Maurice Levaillant a ajouté des fragments inédits, in Benjamin Constant, les *Mémoires de Juliette, Revue de Paris*, septembre 1957, ainsi que dans son ouvrage, *Les Amours de Benjamin Constant*, Paris, 1958, où les *Mémoires* sont repris, pp. 167-190.

Mélanges de littérature et de politique, 1829.

Réflexions sur la tragédie, Revue de Paris, octobre 1829, t. VII, 2 articles repris in Benjamin Constant, *Œuvres*.

Aristophane, Revue de Paris, juin 1830, t. XV.

VI. *Quelques écrits et mémoires des contemporains*

BARANTE, Prosper de, *Souvenirs*, Paris, 1890, 8 vol.

Journal du général Bertrand, p.p. Paul Fleuriot de Langle, Paris, 3 vol.

BROGLIE, Victor duc de, *Souvenirs*, Paris, 1886, 4 vol.

CHATEAUBRIAND, *Mémoires d'Outre-Tombe*, éd. Maurice Levaillant, Paris, 1946-1948, 2 vol.

COULMAN, Jean-Jacques, *Réminiscences*, Paris, 1862-1869 (Slatkine reprints), 3 vol.

DELÉCLUSE, *Journal, 1824-1828*, Paris, 1948.

GUIZOT, *Mémoires pour servir à l'histoire de mon temps*, Paris, 1858-1867, vol. I-II.

LAMARQUE, Maximilien, *Mémoires et souvenirs*, Paris, 1835-1836, 3 vol.

LAS CASES, *Mémorial de Sainte-Hélène*, la Pléiade, 2 vol.

LENORMANT, Mme Amélie CYVOCT, *Coppet et Weimar*, Paris, 1862.

PASQUIER, Etienne duc de, *Mémoires*, publiés par le duc d'Audiffret-Pasquier, Paris, 1893-1895, 6 vol., vol. III-IV.

RÉMUSAT, Charles, *Mémoires de ma vie*, présentés et annotés par Charles Pouthas, Paris, 1958, 5 vol, vol. I-II.

ROBINSON, Henry CRABB, *Reminiscences and Correspondance*, Londres, 1897.

STAËL, Mme de, *Correspondance générale*, éd. Béatrice W. Jasinski, Paris, 1962 sq.

STAËL, Mme de, *Des circonstances actuelles*, éd. Lucia Omacini, Genève, 1979.

STAËL, Mme de, *De la littérature*, éd. Paul Van Tieghem, Genève, 2 vol.

STAËL, Mme de, *De l'Allemagne*, éd. Mme Jean de Pange avec le concours de Simone Balayé, Paris, 1958-1960, repris, sans les variantes, par Simone Balayé, Paris, 1968, 2 vol.

STAËL, Mme de, *Dix années d'exil*, éd. Paul Gautier, Paris, 1904, texte repris et introduit par Simone Balayé, Paris, 1966.

STAËL, Mme de, *Considérations sur les principaux événements de la Révolution française*, Paris, 1818, 3 vol., rééd. par Jacques Godechot, Paris, 1983.

VÉRON, Louis, *Mémoires d'un bourgeois de Paris*, Paris, 1853-1855, 6 vol., vol. III.

VII. *Quelques manuels ou guides bibliographiques*

RUDLER, Gustave, *Bibliographie critique des œuvres de Benjamin Constant*, Paris, 1909, dépassée, mais encore utile.

LOWE, David K., Benjamin Constant, An annotated bibliography of critical editions and studies, 1946-1978, Londres, 1979.

HOFMANN, Etienne et tout un groupe de collaborateurs, *Bibliographie analytique des écrits sur Benjamin Constant, 1796-1980*, Lausanne, 1980.

COURTNEY, C. P., *A Bibliography of Editions of the Writings of Benjamin Constant to 1833*, Londres, 1981.

DEGUISE, Pierre, *Nouveau état présent des études sur Benjamin Constant*, in *Annales Benjamin Constant*, Genève, 1980, I.

Pour les questions religieuses, on consultera les ouvrages de Pierre Deguise et Patrice Thompson, et pour les références d'ordre littéraire, les ouvrages de Paul Delbouille.

VIII. *Ecrits relatifs à Benjamin Constant ou portant sur son époque*

ACHARD, Lucie, *Rosalie de Constant, sa famille et ses amis, 1758-1834*, Genève, 1901-1902, 2 vol.

Actes du congrès Benjamin Constant, 1967, Genève, 1968.

Actes du colloque Benjamin Constant, Madame de Staël et le groupe de Coppet, Oxford, 1982.

Actes du colloque de Coppet, *Mme de Staël et l'Europe*, Paris, 1970.

Actes et documents du deuxième colloque de Coppet, Genève et Paris, 1977.

ALEXANDRE, I.-W., *La Morale ouverte de Benjamin Constant, Studi in onore di Carlo Pellegrini*, Turin, 1963, pp. 395-410.

ALLEM, Maurice, *Les Grands Ecrivains français par Sainte-Beuve, Benjamin Constant*, Paris, 1927, pp. 214-241.

Allemagne, de l', Les Saint-Simoniens, Paris, 1930.

Annales Benjamin Constant, p.p. l'Institut Benjamin Constant, 1980 et années suivantes.

BAELEN, Jean, *Benjamin Constant et Napoléon*, Paris, 1965.

BALDENSPERGER, Fernand, *Le Mouvement des idées dans l'émigration française, 1789-1815*, Paris, 1924, 2 vol.

BAGGE, Dominique, *Les Idées politiques en France sous la Restauration*, Paris, 1952.

BALAYÉ, Simone, *Madame de Staël*, Paris, 1979.

BARBÉ, Maurice, *Etude historique sur la souveraineté en France de 1815 à 1848*, Paris, 1904.

BARTHÉLEMY, Joseph, *L'Introduction du régime parlementaire en France sous Louis XVIII et Charles X*, Paris, 1904.

BARTHOLONI, Fernand, *Introduction à la politique de Benjamin Constant*, Evreux, 1964.

BASTID, Paul, *Benjamin Constant et sa doctrine*, Paris, 1966, 2 vol.

BASTID, Paul, *Les Institutions politiques de la monarchie parlementaire française, 1814-1848*, Paris, 1954.

BASTID, Paul, *Sieyès et sa pensée*, Paris, 1939.

BÉNICHOU, Paul, *Le Sacre de l'écrivain*, Paris, 1973.

BÉNICHOU, Paul, *Le Temps des prophètes*, Paris, 1977.

BERLIN, Isaiah, *Four Essays on Liberty*, Oxford, 1969.

BERTAULD, M., *Deux individualistes, Benjamin Constant et Daunou, Mémoires de l'Académie des sciences de Caen*, 1863, pp. 172-209.

BERTIER de SAUVIGNY, Guillaume de, *La Restauration*, rééd., Paris, 1955.

BERTHOUD, Dorette, *La Seconde Madame Benjamin Constant*, Lausanne, 1943.

BERTHOUD, Dorette, *Constance et grandeur de Benjamin Constant*, Lausanne, 1944.

BILLY, André, *Sainte-Beuve, sa vie et son temps*, Paris, 1952, 2 vol.

BOBBIO, Norberto, *Della libertà dei moderni comparata a quella dei posteri, Politica e Cultura*, Turin, 1955, pp. 160-194.

BONNO, Gabriel, *La constitution britannique devant l'opinion française de Montesquieu à Bonaparte*, Paris, 1932.

BOUGLÉ, Célestin, *La philosophie politique de Benjamin Constant, Revue de Paris*, mars-avril 1914, pp. 209-224.

Cahiers Benjamin Constant, Lausanne, 1955-1967.

Cahiers staëliens, Paris, 1962, et années suivantes.

CALOGERO, Guido, *La libertà degli antichi e la libertà dei moderni, Saggi di etica e di teoria del diritto*, Bari, 1947, pp. 56-73.

CARCASSONNE, Élie, *Montesquieu et le problème de la constitution française au XVIIIᵉ siècle*, Paris, 1927.

CHARLÉTY, Sébastien, *La Restauration*, t. IV de l'*Histoire de France contemporaine* de Lavisse, Paris, 1926.

CHARLÉTY, Sébastien, *Histoire du saint-simonisme*, Paris, 1931.

CORDEY, Pierre, *Madame de Staël ou le deuil éclatant du bonheur*, Lausanne, 1967.

CORDEY, Pierre, *Benjamin Constant, Gaetano Filangieri et la « science de la législation »*, Annales Benjamin Constant, Genève, 1980, I, pp. 55-79.

CORDIÉ, Carlo, *Benjamin Constant*, a.c.d., Milan, 1946.

CRUICKSHANK, John, *Benjamin Constant*, New York, 1974.

CROCE, Benedetto, *Constant e Jellinek, intorno alla differenza tra la libertà degli antichi et quella dei moderni*, Etica e Politica, 1931, pp. 294-301.

DEGUISE, Pierre, *Benjamin Constant méconnu*, Genève, 1966.

DERRÉ, Jean-René, *Lamennais, ses amis et le mouvement des idées à l'époque romantique, 1824-1834*, Paris, 1962.

DESCOTES, Maurice, *La légende de Napoléon et les écrivains français au XIXᵉ siècle*, Paris, 1961.

DES GRANGES, Charles-M., *La presse littéraire sous la Restauration, 1815-1830*, Paris, 1907 (Slatkine reprints).

DODGE, Guy H., *Benjamin Constant's philosophy of Liberalism*, Chapel Hill, 1980.

DUMONT-WILDEN, Louis, *La Vie de Benjamin Constant*, Paris, 1930.

DUVERGIER de HAURANNE, Prosper, *Histoire du gouvernement parlementaire en France, 1814-1830*, Paris, 1857-1871, 10 vol.

EGGLI, Edmond, *Schiller et le romantisme français*, Paris, 1927, 2 vol. (Slatkine reprints).

ELKINGTON, MARGERY, E., *Les relations de société entre l'Angleterre et la France sous la Restauration, 1814-1830*, Paris, 1929.

ETTLINGER, Joseph, *Benjamin Constant, der Roman eines Lebens*, Berlin, 1909.

Europe, 1968, n° 467, consacré en partie à Benjamin Constant.

FABRE-LUCE, Alfred, *Benjamin Constant*, Paris, 1939, rééd., 1978.

FAGUET, Émile, *Politiques et moralistes du XIXe siècle*, Paris, 1891, 1re série.

FARNUM, Dorothy, *The Dutch divinity, a biography of Madame de Charrière*, Londres, 1959.

FINK, Béatrice Camille, *Benjamin Constant on equality*, *Journal of the History of Ideas*, avril-juin 1972, t. XXXIII, n° 2, pp. 307-314.

FINLEY, M. I., *Démocratie antique et démocratie moderne*, avec collaborateurs, trad., Paris, 1976.

FROSINI, Vittorio, *Libertarismo antico e liberalismo moderno*, *Rivista internationale di filisofia del diritto*, 1960, Série 3, t. XXXVII, pp. 409-419.

GALL, Lothar, *Benjamin Constant, seine politische Ideenwelt und der deutsche Vormärz*, Wiesbaden, 1963.

GAUCHET, Marcel, Préface, notes et commentaires, in Benjamin Constant, *De la liberté chez les modernes*, Paris, 1980.

GAULMIER, Jean, *L'Idéologue Volney*, Beyrouth, 1951 (Slatkine reprints).

GAUTIER, Paul, *Madame de Staël et Napoléon*, Paris, 1903.

GODET, Philippe, *Madame de Charrière et ses amis*, Genève, 1906, 2 vol. (Slatkine reprints).

GONNARD, Philippe, *Benjamin Constant et le groupe de la Minerve*, *Revue bleue*, 1913, pp. 131-136 et 209-212.

GOUHIER, Henri, *La Jeunesse d'Auguste Comte et la formation du positivisme*, Paris, 1933 et 1941, 3 vol. (2e éd. du vol. I en 1964 et du vol. III en 1970).

GOUHIER, Henri, *Benjamin Constant*, Paris, 1967.

GOUGELOT, Henri, *L'Idée de liberté dans la pensée de Benjamin Constant*, Melun, 1942.

GOYARD-FABRE, Simone, *L'Idée de souveraineté du peuple et le « libéralisme pur » de Benjamin Constant*, *Revue de métaphysique et de morale*, juillet-septembre 1976, t. LXXXI, n° 3, pp. 289-327.

GRANGE, Henri, *Les Idées de Necker*, Paris, 1974.

GUILLEMIN, Henri, *Benjamin Constant muscadin, 1795-1799*, Paris, 1958.

GUILLEMIN, Henri, *Mme de Staël, Benjamin Constant et Napoléon*, Paris, 1959, rééd. 1966.

GUSDORF, Georges, *Signification humaine de la liberté*, Paris, 1962.

HARPAZ, Éphraïm, *Mably et la postérité*, *Revue des sciences humaines*, 1954, pp. 25-40.

HARPAZ, Éphraïm, *Mably et ses contemporains*, *Revue des sciences humaines*, 1954, pp 351-366.

HARPAZ,, Éphraïm, *Le « social » de Mably*, *Revue d'histoire économique et sociale*, 1956, vol. 34, pp. 411-425.

HARPAZ, Éphraïm, *Le « Censeur »*, *histoire d'un journal libéral*, *Revue des sciences humaines*, 1958, fasc. 92, pp. 483-511.

HARPAZ, Éphraïm, *« Le Censeur européen »*, *histoire d'un journal industrialiste*, *Revue d'histoire économique et sociale*, 1959, vol. 37, n° 2-3, pp. 185-218-328-357.

HARPAZ, Éphraïm, *« Le Censeur européen »*, *histoire d'un journal quotidien*, *Revue des sciences humaines*, 1964, fasc. 114, n° spécial, pp. 137-259.

HARPAZ, Éphraïm, *L'École libérale sous la Restauration, le « Mercure » et la « Minerve », 1817-1820*, Genève, 1968.

HARPAZ, Éphraïm, *Benjamin Constant polémiste, étude de quelques articles*, *Annales Benjamin Constant*, Genève, 1980, I, pp. 43-53.

HARPAZ, Éphraïm, *Benjamin Constant et le mythe de la liberté*, communication faite au colloque *Mythes d'origine*, Université d'Haïfa, mai 1981, à paraître.

HASSELROT, Bengt, Introduction, notes et commentaires, in Benjamin Constant, *Lettres à Bernadotte*, Genève et Lille, 1952.

HASSELROT, Bengt, Introduction, notes et commentaires, in *Nouveaux documents sur Benjamin Constant et Mme de Staël*, Copenhague, 1952.

HEROLD, Christopher F., *Germaine Necker de Staël*, trad. par M. Maurois, Paris, 1962, ouvrage demeuré très valable.

HIERSTAND, Jean, *Benjamin Constant et la doctrine parlementaire*, Genève, 1928.

HIRSCHMAN, Albert O., *The Passions and the Interests*, Princeton, 1978, 2e éd.

HOFMANN, Étienne, *Benjamin Constant à la veille des Cent Jours. Etudes de lettres*, Lausanne, 1977, n° 3, pp. 1-29.

HOFMANN, Étienne, *Les « Principes de politique » de Benjamin Constant, 1789-1806*, Genève, 1980, 2 vol., vol. I.

HOLDHEIM, William, *Benjamin Constant*, Londres, 1961.

JASINSKI, Béatrice W., *L'Engagement de Benjamin Constant, 1794-1796*, Paris, 1971.

KLOOKE, Kurt, *Benjamin Constant, Une biographie intellectuelle*, Genève, 1984.

KOHLER, Pierre, *Madame de Staël et la Suisse*, Lausanne, 1916 (Slatkine reprints).

LABOULAYE, Édouard, *Benjamin Constant, Revue nationale et étrangère*, 1861.

LABOULAYE, Édouard, *Benjamin Constant et les Cent Jours, ibid.*, 1866-1867.

LAURIS, Georges de, *Benjamin Constant et les idées libérales*, Paris, 1904.

LEDRÉ, Charles, *Histoire de la presse*, Paris, 1958.

LÉON, Paul-L., *Benjamin Constant*, Paris, 1930.

LEVAILLANT, Maurice, *Les Amours de Benjamin Constant*, Paris, 1958.

LOIRETTE, Gabriel, *Montesquieu et son influence sur la doctrine politique de Benjamin Constant*, Actes de l'Académie nationale des sciences, belles-lettres et arts de Bordeaux, 1944-1950, t. XIII, pp. 61-79.

LUCAS-DUBRETON, J., *Le Culte de Napoléon*, Paris, 1959.

MANSFIELD, Harvey, *The Spirit of Liberalism*, Cambridge, 1978.

MATTEUCCI, Nicola, *Il liberalismo in un mondo in transfomazione*, Bologne, 1972.

MEISTER, Konrad, *Benjamin Constant und die Freiheit*, Horgen, 1956.

MISTLER, Jean, *Benjamin Constant prophète du libéralisme*, Annales Conferencia, février 1968, t. LXXV, n° 208, pp. 3-10.

MORAVIA, Sergio, *Il tramonto dell'illuminismo, filosofia e politica nella società francese, 1770-1810*, Bari, 1968.

MUNTEANO, Basil, *Episodes kantiens en Suisse et en France sous le Directoire*, Revue de littérature comparée, 1935, t. XV, pp. 387-454.

MUNTEANO, Basil, *Les idées politiques de Madame de Staël*, Paris, 1931.

MURET, Charlotte, *French Royalist Doctrine since the Revolution*, New York, 1933.

NEF, John U., *War and Human Progress : An Essay on the Rise of Industrial Civilization*, Cambridge, 1950.

NICOLSON, Harold, *Benjamin Constant*, Londres, 1949.

OECHSLIN, Jean-Jacques, *Le Mouvement ultra-royaliste sous la Restauration, son idéologie et son action politique, 1814-1830*, Paris, 1960.

OLIVIER, Andrew, *Benjamin Constant, écriture et conquête du moi*, Paris, 1970.

PARKER, Harold, *The Cult of Antiquity and the French Revolutionnaries*, Chicago, 1937.

PASSMORE, John R., *The Perfectibility of Man*, Londres, 1970.

PELLEGRINI, Carlo, *Da Constant a Croce*, Pise, 1958.

POZZO DI BORGO, Olivier, *Un libéral devant une dictature*, Revue d'histoire littéraire de la France, 1966, t. LXVI, pp. 94-114.

POZZO DI BORGO, Olivier, Notes et commentaires in Benjamin Constant, *Ecrits et discours politiques*, Paris, 1964, 2 vol.

POULET, Georges, *Benjamin Constant par lui-même*, Paris, 1968.

RADIGUET, Léon, *L'Acte additionnel aux constitutions de l'Empire du 22 avril 1815*, Caen, 1911.

RASKOLNIKOFF, Mouza, *Le Refus de Rome, Volney et les Idéologues*, Revue historique, 1982.

REBOUL, Pierre, *Le Mythe anglais dans la littérature française sous la Restauration*, Lille, 1962.

REGALDO, Marc, *Un milieu intellectuel, la Décade philosophique, 1794-1807*, Lille-Paris, 1976, 5 vol.

REMOND, René, *La Droite en France de 1815 à nos jours*, Paris, 1954.

RENS, Ivo, *Aspects du libéralisme politique dans la première moitié du XIX⁰ siècle*, Synthèses, septembre 1964, n° 220, pp. 214-233.

ROD, Édouard, *Les idées politiques de Benjamin Constant*, Bibliothèque universelle et revue suisse, avril-juin 1904, t. XXXIV, n° 100-102, pp. 449-475.

ROMIEU, André, *Benjamin Constant et l'esprit européen*, Paris, 1933.

ROULIN, Alfred, cf. notes, notices et commentaires, in Benjamin Constant, *Œuvres*, la Pléiade, 1957.

ROUSSEL, Jean, *Jean-Jacques Rousseau en France après la Révolution, 1795-1830*, Paris, 1972.

RUDLER, Gustave, *La Jeunesse de Benjamin Constant, 1767-1794*, Paris, 1909 (Slatkine reprints).

RUDLER, Gustave, *Benjamin Constant, député de la Sarthe, 1819-1822*, Le Mans, 1913.

SALIS, Jean-Rodolphe de, *Sismondi, 1773-1843*, Paris, 1932, 2 vol. (Slatkine reprints).

SCOTT, Franklin D., *Benjamin Constant's Project for France in 1814*, *Journal of Modern History*, 1935, 7, pp. 41-48.

SCOTT, Franklin D., *Bernadotte and the Fall of Napoléon*, Cambridge, Mass., 1935.

SCOTT, Franklin D., *Propaganda Activities of Bernadotte, 1813-1814*, in *Essays in the History of Modern Europe*, New York, 1936, pp. 16-30.

SIGNORINI, Alberto, *Constant e la libertà dei moderni*, *Storia e Politica*, janvier-mars 1963, t. II, fasc. 1, pp. 115-128.

SIMON, Walter, *French Liberalism, 1789-1848*, New York, 1972.

SOLTAU, Roger, *French Liberal Thought in the Nineteenth Century*, New Haven, 1931.

STRAUSS, Leo, *Liberalism Ancient and Modern*, New York, 1968.

SUTER, Jean-François, *L'Idée de légitimité chez Benjamin Constant*, *Annales de philosophie politique*, 1967, pp. 181-193.

SWART, Koenraad W., *The Sense of Decadence in Nineteenth Century France*, La Haye, 1964.

THOMPSON, Patrice, *La Religion de Benjamin Constant, les pouvoirs de l'image*, Pise, 1978.

TRONCHON, Henri, *La Fortune intellectuelle de Herder en France*, Paris, 1920.

VILE, M. J. C., *Constitutionalism and the Separation of Powers*, Oxford, 1967.

VILLEFOSSE, Louis de, et BOUISSOUNOUSE, Janine, *L'Opposition à Napoléon*, Paris, 1969.

WAGNER, Fritz, *Der Liberale Benjamin Constant : zur Geschichte seines politischen Wesens*, Murnau Obby, 1932.

WERNLI, Analiese, *Le Thème de la liberté dans l'itinéraire spirituel de Benjamin Constant*, Zurich, 1968.

ZAMPOGNA, Domenico, *Benjamin Constant et Belle de Charrière*, préface de Pierre Cordey, Messine, 1969.

ZANFARINO, Antonio, *La libertà dei moderni nel constitu-zionalismo di Benjamin Constant*, Milan, 1961.

ZANFARINO, Antonio, *Potere e legalità nel pensiero politico di Benjamin Constant*, *Studi politici*, avril-juin et juillet-septembre 1957, t. IV, n° 2-3, pp. 182-207 et 383-403.

ZENNER, Maria, *Der Begriff der Nation in den politischen Theorien Benjamin Constant*, *Historische Zeitschrift*, août 1971, t. CCXIII, n° 1, pp. 38-68.

CHRONOLOGIE

1726. Naissance à Lausanne de Louis-Arnold-Juste Constant de Rebecque.

1742. Naissance à Lausanne de Henriette-Pauline de Chandieu.

1766. 22 juillet. Mariage à Prilly près Lausanne, de Juste Constant, alors capitaine au service des Pays-Bas, et d'Henriette de Chandieu.

1767. 25 octobre. Naissance de Benjamin Constant, à Lausanne.
10 novembre. Mort de sa mère. Il est confié à ses grand-mères.

1772. Benjamin est confié à son premier précepteur, l'Allemand Stroelin, qui lui enseigne le grec, et Marianne Magnien, à laquelle son père a signé une promesse de mariage. Deux enfants naîtront de cette union : Charles et Louise (la future Mme d'Estournelles).

1774. Juste emmène Benjamin à Bruxelles ; il y sert en qualité de lieutenant-colonel ; il confie l'éducation de son fils au médecin-major de la Grange.

1775. Les Constant séjournent en Suisse.

1776. Gobert, nouveau précepteur.

1777. Benjamin se partage entre Bruxelles, la Hollande et Lausanne, où il séjourne à la Chablière et au Désert, propriétés de son père. Duplessis, moine défroqué, nouveau précepteur.

1779. Il compose un roman héroïque en cinq chants qui reste inachevé : *Les Chevaliers*.

1780. Janvier-mars. Premier voyage en Angleterre avec son père, séjour à Londres et Oxford.

      Mars. May, quatrième précepteur. Il accompagne son disciple en Suisse et en Hollande.

1781. Octobre. Retour avec son père à Lausanne. Il y suit les leçons du pasteur Bridel.

1783. 8 juillet. Juste et Benjamin arrivent à Edimbourg où ce dernier assiste aux cours de l'Université, participe activement aux débats de la Speculative Society. Ce séjour en Ecosse, de près de deux ans, a été très important pour sa formation et son initiation au régime constitutionnel de l'Angleterre.

1785. Mai-août. Benjamin séjourne chez les Suard. Il y a fait probablement la connaissance des philosophes marquants de l'époque.

      Août. Benjamin rejoint son père à Bruxelles. Il y contracte une liaison avec Mme Johannot.

      Fin novembre. Il s'installe à Lausanne pour un an. Il y commence son ouvrage sur le polythéisme.

1786. Il tombe amoureux à Lausanne de Mme Trevor.

      Novembre. Il retourne chez les Suard.

1787. Vers mars. Il rencontre Mme de Charrière, son aînée de vingt-sept ans, et la voit souvent.

      Publication anonyme à Paris de son *Essai sur les mœurs des temps héroïques de la Grèce,* traduction du second chapitre de l'ouvrage de l'Ecossais John Gillies.

      8 juin. Première tentative de suicide pour la jeune Jenny Pourrat qu'il croit aimer.

      23 juin. Escapade en Angleterre qui le mène jusqu'à Edimbourg.

      Mi-septembre. Retour chez son père, à Bois-le-Duc.

      Octobre-décembre. Il s'installe à côté de Lausanne, se rend souvent chez Mme de Charrière, à Colombier, et se fait soigner.

1788. 8 janvier. Premier duel de Constant avec le capitaine Duplessis d'Ependes, à Colombier.

      18 février. Il part pour Brunswick où il arrive le 3 mars. Il est nommé chambellan de la cour.

      Avril. Il se lie avec Mauvillon.

      Juin. Ouverture des procès intentés à Juste Constant, en Hollande, à la suite d'une sédition dans son régiment.

      Décembre. Constant est nommé conseiller de légation.

1789. Mars-mai. Juste cède à son fils ses biens immobiliers pour les soustraire aux suites fâcheuses de ses procès. Ce sera, plus tard, une source de malentendus entre les deux.

8 mai. Constant épouse à Brunswick Minna von Cramm, dame d'honneur de la duchesse de Brunswick, qui est son aînée de neuf ans. Juste autorise son fils à entrer en possession de sa fortune maternelle avant sa majorité.

Juillet-août. Séjour avec sa femme à Lausanne.

Septembre. Il se rend à La Haye pour aider son père dans ses procès.

1790. Mai. Retour à Brunswick.

1791. Juillet. Sentence contre Juste. Il est cassé de tous ses emplois. Il va se réfugier en France où il obtiendra la qualité de Français comme descendant des religionnaires.

Septembre-novembre. Séjour de Constant à Lausanne sans sa femme.

1792. Mésentente conjugale. Voyage en Suisse. Difficultés avec son père.

1793. Janvier. Constant rencontre Charlotte, baronne de Marenholtz, née Hardenberg.

Mars. Constant se sépare de sa femme.

Fin mai. Départ pour Lausanne. Il y séjourne jusqu'à la fin de novembre.

Début décembre. Il se rend chez Mme de Charrière à Colombier et y reste jusqu'au 3 avril suivant.

1794. Avril-juillet. Dernier séjour à Brunswick.

Août. Retour à Lausanne.

18 septembre. Première rencontre avec Mme de Staël. Il lui fait une cour assidue.

Fin décembre. Publication des *Réflexions sur la paix* de Mme de Staël.

1795. Janvier. Constant s'installe chez Germaine de Staël à Mézery.

Mars. Rebuté par Germaine, Constant procède à une tentative de suicide.

25 mai. Il arrive à Paris avec Germaine de Staël.

Fin juillet. Il publie des articles anonymes, un article signé. Il achète des biens nationaux.

7 octobre. Il passe une nuit en prison avec François de Pange pendant les troubles de vendémiaire.

18 novembre. Son divorce d'avec sa femme est prononcé.

Fin décembre. Il accompagne Mme de Staël à Coppet, obligation qui se répétera indéfiniment à cause des difficultés de celle-ci avec le pouvoir.

1796. Hiver. Constant se partage entre Coppet et Lausanne. Il écrit *De la force du gouvernement actuel de la France et de la nécessité de s'y rallier,* brochure qui paraîtra en mai et qui aura des répercussions notables. Mme de Staël est sur le point d'achever *De l'influence des passions.*

Février. Réhabilitation de Juste Constant qui reçoit le grade de général-major.

Juillet. Pétition de Constant pour faire reconnaître aux descendants des huguenots la nationalité française.

14 juillet. Duel avec le journaliste Bertin de Vaux qui l'a attaqué dans sa *Feuille du jour,* affrontement qui se résoudra en amitié. Retour en Suisse.

26 août. Le *Moniteur* publie l'article de Constant, *De la restitution des droits politiques.*

Octobre. Retour à Paris. Il s'occupe de la diffusion de *De l'influence des passions* de Mme de Staël.

Novembre. Achat du domaine d'Hérivaux.

Décembre. Constant passe à Coppet pour ramener en France Mme de Staël. Paris lui étant interdit, elle séjourne à Hérivaux du 25 décembre jusqu'en mai suivant.

1797. Mars-avril. Constant ne réussit pas à se faire élire au Corps législatif, mais comme agent municipal à Luzarches, élection contestée puis suspendue par le Directoire.
Grand succès de *Des réactions politiques* dont la préface est datée du 10 germinal an V.

Fin mai. Publication des *Effets de la Terreur.* Les *Effets* précèdent les *Réactions politiques* (2e éd.).

8 juin. Naissance d'Albertine de Staël.
Fondation du Cercle constitutionnel à l'Hôtel de Salm où Constant joue un rôle marquant.

20 octobre. Talleyrand recommande Constant à Bonaparte qui se trouve en Italie.

5 novembre. Constant est nommé par le Directoire président de l'administration communale à Luzarches.

1798. Mars. Constant obtient la reconnaissance de sa qualité de Français. Il est nommé électeur.

Avril. Il se bat avec le journaliste Sibuet qui l'avait calomnié.

Juin. Il rejoint Mme de Staël à Saint-Ouen.

Il fait la connaissance de Julie Talma.

Fin octobre. Il travaille à Coppet et Genève à sa traduction de Godwin.

Novembre. Constant publie *Des suites de la contre-révolution de 1660 en Angleterre,* mise en garde contre tout retour en arrière.

Fin décembre. Mme de Staël écrit *Des circonstances actuelles qui peuvent terminer la Révolution,* ouvrage qu'elle ne publiera pas.

1799. Il passe l'hiver auprès d'elle à Genève et Coppet.

Début février. Il est sur le point d'achever sa traduction de Godwin.

Il part pour Paris.

Mars-mai. Il échoue dans ses tentatives de se faire élire député du Léman aux Cinq Cents ou commissaire dans l'administration centrale du Léman.

Début juillet. 2e éd. des *Suites de la contre-révolution.*

Septembre. Il reprend fort probablement ses commentaires sur l'ouvrage de Godwin pour commencer son traité, *De la possibilité d'une constitution républicaine dans un grand pays.*

24 décembre. Constant est nommé au Tribunat.

1800. 5 janvier. Constant se classe comme opposant au nouveau régime de brumaire dès son premier discours.

Avril. Publication de *De la littérature* de Mme de Staël. Constant la rejoint en Suisse.

Septembre. Retour à Paris. Il se prend de passion pour la belle Anna Lindsay.

1801. Constant fait toujours, au Tribunat, de l'opposition au régime.

Mai. Rupture avec Mme Lindsay.

1802. 17 janvier. Constant ainsi que d'autres opposants au régime sont éliminés du Tribunat.

Mars. Il vend Hérivaux et achète les Herbages.

9 mai. Mort du baron de Staël.

Constant passe été et hiver à Coppet et Genève. Scènes continuelles avec Mme de Staël.

Décembre. Publication de *Delphine.*

L'ouvrage sur la constitution républicaine semble avoir pris sa forme.

1803. 6 janvier. Projets de mariage de Constant. Il commence ce qui est considéré comme son premier journal connu, *Amélie et Germaine* qui sera interrompu le 10 avril.

Avril. Il s'installe aux Herbages.

15 octobre. Mme de Staël reçoit l'ordre de s'éloigner à quarante lieues de Paris. Constant l'accompagne dans son voyage en Allemagne.

26 octobre-8 novembre. Ils s'arrêtent à Metz pour rencontrer Charles de Villers.

Début décembre. Il séjourne à Göttinge et rejoint Mme de Staël à Weimar. Ils y restent jusqu'au 1er mars.

1804. 22 janvier. Constant commence un nouveau journal sous une forme développée qu'il va interrompre à la mort de Julie Talma, le 5 mai 1805.

Février. Il est frappé par la pureté du sentiment religieux.

6 mars. Constant et Mme de Staël se séparent à Leipzig.

9 avril. Mort de Necker. A peine rentré en Suisse, Constant repart pour ramener Mme de Staël.

19 mai. Arrivée à Coppet.

Eté-automne. Séjour à Coppet et Genève, visite à Mme Talma à Soleure.

6 décembre. Il accompagne Mme de Staël à Lyon : elle part pour l'Italie, lui gagne Paris.

29 décembre. Il revoit Charlotte de Hardenberg, devenue vicomtesse du Tertre.

1805. Janvier-juin. Séjour à Paris et aux Herbages.

4 mai. L'idée d'épouser Charlotte, une fois redevenue libre, commence à l'effleurer.

5 mai. Mort de Julie Talma.

10 juillet. Il retourne à Coppet.

27 décembre. Mort de Mme de Charrière.

1806. 4 février. Il commence à écrire ses *Principes de politique,* extraits et adaptés, selon toutes probabilités, de sa *Constitution républicaine,* travail qui suit de près la refonte des premiers chapitres sur la religion, notamment la partie qui a trait au sentiment religieux.

Juin. Il rejoint Mme de Staël près d'Auxerre, et y demeure, à l'exception de quelques jours, jusqu'au 24 août.

18 septembre-18 octobre. Il reste auprès de Mme de Staël à Rouen.

19 octobre. Il s'éprend de nouveau de Charlotte. Projet de mariage.

30 octobre. Il commence à écrire l'épisode d'Ellénore qui deviendra *Adolphe*.

7 novembre. Il avoue sa liaison à Mme de Staël.

21-28 novembre. Il est à Paris. Charlotte se prépare au divorce.

29 novembre. Il rejoint Mme de Staël qui s'établit au château d'Acosta près de Meulan.

1807. **27 avril.** Mme de Staël est exilée. Elle part pour Coppet.

1er mai. Publication de *Corinne*. Constant publie un compte rendu anonyme dans le *Publiciste* comme il l'avait fait d'ailleurs pour les ouvrages précédents de son amie.

29 juin. Il se sépare de Charlotte qui se rend en Allemagne pour faire prononcer son divorce. Il arrive à Brévans, chez son père, le 3 juillet. Mme de Staël y expédie Schlegel pour ramener au bercail le récalcitrant Benjamin.

31 août. Il subit encore des scènes à Coppet, se réfugie le 1er septembre chez sa tante Charrière où Germaine, « égarée » vient le chercher.

Septembre. Désemparé, Constant se met à fréquenter à Lausanne une secte piétiste. Il commence à travailler sur une adaptation de Schiller, *Wallstein*.

4 décembre. Mme de Staël, accompagnée de Schlegel, part pour Vienne.

6 décembre. Malade, en désarroi, il rejoint Charlotte, venue de Paris, à Besançon. Elle tombe gravement malade. Le *Journal* s'arrête à la date du 27 décembre 1807. Il reprend le 15 mai 1811. Mais une note du 12 avril 1808 parle d'une *narration* relatant la vie de Constant depuis le 28 décembre 1807 jusqu'au 12 avril 1808. Il se peut, par ailleurs, qu'un journal enregistrant les notations de Constant d'avril 1808 au mois de mai 1811 ait bien existé. Toujours est-il qu'on n'a retrouvé ni la *narration* ni le *journal*. On sait que Sainte-Beuve avait en sa possession deux fragments d'un carnet disparu. Il faudrait se demander si ces deux fragments ne constituent pas un seul texte, s'ils ne recouvrent ou ne reprennent la narration et si celle-ci n'a pas été continuée à une date postérieure (cf. B. Constant, *Œuvres*, p.p. A. Roulin, p. 486 et pp. 793-796). La date de composition de *Cécile* doit être posée à nouveau. En se rappelant les moments privilégiés où Benjamin Constant se met à composer, il n'est pas exclu de penser qu'une première version de *Cécile* ait bien existé en 1808.

1808. **9 janvier.** Retour de Constant et Charlotte à Paris. Il reprend son ouvrage sur le polythéisme ainsi que *Wallstein*.

Fin mai. Ils retournent à Brévans et concluent un mariage secret.

27 juin. Il rejoint Mme de Staël à Coppet. Charlotte voyage en Suisse. Après une brève rencontre à Brévans à la fin du mois de septembre, Constant et Charlotte s'y retrouvent le 15 décembre.

1809. **Début janvier.** Constant et Charlotte se rendent à Paris.

26 janvier. Publication et succès de *Wallstein*. Il reprend son ouvrage sur la religion.

26 février. Il rend compte dans le *Publiciste* des *Lettres et pensées* du Prince de Ligne, éditées par Mme de Staël.

Fin avril. Constant et Charlotte partent pour la Suisse.

9 mai. Entrevue tragi-comique à Sécheron, où Charlotte apprend à Germaine son mariage avec Constant. La châtelaine de Coppet leur impose le secret.

13 mai. Constant, de retour à Coppet, rejoint Charlotte, en cachette, à Brévans, d'où, un ordre, impératif, bien entendu, de Mme de Staël l'appelle à Lyon, où elle a été voir jouer Talma. Charlotte le suit et tente de s'empoisonner le 9 juin.

Vers le 15 juin. Constant ramène Charlotte à Paris et repart le 24 pour passer l'été à Coppet.

Il accepte de collaborer à la *Biographie universelle* de Michaud.

19 octobre. Départ de Coppet. Juste Constant a annoncé à leur famille le mariage de son fils.

Vers la mi-décembre. Un mariage civil de Constant et Charlotte à Paris ratifie le mariage clandestin de 1808.

1810. **27 janvier.** Départ de Paris. Il séjourne à Coppet du

1er février jusqu'en avril pour régler avec Mme de Staël des questions financières qui traînent en longueur.

14 avril-juin. Séjour à Paris et aux Herbages.

11 juin. Il séjourne à Chaumont-sur-Loire jusqu'au 14 juillet auprès de Mme de Staël qui corrige les épreuves de *De l'Allemagne*.

24 septembre. Ordre de Rovigo, ministre de la Police, de supprimer le livre. Ordre à Mme de Staël de retourner en Suisse.

10 octobre. En route vers la Suisse, Mme de Staël revoit Constant à Briare.

Pertes énormes de Constant au jeu. Il vend les Herbages.

1811. 17 janvier. Départ de Paris avec Charlotte pour la Suisse. Benjamin a des difficultés sérieuses avec son père auxquelles Mme de Staël ne serait pas étrangère. Ses lettres mielleuses à Juste Constant sont curieuses à étudier à cet égard.

18 avril. Dernier souper de Constant à Coppet. Rocca, le compagnon de Germaine, cherche à le provoquer en duel.

8 mai. Constant fait ses adieux à Mme de Staël, à Lausanne.

15 mai. Départ avec Charlotte pour l'Allemagne. La passion pour son polythéisme le reprend, celle du jeu le ruine toujours.

2 novembre. Il s'installe avec sa femme à Göttingue. Les chicanes de son père s'aggravent. C'est peut-être cette crise dans ses rapports avec son père qui amène Constant à ce retour sur soi et sur Juste Constant qu'est le *Cahier rouge*.

1812. Travail poussé sur son ouvrage.

12 février. Mort de Juste Constant.

23 mars. Mme de Staël s'enfuit de Coppet, et, traversant le continent en guerre, via Vienne, Moscou et Pétersbourg, arrive à Stockholm au mois de septembre.

24 juin. Campagne de Russie.

1812. 14-20 septembre. Incendie de Moscou.

5 décembre. Il s'installe à Cassel.

1813. Février et avril. Travail assidu à Göttingue.

Déprimé, il se délasse et se libère de son travail harassant, selon son habitude, par l'écriture. Il compose *Le Siège de Soissons*, poème anti-napoléonien. La tentation de jouer un rôle politique se fait de plus en plus sentir dans les notations fébriles de son journal.

Mme de Staël, de Stockholm, fouette son énergie.

17-19 octobre. Bataille de Leipzig.

6 novembre. Rencontre avec Bernadotte à Hanovre.

22 novembre. Utilisant les *Principes de politique* manuscrits et la *Constitution* républicaine manuscrite, travaillant d'arrache-pied, à un rythme endiablé, il compose en un temps record, *De l'esprit de conquête et de l'usurpation.*

1814. 30 janvier. L'ouvrage est imprimé et vite diffusé.

6 février. Constant se voue au service du Prince royal, Bernadotte, travaille pour lui, le suit à Liège.

Fin mars. Les affaires du Prince et celles de Benjamin Constant ne prospèrent guère.

Signe infaillible : Constant se remet à son *Siège de Soissons.*

15 avril. Après la prise de Paris, Constant et Auguste de Staël, qui a misé lui aussi, selon les conseils maternels, sur la fortune du Prince, se rendent à l'évidence de l'échec de Bernadotte, et partent pour Paris.

22 avril. Constant ne perd pas de temps : une 3e édition de l'*Esprit de conquête,* après celle de Londres, paraît à Paris, suivie, au début de juillet, d'une 4e.

24 mai. Publication de ses *Réflexions sur les constitutions.*

Il faut y ajouter des articles que la presse publie, des brochures qu'il lance sur la liberté de la presse et des discours qu'il prépare pour le député Durbach. Cette activité débordante est liée à la préparation de la charte de Louis XVIII promulguée le 4 juin, et aux tentatives du nouveau régime de restreindre la liberté de la presse.

31 août (parfois, Benjamin Constant désigne le 27 août comme date fatidique). Coup de foudre pour la trop belle Juliette Récamier, passion dont il n'arrivera à se défaire qu'en quittant Paris, le 31 octobre 1815.

12 novembre. Sur les encouragements de Mme Récamier, il se remet au travail et écrit, *De la responsabilité des ministres.*

1815. Début février. Publication de cette brochure qui connaît du succès. Constant écrit les *Mémoires dits de Juliette*.

5 mars. Débarquement de Napoléon. La nouvelle se propage à Paris dès le 7.

9 mars. Il apprend la mort de son ami Charles de Villers.

11 et 19 mars. Articles incendiaires de Constant contre Napoléon dans le *Journal de Paris* et le *Journal des débats*.

20 mars. Louis XVIII, sa cour, ses dignitaires et fidèles, son gouvernement se sauvent de Paris.

23 mars. Sur la pression de ses amis, notamment La Fayette, Constant quitte Paris. Il se dirige vers la Vendée pour y retrouver Prosper de Barante, son ami, mais vu l'avance des bonapartistes, sa passion aidant aussi, il revient à Paris le 27.

Avril. Très vite, de part et d'autre, une entente se dessine entre Constant et les anciens dignitaires de l'Empire : ceux-ci sont à la recherche d'un publiciste libéral notoire, susceptible de conférer à l'Empire un nouveau lustre idéologique ; lui est désireux de s'assurer un « divertissement » qui le détourne de Juliette et qui lui garantisse une position d'envergure.

14 avril. Première entrevue avec Napoléon, suivie d'autres. Constant accepte la proposition de rédiger le texte qui deviendra l'Acte additionnel, avec la collaboration de quelques conseillers d'Etat.

20 avril. Constant est nommé conseiller d'Etat. L'opinion est montée contre lui. Il publie des articles en faveur de la nouvelle constitution.

28 avril. Duel avec Montlosier qui l'a offensé dans le salon de Mme Récamier.

30 avril. Pour combattre l'extrême droite qui agit contre lui, Constant prépare un texte qu'il se propose de faire publier et qu'il intitule, *Lettre à l'empereur*, texte qu'il ne publiera pas. Il utilisera une partie de ce texte dans les pages concluantes de ses *Principes de politique*.

1er juin. Parution des *Principes de politique*, manifeste hautement libéral et complément patent, aux yeux de Constant et pour lui, à l'Acte additionnel.

12 juin. Constant écrit un manifeste pour soutenir Napoléon.

18 juin. Waterloo.

23 juin. C'est probablement Constant qui rédige une proclamation aux Français, signée Fouché.

25 juin. Constant est nommé secrétaire de la commission chargée de mener des négociations, qu'elle ne tiendra guère, avec les Alliés. Sans doute, un des tours de Fouché pour écarter des amis ou adversaires gênants.

Juillet-31 octobre. La « grâce » du divertissement n'opérant plus, et, redevenu disponible, Constant est à nouveau repris par son délire, au point d'avoir même recours, au début de septembre, à l'intercession de Mme de Krüdener.

Il commence à écrire l'apologie de son adhésion à l'Empire libéral, première esquisse de son texte ultérieur, plus étendu. Il soumettra son esquisse à Decazes, ce qui lui vaudra, sur l'ordre gracieux de Louis XVIII, d'être rayé de la liste de proscription. Constant publie plusieurs articles, ce qui vaut parfois aux journaux qui les accueillent d'être suspendus ou supprimés.

31 octobre. La grande résolution héroïque est prise : Constant quitte Paris et part pour Bruxelles. Charlotte l'y rejoint le 1er décembre.

1816. 27 janvier. Constant et Charlotte partent pour Londres et y restent jusqu'à la fin de juillet.

20 février. Albertine de Staël épouse le duc de Broglie à Pise.

8 mai. Mise en vente d'*Adolphe* à Londres.

Fin septembre. Retour à Paris après un séjour à Spa. Constant a hésité entre l'Angleterre et la France.

Le Journal s'arrête à la date du 26 septembre 1816.

Fin décembre. Constant va vite en besogne. Il lance sa brochure, *De la doctrine politique qui peut réunir les partis en France,* en réponse à *De la monarchie selon la charte* de Chateaubriand.

1817. Constant consacre cette année à relever le *Mercure de France.* En rendant compte des travaux des Chambres, en soulevant des questions d'ordre politique et religieux, et, en faisant de temps en temps des incursions du côté littéraire, Constant initie ses lecteurs à une vision libérale totalisante. En marge de ses entreprises journalistiques, Constant publie, selon son habitude, des brochures de circonstance.

14 juillet. Mort de Mme de Staël. Constant publie deux articles nécrologiques anonymes.

Août. Echec de Constant à l'Académie française.

Septembre. Echec de Constant aux élections à la Chambre.

Fin décembre. Suppression du *Mercure*.

1818. Le fait important à souligner pour cette année est la création de la *Minerve française* par Constant, Aignan, Etienne, Jay, Jouy, d'autres encore. La *Minerve* qui paraît par cahiers hebdomadaires devient vite une arme aussi prestigieuse que redoutable contre la droite et pour la sauvegarde des libertés individuelles. Le mot d'ordre est le respect de la Charte, interprétée selon l'esprit de 1789 et non d'après les institutions de 1788.

Constant se fait encore connaître tout particulièrement par la défense courageuse qu'il entreprend des condamnés à mort.

Il fait cette année des conférences à l'Athénée royal sur la religion.

Octobre. Nouvel échec aux élections.

1818-1820. Il commence en 1818 la publication de son *Cours de politique constitutionnelle*, réunion de ses grands ouvrages politiques et écrits de circonstance. N'y figurent pas les *Principes de politique*, publiés en plein Cent Jours. Mais ses *Réflexions sur les constitutions* comportent de nouvelles notes très importantes, tirées, pour l'essentiel, de ses anciens manuscrits.

1818. 2 décembre. Constant prononce à l'Athénée royal son *Eloge de Sir Samuel Romilly*, panégyrique en même temps de la liberté, qu'il publie au début de 1819.

1819. Février. En pleine campagne électorale, Constant prononce à l'Athénée royal sa conférence célèbre, *De la liberté des anciens comparée à celle des modernes*, recueillie dans son *Cours de politique constitutionnelle*.

25 mars. La Sarthe élit Constant à la Chambre. C'est Goyet qui a organisé la campagne électorale en faveur de Constant comme il l'avait fait pour La Fayette.

15 juin. Après la libéralisation du régime de la presse, Benjamin Constant et ses amis fondent la *Renommée*, organe quotidien.

La *Minerve* et la *Renommée* étaient une source non négligeable de revenus, mais aussi des moyens de choix, extrêmement puissants pour la définition d'une politique libérale, dans ses développements théoriques et ses applications d'actualité.

Septembre. Etienne s'était fait connaître du grand public, en tant que publiciste, par ses *Lettres* pleines de verve, *sur Paris*, dès février 1818 ; Constant y commence, en septembre 1819, l'éblouissante série de ses *Lettres sur les Cent Jours*, texte qui sera réimprimé par la suite en librairie, avec des notes surajoutées.

Dès son élection à la Chambre, Constant se signale par une participation qui marque les annales parlementaires en France.

1820. 13 février. Le duc de Berry est assassiné par Louvel.

27 mars. Suppression de la *Minerve* comme de plusieurs autres recueils contemporains.

Début juin. Constant et d'autres députés libéraux sont molestés par des officiers de la garde.

13 juin. Suppression de la *Renommée*. Constant s'associe à la rédaction du *Courrier français*.

Il s'oppose avec courage et acharnement aux lois d'exception. Des lettres de La Fayette, de Constant, des autres députés de la Sarthe sont saisies chez Goyet, au Mans.

20 septembre-début octobre. La Fayette et Constant, accompagné de Charlotte, visitent leur département électoral. Constant et Charlotte retournent à Paris par Saumur. Ils y sont victimes, les 7 et 8 octobre, de graves incidents et y courent un danger réel. Vive polémique à ce sujet dans la presse. Constant publie même un écrit, sous forme de *Lettre* au ministre de la Guerre.

1821. Grande activité à la Chambre et dans la presse contre la réaction qui s'instaure et contre la traite des Noirs.

Mars. Il se blesse encore une fois à la jambe comme en 1818, ce qui le rend définitivement infirme.

Constant publie *Du triomphe inévitable et prochain des principes constitutionnels en Prusse d'après un ouvrage imprimé, traduit de M. Koreff* [...], *avec un avant-propos et des notes de M. Benjamin Constant, député de la Sarthe*, XVI-86 p. Il est fort probable que la traduction ait été également faite par Constant. L'importance de la brochure est dans la profession de foi de la préface et le commentaire qui éclaire le texte.

Constant s'est trompé en pensant que la brochure allemande avait été écrite par le Dr Koreff, son ami. La presse de droite s'est saisie de cette fausse attribution pour attaquer Constant sans relâche.

1821-1822. Constant reprend son ouvrage sur la religion. Grande activité à la Chambre et dans la presse.

1822. Janvier. Il publie la première partie de son *Commentaire sur l'ouvrage de Filangieri,* manière qui lui permet d'exposer ses idées à la faveur des idées énoncées par un auteur connu. La seconde partie paraîtra en 1824.

6 juin. Benjamin Constant, assis, se bat en duel avec Forbin des Issarts qui l'a insulté dans la presse, à propos des attaques de la garde contre des députés libéraux en juin 1820.

Début juillet. Constant annonce par prospectus la publication prochaine de son ouvrage sur la religion par six livraisons qui seront réunies en 3 volumes (cf. le *Courrier français* du 19 juillet). Ce projet ne se réalisera pas avant 1824, sans doute, parce que Constant cherchait un complément de renseignements, et, bientôt, à cause des procès que le pouvoir allait lui intenter.

Août. Mangin, procureur général, implique Constant, La Fayette, le général Foy et Laffitte, dans le procès qui se déroulait alors à Poitiers contre le général Berton et ses complices. Constant réplique aux allégations de Mangin et aux calomnies du témoin Carrère, ancien sous-préfet à Saumur, par deux Lettres : une *Lettre* au rédacteur du *Courrier français,* publiée le 15 septembre, et une *Lettre* publique à Mangin. Les deux textes ont été confisqués.

13 novembre. La pression ministérielle aidant, Constant échoue aux élections de la Sarthe malgré les efforts de Goyet.

Conjugués avec les manigances électorales, les procès intentés à Constant pour atteinte à la « dignité » des magistrats, ont pour conclusion la condamnation de Constant à des peines de prison et d'amendes.

1823. Février. En appel, et grâce à l'intervention de Chateaubriand, ministre des Affaires étrangères, Constant n'est condamné les 6 et 13 février, dans les affaires Mangin et Carrère, qu'à des amendes.

1824. 26 février. Constant est élu à la Chambre par Paris.

La droite lui suscite des difficultés humiliantes lors de la vérification des pouvoirs des candidats élus.

Avril. Il part pour Lausanne à la recherche d'attestations sur ses origines françaises.

Activité à la Chambre, mais bien moindre dans la presse.

Fin mai. Parution du Ier tome de *De la religion*, chez Mongie. L'*Etoile* s'en prend à la théorie de Constant ayant trait à la permanence du sentiment religieux, opposé aux formes cultuelles (19 juin). Eckstein le critique dans le *Drapeau blanc* (21 juin). Constant leur donne la réplique dans le *Constitutionnel* (24 juin).

Août. Publication de la troisième édition d'*Adolphe*.

16 septembre. Mort de Louis XVIII.

Fin décembre. Constant est malade.

1825. Activité à la Chambre et dans la presse. Il est actif dans le comité pour les Grecs. Il prépare le second tome de *De la religion*.

Septembre. Il publie l'*Appel aux nations chrétiennes en faveur des Grecs*.

Octobre. Mise en vente du 2e tome de *De la religion*.

3 décembre. Il prononce à l'Athénée royal une importante conférence dont la *Revue encyclopédique* donnera des extraits — sans doute désignés par Constant lui-même — sous le titre de *Coup d'œil sur la tendance générale des esprits dans le XIXe siècle*. Constant s'y est pris à la doctrine saint-simonienne, ce qui a provoqué une polémique dans la presse.

1826. Activité à la Chambre et dans la presse. Préparation du 3e tome de *De la religion*.

1er février. Important compte rendu de Constant qui devient, selon son habitude, une véritable exposition de sa propre doctrine, de l'ouvrage de Dunoyer — cours qu'il avait professé en 1825 à l'Athénée —, *L'industrie et la morale considérées dans leur rapport avec la liberté*. C'est là que Constant signale avec force les limites de l'industrialisme et les dangers du saint-simonisme. En reprenant, en 1829, cet article pour ses *Mélanges*, Constant y apportera quelques changements, mais il appuiera davantage sur les déviations de la « secte » saint-simonienne.

1827. Toujours une activité remarquable à la Chambre où la petite minorité libérale livre ses combats pour la liberté de l'expression notamment.

Il est actif dans la presse. Il réunit ses discours pour l'impression.

Août. Voyage triomphal en Alsace et séjour à Bade.

Octobre. Mise en vente du 3e tome de *De la religion*.

Novembre. Déroute du ministère Villèle aux élections, victoire de la gauche et succès de la « défection » royaliste, menée par Chateaubriand. Constant est élu par Paris et le Bas-Rhin à la fois. Il opte pour le Bas-Rhin.

Le ministère Villèle est remplacé par le cabinet Martignac.

1827-1828. *Discours à la Chambre,* par souscription, 2 vol.

1828. Grande activité de Constant à la Chambre, où la gauche, en force, est en mesure, en coopérant avec la « défection » royaliste, de poser ses conditions au ministère. Constant est également actif dans la presse.

Septembre-décembre. Séjour à Bade, à Brumath, où, au mois d'octobre, Constant dicte ses *Mémoires* au jeune Coulmann. Constant publie dans les *Annales romantiques* un passage de la préface de la troisième édition d'*Adolphe*. C'est un rappel discret de sa place dans les lettres comme initiateur et invite à se procurer la 4e édition d'*Adolphe,* parue la même année.

L'ensemble de son activité de publiciste ne suffit pas pour le faire admettre à l'Académie. Il échoue.

1829. Grande activité à la Chambre et dans la presse, où il prolonge et étend, selon son habitude, son action parlementaire.

Il prend toujours au sérieux les mérites des candidats à l'Académie et s'y prépare en conséquence.

Août. Publication de ses *Mélanges de littérature et politique,* réunion d'anciens articles et études, parfois légèrement modifiés, ici et là profondément modifiés, ou même complètement inédits, tel son essai sur la perfectibilité. Les *Mélanges* constituent une véritable *somme* de la pensée de Constant.

Octobre. Impression des deux parties de son étude capitale, *Réflexions sur la tragédie,* qu'il a adressée de Bade, où il se trouvait depuis le mois d'août pour soigner sa santé délabrée. Les *Réflexions* ont paru dans la *Revue de Paris*.

Novembre. Réimpression des *Mémoires sur les Cent*

Jours, édition enrichie d'une très importante introduction qui vise le nouveau ministère Polignac.

Mi-décembre. Constant accepte de collaborer au *Temps,* créé au mois d'octobre, malgré ses tâches écrasantes. Conscience du devoir à accomplir dans un contexte politique des plus dramatiques ? Pressentiment de sa mort prochaine et efforts suprêmes pour la cause générale et la sienne propre ? Besoins accablants d'argent ? Obligation à l'endroit de Coste, rédacteur du *Temps,* ami de longue date ?

1830. Grande activité dans la presse.

19 mars. Prorogation de la Chambre. Constant y a collaboré à la rédaction, en comité secret, de l'Adresse. Ce texte deviendra très vite de l'histoire : l'*Adresse des 221.*

Février-juillet. Publication dans la *Revue de Paris* de trois importants articles, *Souvenirs historiques,* série inachevée, *à l'occasion de l'ouvrage de M. Bignon.* Cette étude est en même temps un avertissement sévère à l'endroit de Polignac et de ses collègues.

Aristophane, article publié dans la *Revue de Paris,* compte rendu qui n'en est pas un, à l'occasion de la publication d'une traduction de l'œuvre d'Aristophane, est aussi une mise en garde solennelle de l'Eglise et des autorités civiles à la fois.

Juin. Réélection de Constant par Strasbourg.

24 juillet. Les fameuses quatre ordonnances.

Malade, se trouvant à la campagne, Constant est rappelé à Paris où il prend une part active dans l'installation du nouveau régime.

30 juillet. Constant rédige, avec Sébastiani, une déclaration en faveur de Louis-Philippe.

Août-novembre. Rôle actif de Constant dans les débats de la Chambre.

27 août. Constant est nommé président d'une section du Conseil d'Etat. Il accepte de Louis-Philippe 200 000 F pour lui permettre de payer ses dettes.

18 novembre. Dernier échec de Benjamin Constant à l'Académie.

19 novembre. Dernier discours de Constant à la Chambre où il fera sa dernière apparition le 26.

8 décembre. Mort de Benjamin Constant.

12 décembre. Funérailles nationales.

TABLE

DE L'ESPRIT DE CONQUÊTE ET DE L'USURPATION

PREMIÈRE PARTIE
DE L'ESPRIT DE CONQUÊTE

SECONDE PARTIE
DE L'USURPATION

TITRES RÉCEMMENT PARUS

GF GRAND-FORMAT

Vous trouverez chez votre libraire le catalogue complet de notre collection

GF — TEXTE INTÉGRAL — GF

1827-XI-1986. — Imp. Bussière, St-Amand (Cher).
N° d'édition : 11073. — Novembre 1986. — Printed in France.